Wesley C. Salmon

Logik

Aus dem Englischen übersetzt
von Joachim Buhl

Philipp Reclam jun. Stuttgart

Titel der englischen Originalausgabe:
Logic. Second edition. Englewood Cliffs, N. J.: Prentice-Hall, 1973.

RECLAMS UNIVERSAL-BIBLIOTHEK Nr. 7996
Alle Rechte vorbehalten
© 1983 Philipp Reclam jun. GmbH & Co., Stuttgart
Die Übersetzung erscheint mit Genehmigung von Prentice-Hall,
Inc., Englewood Cliffs, New Jersey, Copyright © 1973 Prentice-Hall, Inc.
Gesamtherstellung: Reclam, Ditzingen. Printed in Germany 2006
RECLAM, UNIVERSAL-BIBLIOTHEK und RECLAMS
UNIVERSAL-BIBLIOTHEK sind eingetragene Marken
der Philipp Reclam jun. GmbH & Co., Stuttgart
ISBN-13: 978-3-15-007996-6
ISBN-10: 3-15-007996-9

www.reclam.de

Inhalt

Vorwort

Obwohl die Logik normalerweise als ein Zweig der Philosophie betrachtet wird, reichen ihre Anwendungen weit über die Grenzen einer einzelnen Disziplin hinaus. Die kritischen Regeln der Logik werden in jedem Fach angewandt, in dem Schlüsse gezogen und Argumente vorgebracht werden – in jedem Gebiet, in dem man erwartet, daß Konklusionen begründet werden. Dazu gehören alle Bereiche ernsthafter geistiger Arbeit ebenso wie die praktischen Dinge des täglichen Lebens.

Es gibt zahlreiche ausgezeichnete Logikbücher, die meisten davon sind jedoch von beträchtlichem Umfang und eignen sich am besten als Lehrbücher für Logikkurse. Das vorliegende Buch dient einem anderen Zweck. Es ist in erster Linie für den Leser bestimmt, der zwar keinen Logikkurs mitmacht, trotzdem aber Grundkenntnisse in der Logik für nützlich hält. Er besucht vielleicht eine Veranstaltung in einem anderen Zweig der Philosophie. Er studiert möglicherweise Mathematik, Naturwissenschaften, Linguistik, Geschichte oder Jura. Er ist vielleicht an der Darstellung und Kritik vernünftiger Argumentationen interessiert, so wie sie in Abhandlungen und Diskussionen vorkommen. Oder er möchte ein wenig Logik lernen, um sein eigenes Denken und die gewaltige Flut der zur Überredung gebrauchten Wörter besser beurteilen zu können. Ich biete ihm ein schmales Buch an, in der Hoffnung, daß es eine nützliche Ergänzung zum Stoff seines eigenen Interessengebietes darstellt. Wenn er zu einer weiterge-

henden Beschäftigung mit der Logik angeregt werden
sollte, würde ich mich sehr freuen. Ein kurzes Verzeichnis weiterführender Literatur findet sich am Ende des
Buches.

Wie mit vielen Disziplinen kann man sich auch mit
Logik wegen eines Interesses an der Sache selbst oder
zum Zwecke der Anwendung beschäftigen. Diese beiden Beweggründe schließen sich gegenseitig nicht aus.
Ich habe versucht, jeder dieser Absichten bis zu einem
gewissen Grade gerecht zu werden. Einerseits habe ich
das ganze Buch hindurch einiges über den Bereich, das
Wesen und die Aufgabe der Logik gesagt. Ich habe
versucht, die Fragestellungen, mit denen sich die Logik
befaßt, und diejenigen, die nicht in ihren Bereich fallen,
aufzuzeigen. Hoffentlich bekommt der Leser eine gute
Grundvorstellung davon, um was es in der Logik geht.
Andererseits habe ich versucht, Themen darzustellen,
die wichtige Anwendungen besitzen. Insbesondere
habe ich mich darum bemüht, logische Überlegungen
auf relevante und einprägsame Beispiele anzuwenden.

Erstes Kapitel

Der Bereich der Logik

Wenn jemand eine Behauptung aufstellt, so wird er sie nicht selten begründen. Eine durch Gründe gestützte Behauptung ist die Konklusion eines Arguments, und die Logik stellt Methoden bereit für die Analyse von Argumenten. In einer logischen Analyse geht es um die Beziehung zwischen einer Konklusion und den Gründen, die zu ihrer Stützung angeführt werden.

Wenn jemand urteilt, so zieht er Schlüsse. Diese Schlüsse kann man in Argumente umformen; und auf die Argumente kann man dann die Regeln der Logik anwenden. Auf diese Weise lassen sich die Schlüsse, aus denen die Argumente hervorgegangen sind, als richtig oder falsch bewerten.

Die Logik beschäftigt sich mit Argumenten und Schlüssen. Eine ihrer Hauptaufgaben besteht darin, Methoden bereitzustellen, die es ermöglichen, die logisch gültigen von den logisch ungültigen Argumenten und Schlüssen zu unterscheiden.

Hauptaufgabe d. Logik

1. Das Argument

In einem seiner berühmten Abenteuer bekommt Sherlock Holmes einen alten Filzhut in die Hände. Obwohl Holmes den Eigentümer des Hutes nicht kennt, teilt er Dr. Watson eine Menge Einzelheiten über diesen Mann mit – unter anderem, daß er sehr intelligent ist. Diese

Behauptung ist, für sich gesehen, unbegründet. Holmes mag Gründe für seine Aussage haben, bisher hat er sie aber nicht angegeben.

Wie gewöhnlich sieht Dr. Watson keinerlei Grund für Holmes' Behauptung und bittet um eine Erklärung. »Als Antwort setzte Holmes den Hut auf. Er reichte ganz über die Stirn und saß auf seiner Nasenwurzel auf. ›Es ist eine Frage des Rauminhalts‹, sagte er; ›ein Mensch mit einem so großen Gehirn kann nicht dumm sein.‹«[1] Jetzt ist die Aussage, daß der Eigentümer des Hutes sehr intelligent ist, keine unbegründete Behauptung mehr. Holmes hat einen Grund angegeben und damit seine Aussage begründet. Sie ist die Konklusion eines Arguments.

Wir werden Behauptungen so lange als unbegründet ansehen, bis Gründe zu ihrer Stützung tatsächlich angegeben worden sind, unabhängig davon, ob irgend jemand Gründe für sie hat oder nicht. Dafür gibt es eine einfache Erklärung: Die Logik beschäftigt sich mit Argumenten. Ein Argument besteht aus mehr als nur einer Aussage: es besteht aus einer Konklusion und den Gründen, die zu ihrer Stützung angegeben werden. Solange die Gründe nicht angegeben worden sind, liegt uns kein Argument zur Analyse vor. Es kommt nicht darauf an, von wem die Gründe angegeben werden. Hätte Watson die Größe des Hutes als Grund für Holmes' Konklusion angeführt, dann hätte uns ein

---

1 Arthur Conan Doyle, »The Adventure of the Blue Carbuncle«, in: *Adventures of Sherlock Holmes*, New York / London: Harper & Row, o. J., S. 157. Hier und im folgenden wurde die Anführung und Verwendung von Textstellen dieser Geschichte von der Nachlaßverwaltung von Sir Arthur Conan Doyle genehmigt.

Argument zur Analyse vorgelegen. Wenn wir als Leser der Geschichte in der Lage gewesen wären, diesen Grund zu nennen, hätte ebenfalls ein Argument zur Analyse vorgelegen. Aber für sich gesehen, ist die Aussage, daß der Eigentümer sehr intelligent ist, eine unbegründete Behauptung. Wir können ein Argument so lange nicht beurteilen, bis die Begründung, die einen unverzichtbaren Bestandteil des Arguments bildet, vorgebracht worden ist.

Wenn man die Behauptungen, für die keine Gründe angegeben worden sind, von Konklusionen von Argumenten unterscheidet, dann heißt das nicht, daß man sie verwirft. Es geht nur darum, die Bedingungen für die Anwendbarkeit der Logik offenzulegen. Wird eine Aussage gemacht, dann sind wir vielleicht bereit, sie zu akzeptieren, so wie sie dasteht. In diesem Fall kommt die Frage nach einer Begründung der Aussage nicht auf. Sind wir aber nicht bereit, die Aussage zu akzeptieren, dann stellt sich die Frage nach einer Begründung tatsächlich. Wenn eine Begründung vorgebracht worden ist, dann ist die unbegründete Behauptung in eine begründete Konklusion verwandelt worden. Dann liegt ein Argument vor, auf das man die Logik anwenden kann.

Der Ausdruck »Argument« ist in der Logik grundlegend. Wir müssen seine Bedeutung erklären. Im gewöhnlichen Sprachgebrauch deutet der Ausdruck »Argument« oft auf einen Disput hin. In der Logik hat er nicht diese Nebenbedeutung. In unserer Verwendung des Ausdrucks kann ein Argument vorgebracht werden, um eine Konklusion zu begründen, unabhängig davon, ob sie umstritten ist oder nicht. Trotzdem schließt ein

vernünftiger Disput Argumente im logischen Sinn ein
und unterscheidet sich dadurch von lautem Geschrei
und Beschimpfungen. Eine Meinungsverschiedenheit
ist eine Gelegenheit, nach Gründen zu suchen, vorausgesetzt, man strebt nach einer vernünftigen Lösung.

Mit Argumenten versucht man oft zu überzeugen, und
darin besteht eine ihrer wichtigen und legitimen Aufgaben; die Logik hat es aber nicht mit der Überzeugungskraft von Argumenten zu tun. Argumente, die im logischen Sinn nicht korrekt sind, überzeugen tatsächlich
oft, während logisch fehlerfreie Argumente häufig nicht
überzeugen. Die Logik befaßt sich mit einer objektiven
Beziehung zwischen Begründung und Konklusion. Ein
Argument kann logisch korrekt sein, selbst wenn niemand es dafür hält; oder es kann logisch inkorrekt sein,
selbst wenn jeder es akzeptiert.

In erster Annäherung kann man sagen, daß ein Argument eine Konklusion ist, die in Beziehung zu den
Gründen steht, die zu ihrer Stützung angegeben werden. Genauer: *Ein Argument ist eine Gruppe von Aussagen, die miteinander in Beziehung stehen.*[2] Ein Argument besteht aus einer Aussage, die die Konklusion
darstellt, und einer oder mehrerer Aussagen, die
Gründe zu ihrer Stützung angeben. Die Aussagen, die
Gründe angeben, werden »Prämissen« genannt. Es gibt
keine bestimmte Anzahl von Prämissen, die jedes

2 Wir verwenden den Ausdruck »Aussage«, um uns auf Teile von
Argumenten zu beziehen, weil er philosophisch neutraler ist als die
Ausdrücke »Satz« oder »Proposition«. Wir schlagen hier keine Definition des Ausdrucks »Aussage« vor, weil jede Definition Kontroversen
innerhalb der Sprachphilosophie auslösen würde, die den Anfänger
nicht zu kümmern brauchen. Fortgeschrittenere Leser können die Definition bestimmen, die ihnen die geeignetste zu sein scheint.

Argument besitzen sollte, es muß aber mindestens eine geben.

Als Watson eine Begründung der Aussage über den Eigentümer des Hutes verlangte, lieferte Holmes nur eine Skizze eines Arguments. Obwohl er sein Argument nicht bis in alle Einzelheiten vorbrachte, sagte er doch genug, um zeigen zu können, worin es bestehen würde. Wir können es wie folgt rekonstruieren:

(a) 1. Dies ist ein großer Hut.
2. Jemand ist der Eigentümer dieses Hutes.
3. Die Eigentümer großer Hüte sind Menschen mit großen Köpfen.
4. Menschen mit großen Köpfen haben große Gehirne.
5. Menschen mit großen Gehirnen sind sehr intelligent.
∴ 6. Der Eigentümer dieses Hutes ist sehr intelligent.

Dies ist ein Argument; es besteht aus sechs Aussagen. Die ersten fünf Aussagen sind die Prämissen; die sechste Aussage ist die Konklusion.

Von den Prämissen eines Arguments nimmt man an, daß in ihnen Gründe für die Konklusion formuliert sind. Die Angabe von Gründen in den Prämissen hat zwei Aspekte. Erstens sind die Prämissen Tatsachenaussagen. Zweitens werden diese Tatsachen als *Gründe* für die Konklusion vorgebracht. Folglich ist es auf zweifache Weise möglich, daß man bei dem Versuch, Gründe für die Konklusion anzugeben, scheitern kann. Zum einen können eine oder mehrere der Prämissen falsch sein. In diesem Fall sind die vermeintlichen Tatsachen gar keine Tatsachen; die *angeblichen* Gründe existieren nicht. Unter diesen Umständen kann man schwerlich sagen, daß wir gute Gründe haben, die Konklusion zu akzeptieren. Zum anderen, selbst wenn alle

Prämissen wahr sind – d. h. selbst wenn die Prämissen die Tatsachen korrekt wiedergeben –, stehen sie möglicherweise nicht in der richtigen Beziehung zur Konklusion. In diesem Fall werden die Tatsachen zwar von den Prämissen richtig dargestellt, diese Tatsachen bilden aber keine *Gründe* für die Konklusion. Damit Tatsachen Gründe für eine Konklusion bilden, müssen sie für die Konklusion wirklich relevant sein. Zur Stützung einer Konklusion genügt die Angabe irgendwelcher wahren Aussagen selbstverständlich nicht. Die Aussagen müssen mit der Konklusion etwas zu tun haben.

Wird ein Argument als eine Begründung seiner Konklusion vorgebracht, entstehen zwei Fragen. Erstens: Sind die Prämissen wahr? Zweitens: Stehen die Prämissen in der richtigen Beziehung zur Konklusion? Wenn eine der beiden Fragen verneint wird, ist die Begründung unbefriedigend. Es ist aber unbedingt notwendig, daß diese beiden Fragen auseinandergehalten werden. In der Logik beschäftigen wir uns nur mit der zweiten Frage.[3] Wenn ein Argument der logischen Analyse unterzogen wird, geht es um die Relevanzfrage. *Die Logik befaßt sich mit der Beziehung zwischen Prämissen und Konklusion und nicht mit der Wahrheit von Prämissen.*

Eines unserer Hauptziele besteht darin, Methoden für die Unterscheidung zwischen logisch korrekten und inkorrekten Argumenten bereitzustellen. *Die logische Korrektheit oder Inkorrektheit eines Arguments hängt*

---

3 Es gibt wichtige Ausnahmen zu dieser Behauptung. Sie werden in den Abschnitten 12 und 31 erörtert. Bis dahin können sie gefahrlos außer acht gelassen werden.

ausschließlich von der Beziehung zwischen den Prämissen und der Konklusion ab. In einem logisch korrekten Argument stehen die Prämissen in der folgenden Beziehung zur Konklusion: *Wenn die Prämissen wahr sind, ist das ein guter Grund, die Konklusion für wahr zu halten.* Wenn die Tatsachen, die von den Prämissen eines logisch korrekten Arguments angeführt werden, tatsächlich Tatsachen sind, dann bilden sie gute Gründe für die Wahrheit der Konklusion. Das meinen wir, wenn wir sagen, daß die Prämissen eines logisch korrekten Arguments die Konklusion *stützen.* Die Prämissen eines Arguments stützen die Konklusion, wenn die Wahrheit der Prämissen einen guten Grund für die Behauptung bilden würde, daß die Konklusion wahr ist. Wenn wir sagen, daß die Prämissen eines Arguments die Konklusion stützen, sagen wir *nicht*, daß die Prämissen wahr sind. Wir sagen vielmehr, daß es gute Gründe für die Wahrheit der Konklusion gibt, *wenn* die Prämissen wahr sind.

Die Prämissen eines logisch inkorrekten Arguments können die Konklusion *scheinbar* stützen, obwohl sie es in Wirklichkeit nicht tun. Logisch inkorrekte Argumente nennt man »Fehlschlüsse«. Selbst wenn die Prämissen eines logisch inkorrekten Arguments wahr sind, ist das kein guter Grund, die Konklusion für wahr zu halten. Die Prämissen eines logisch inkorrekten Arguments sind für die Konklusion nicht wirklich relevant.

Da die logische Korrektheit oder Inkorrektheit eines Arguments allein von der Beziehung zwischen den Prämissen und der Konklusion abhängt, *ist die logische Korrektheit oder Inkorrektheit vollkommen unabhängig von der Wahrheit der Prämissen.* So ist es insbesondere falsch, ein Argument als »Fehlschluß« zu bezeichnen, bloß weil es eine oder mehrere falsche Prämissen besitzt. Man betrachte das den Hut betreffende Argument in Beispiel (a): Es ist wahrscheinlich schon bemerkt worden, daß mit dem Schluß von der Größe des Hutes auf die Intelligenz des Eigentümers etwas nicht stimmt. Man ist vielleicht geneigt gewesen, ihn als logisch fehlerhaft zu verwerfen. Dies wäre falsch gewesen. Das Argument ist logisch korrekt – es ist kein Fehlschluß –, es enthält aber mindestens eine falsche Prämisse. Es ist eine Tatsache, daß nicht jeder, der ein großes Gehirn besitzt, sehr intelligent ist. Man sollte aber erkennen können, daß die Konklusion dieses Arguments wahr sein müßte, wenn alle Prämissen wahr wären. Es ist nicht die Aufgabe der Logik herauszufinden, ob Menschen mit großen Gehirnen sehr intelligent sind. Diese Frage kann nur durch wissenschaftliche Untersuchungen entschieden werden. Die Logik kann demgegenüber feststellen, ob die Prämissen ihre Konklusion stützen.

Wie wir gerade gesehen haben, kann ein logisch korrektes Argument eine oder mehrere falsche Prämissen enthalten. Ein logisch inkorrektes Argument, ein Fehlschluß, kann wahre Prämissen haben; es kann tatsächlich auch eine wahre Konklusion besitzen.

(b)   *Prämissen:*   Alle Säugetiere sind sterblich.
                         Alle Hunde sind sterblich.
       Konklusion: Alle Hunde sind Säugetiere.

Dieses Argument ist offensichtlich ein Fehlschluß. Die Tatsache, daß sowohl die Prämissen als auch die Konklusion wahre Aussagen sind, bedeutet nicht, daß die Prämissen die Konklusion stützen. Sie tun es nicht. In

Abschnitt 5 werden wir beweisen, daß dieses Argument ein Fehlschluß ist. Dabei werden wir uns einer allgemeinen Methode für die Analyse von Fehlschlüssen bedienen. Die Verfahren in Abschnitt 14 kann man ebenfalls auf Argumente dieses Typs anwenden. Für diesmal können wir auf den Fehlschlußcharakter von (b) hinweisen, indem wir darauf aufmerksam machen, daß die Prämissen selbst dann wahr wären, wenn Hunde Reptilien (und keine Säugetiere) wären. Die Konklusion wäre dann falsch. Zufällig ist die Konklusion »Alle Hunde sind Säugetiere« wahr, es findet sich aber in den Prämissen nichts, das dies stützt.

Weil die logische Korrektheit oder Inkorrektheit eines Arguments allein von der Beziehung zwischen den Prämissen und der Konklusion abhängt und von der Wahrheit der Prämissen vollkommen unabhängig ist, können wir Argumente analysieren, ohne zu wissen, ob die Prämissen wahr sind – dies ist tatsächlich selbst dann möglich, wenn wir wissen, daß sie falsch sind. Das ist für uns von Vorteil. Oft ist es nützlich zu wissen, zu welchen Konklusionen man von falschen oder zweifelhaften Prämissen aus kommen kann. Eine rationale Abwägung zum Beispiel schließt die Berücksichtigung der Konsequenzen von verschiedenen Alternativen mit ein. Wir können Argumente mit verschiedenen Prämissen konstruieren, um zu sehen, was die Konsequenzen sind. Dabei behaupten wir nicht, daß die Prämissen wahr sind. Wir können vielmehr die Argumente untersuchen, ohne die Frage nach der Wahrheit der Prämissen auch nur zu stellen. Bisher sind wir so vorgegangen, als ob die einzige Aufgabe von Argumenten darin bestehe, Begründungen für Konklusionen bereitzustellen. Wir sehen jetzt, daß dies nur eine von mehreren Verwendungsweisen für Argumente ist. Im allgemeinen dienen Argumente dazu, auf die Konsequenzen hinzuweisen, zu denen man aus vorgegebenen Prämissen kommen kann, sei es, daß man weiß, daß die Prämissen wahr sind, oder daß man weiß, daß sie falsch sind, oder daß man über ihren Wahrheitswert bloß im Zweifel ist.

Für die Zwecke der logischen Analyse ist es vorteilhaft, die Argumente in einer Standardform darzustellen. Wir werden zuerst die Prämissen hinschreiben und die Konklusion durch drei Punkte kennzeichnen.

(c)   Jeder der Schöffen war Mitglied einer Partei.
       Jones war einer der Schöffen.
    ∴ Jones war Mitglied einer Partei.*

Dieses Argument ist logisch korrekt. Wir sollten allerdings nicht erwarten, außerhalb von Logikbüchern Argumente zu finden, die in dieser Form ausgedrückt sind. Wir müssen lernen, Argumente zu erkennen, wenn sie in der Alltagssprache auftauchen, denn normalerweise stehen sie weder in der Mitte der Seite, noch sind sie irgendwie ausgezeichnet. Ferner müssen wir die Prämissen und die Konklusion ermitteln, weil sie gewöhnlich nicht explizit hervorgehoben sind. Die Prämissen gehen der Konklusion nicht notwendigerweise voraus. Manchmal tritt die Konklusion am Schluß, manchmal am Anfang und manchmal in der Mitte des Arguments auf. Aus stilistischen Gründen können Argumente auf ganz verschiedene Weise vorge-

---

* Es handelt sich hier um ein gegenüber dem englischen Original leicht abgewandeltes Beispiel. [Anm. d. Übers.]

bracht werden. Zum Beispiel wäre jede der folgenden Variationen von (c) vollkommen in Ordnung:

(d) Jeder der Schöffen war Mitglied einer Partei, und Jones war einer der Schöffen; *deshalb* war Jones Mitglied einer Partei.

(e) Jones war Mitglied einer Partei, *weil* Jones einer der Schöffen war und jeder der Schöffen Mitglied einer Partei war.

(f) *Da* jeder der Schöffen Mitglied einer Partei war, *muß* Jones Mitglied einer Partei *gewesen sein, denn* Jones war einer der Schöffen.

Die Tatsache, daß ein Argument vorgebracht wird, wird normalerweise durch bestimmte Worte oder Wendungen mitgeteilt, die anzeigen, daß eine Aussage als Prämisse oder als Konklusion fungiert. Ausdrücke wie »deshalb«, »daher«, »folglich«, »also« und »daraus folgt, daß« weisen darauf hin, daß das, was unmittelbar daran anschließt, eine Konklusion ist. Die Prämissen, aus denen sie folgt, sind wahrscheinlich in ihrer Nähe angegeben. Bestimmte Verbformen, die eine Notwendigkeit andeuten wie »muß gewesen sein«, lassen ebenfalls darauf schließen, daß die Aussage, in der sie vorkommen, eine Konklusion ist. Sie weisen darauf hin, daß diese Aussage aus angegebenen Prämissen notwendigerweise (d. h. deduktiv) folgt. Andere Ausdrücke zeigen an, daß es sich bei einer Aussage um eine Prämisse handelt: »da«, »denn« und »weil« sind hierfür Beispiele. Die Aussage, die auf ein solches Wort folgt, ist eine Prämisse. Die auf diese Prämisse gestützten Konklusionen sind wahrscheinlich in der Nähe zu finden. Ausdrücke, die auf Teile von Argumenten hindeuten, sollten dann und nur dann verwendet werden, wenn

Argumente vorgebracht werden. Es ist irreführend, diese Ausdrücke zu gebrauchen, wenn kein Argument vorkommt. Wenn zum Beispiel eine Aussage mit dem Wort »deshalb« eingeleitet wird, erwartet der Leser vollkommen zu Recht, daß sie aus etwas folgt, das schon gesagt wurde. Wenn Argumente vorgebracht werden, ist es wichtig, daß man das wissen läßt und genau angibt, welche Aussagen als Prämissen und welche als Konklusionen gemeint sind. Dem Leser sollte wirklich erst klar sein, welche Aussagen die Prämissen und welche die Konklusionen sind, bevor er dazu übergeht, Argumente einer Analyse zu unterwerfen.

Noch in einer anderen Hinsicht befinden sich Argumente in den meisten Kontexten nicht in der logischen Standardform. Wenn wir Argumente einer logischen Analyse unterziehen, müssen alle Prämissen explizit angegeben sein. Viele Argumente schließen aber Prämissen ein, die so selbstverständlich sind, daß es reine Pedanterie wäre, wenn man sie in Situationen des Alltags mitteilen würde. Es ist uns schon ein Beispiel eines Arguments mit fehlenden Prämissen begegnet. Holmes' Argument über den Hut war unvollständig. Wir versuchten es in Beispiel (a) zu vervollständigen. Außerhalb eines Logikbuchs könnte Beispiel (c) in jeder der beiden folgenden Formen auftreten, je nachdem, welche Prämisse man für selbstverständlicher hält:

(g)   Jones muß Mitglied einer Partei gewesen sein, denn er
      war einer der Schöffen.

(h)   Jones war Mitglied einer Partei, weil jeder der Schöffen
      Mitglied einer Partei war.

In keinem dieser Fälle wäre es schwierig, die fehlende Prämisse zu finden.

Es wäre unvernünftig, darauf zu bestehen, daß Argumente immer in vollständiger Form, ohne fehlende Prämissen vorgebracht werden. Trotzdem kann eine fehlende Prämisse von großer Bedeutung sein. Obwohl eine fehlende Prämisse häufig eine Aussage ist, die sich zu sehr von selbst versteht, als daß man es der Mühe wert erachtet, sie zu formulieren, ist es doch manchmal möglich, daß eine fehlende Prämisse eine entscheidende versteckte Annahme verkörpert. Wenn wir versuchen, die Argumente, auf die wir stoßen, zu vervollständigen, machen wir die Annahmen ausfindig, die nötig wären, um sie in logisch korrekte Argumente zu verwandeln. Dieser Schritt ist oft der aufschlußreichste Aspekt der logischen Analyse. Manchmal stellt sich heraus, daß die erforderlichen Prämissen äußerst zweifelhaft oder offensichtlich falsch sind.

Die logische Analyse eines Diskurses schließt drei einleitende Schritte ein, auf die wir eingegangen sind.

1. Argumente müssen erkannt werden; insbesondere müssen durch Gründe nicht gestützte Aussagen von Konklusionen von Argumenten unterschieden werden.
2. Hat man ein Argument gefunden, müssen die Prämissen und Konklusionen identifiziert werden.
3. Wenn das Argument unvollständig ist, müssen die fehlenden Prämissen ausfindig gemacht werden.

Wenn ein Argument in eine vollständige und explizite Form gebracht worden ist, können logische Regeln angewandt werden, um festzustellen, ob es logisch korrekt oder inkorrekt ist.

2. Der Schluß

Im vorhergehenden Abschnitt untersuchten wir Argumente und stellten fest, daß die Logik zu ihrer Analyse und Bewertung verwendet werden kann. Dies ist eine wichtige Aufgabe der Logik. Nach der Vorstellung der meisten Menschen hat die Logik jedoch etwas mit dem Denken und Urteilen zu tun. Denken und Urteilen bestehen wenigstens zum Teil im Ziehen von Schlüssen. In diesem Abschnitt werden wir die Anwendung der Logik auf Schlüsse untersuchen.

Viele unserer Überzeugungen und Meinungen – in der Tat ein Großteil unseres Wissens – sind Ergebnisse von Schlußfolgerungen. Das Beispiel mit Sherlock Holmes veranschaulicht das auf einfache Weise. Holmes hat nicht *gesehen*, daß der Eigentümer des Hutes sehr intelligent war. Er sah, daß der Hut groß war, und *schloß* daraus, daß der Eigentümer sehr intelligent sein müsse. Im vorhergehenden Abschnitt untersuchten wir Holmes' Argument; wir wollen jetzt seinen Schluß prüfen. Holmes war zu der Konklusion gelangt, daß der Eigentümer des Hutes sehr intelligent sei. Diese Konklusion war eine Überzeugung oder Meinung, die er vertrat. Als Dr. Watson ihn besuchte, *verkündete* er diese Konklusion. Holmes war wegen der Gründe, die ihm vorlagen, zu dieser Konklusion gelangt. Als man ihn darum bat, *nannte* er die Gründe für seine Konklusion. Indem er seine Gründe und seine Konklusion angab, präsentierte er ein *Argument*. Bevor er sein Argument präsentierte, hatte er einen *Schluß* von seinen Gründen auf seine Konklusion gezogen.

Es besteht eine weitgehende Entsprechung zwischen

Argumenten und Schlüssen. Sowohl Argumente als auch Schlüsse haben es mit Gründen und Konklusionen zu tun, die zueinander in Beziehung stehen. Der Haupt-unterschied besteht darin, daß ein Argument im Gegen-satz zu einem Schluß etwas Sprachliches, eine Gruppe von Aussagen ist.

Zunächst einmal: Die Konklusion eines Arguments ist eine Aussage. Die Konklusion eines Schlusses ist eine Meinung, eine Überzeugung oder etwas Ähnliches. Den Ausgangspunkt unserer Untersuchung der Logik bildeten Aussagen, die wir unterschieden in solche, die durch Gründe gestützt werden, und solche, die durch Gründe nicht gestützt werden. Eine durch Gründe gestützte Aussage ist die Konklusion eines Arguments. Man hat vielleicht bemerkt, daß man eine ähnliche Unterscheidung zwischen Überzeugungen und Meinun-gen, für die Gründe genannt wurden, und solchen, für die keine Gründe genannt wurden, hätte ziehen können. Eine durch Gründe gestützte Überzeugung oder Meinung wäre dann die Konklusion eines Schlus-ses.

Wenn wir die Begründung einer Überzeugung oder Meinung prüfen wollen, müssen wir die Gründe für die Überzeugung oder Meinung untersuchen. In einem Argument sind die Gründe in den Prämissen angege-ben. Bei einem Schluß muß die Person, die den Schluß zieht, Gründe *haben*. Daß jemand Gründe hat, heißt, daß er Kenntnisse, Überzeugungen oder Meinungen einer bestimmten Art besitzt. Holmes zum Beispiel wußte, daß der Hut groß war. Außerdem glaubte er, daß ein Zusammenhang zwischen der Größe des Hutes und den intellektuellen Fähigkeiten seines Eigentümers besteht. Dies machte einen Teil seiner Gründe aus.

Das Ziehen eines Schlusses ist eine psychische Aktivität, die darin besteht, eine Konklusion aus Gründen abzuleiten, d. h. zu bestimmten Meinungen oder Überzeugungen aufgrund anderer Meinungen oder Überzeugungen zu kommen. Die Logik gehört aber nicht zur Psychologie: sie versucht nicht, die Denkprozesse zu beschreiben oder zu erklären, die ablaufen, wenn jemand Schlüsse zieht, denkt oder argumentiert. Nichtsdestoweniger sind einige Schlüsse logisch korrekt, andere logisch inkorrekt. Logische Regeln können auf Schlüsse angewandt werden, um sie einer kritischen Analyse zu unterziehen.

Um einen Schluß zu beurteilen, müssen wir die Beziehung zwischen einer Konklusion und den Gründen für die Konklusion untersuchen. Die Konklusion (des Schlusses) und die Gründe müssen in eine sprachliche Form gebracht werden. Wenn die Gründe in Worte gefaßt sind, liegen uns die *Prämissen eines Arguments* vor. Wenn die Konklusion (des Schlusses) sprachlich ausgedrückt wird, wird sie zur *Konklusion dieses Arguments*. Der mit Worten zum Ausdruck gebrachte Schluß ist somit ein Argument und kann einer logischen Analyse und Bewertung unterzogen werden, wie wir im vorhergehenden Abschnitt ausgeführt haben. Bei der logischen Analyse eines Schlusses interessieren wir uns nicht dafür, wie die Person, die den Schluß gezogen hat, zu der Konklusion gekommen ist. Wir befassen uns nur mit der Frage, ob ihre Konklusion durch die Gründe, auf denen sie beruht, gestützt wird. Um diese Frage beantworten zu können, muß der Schluß sprachlich ausgedrückt werden; wenn er in Worte gefaßt ist, wird er zu einem Argument. Dies trifft selbst dann zu, wenn die Person, die den Schluß zieht, ihn nur für sich selbst formuliert.

Wie wir im vorhergehenden Abschnitt darlegten, hängt die logische Korrektheit eines Arguments nicht von der Wahrheit seiner Prämissen ab. Auf genau dieselbe Weise ist die logische Korrektheit eines Schlusses unabhängig von der Wahrheit der Überzeugungen und Meinungen, die seine Gründe bilden. Die Überzeugungen oder Meinungen, auf denen die Konklusion eines Schlusses beruht, können diese Konklusion selbst dann stützen, wenn diese Überzeugungen und Meinungen falsch sind. Genauso wie wir manchmal Argumente mit Prämissen konstruieren, über deren Wahrheitswert wir im Zweifel sind oder von denen wir wissen, daß sie falsch sind, ziehen wir auch oft Schlüsse aus Voraussetzungen, die zweifelhaft sind oder die wir für falsch halten. Wir könnten zum Beispiel einen Schluß aus den Voraussetzungen ziehen, daß wir für die nächsten zwei Wochen zum Camping fahren werden und daß das Wetter während dieser Zeit regnerisch sein wird. Dieser Schluß könnte uns helfen, die Frage zu beantworten, wie wir einen Urlaub verbringen sollen. Wenn wir einen solchen Schluß ziehen, müssen wir unsere Voraussetzungen nicht für wahr halten; wir möchten vielmehr herausfinden, was die Folgen wären, wenn die Voraussetzungen wahr wären.

Jemand ist vielleicht nach wie vor nicht damit einverstanden, die Anwendung der Logik auf Argumente zu begrenzen. Trifft es zu, so könnte man fragen, daß alle Schlüsse in die Sprache übersetzt werden können? Gibt

es nicht vielleicht einige Überzeugungen, die man in
Sätzen nicht ausdrücken kann? Gibt es nicht vielleicht
einige Gründe, die man nicht in Worte fassen kann? Ist
es unmöglich, daß jemand eine begründete Überzeugung hat und dennoch entweder die Überzeugung selbst
oder die Gründe für sie sprachlich nicht formuliert
werden können? Man kann diese Möglichkeit nicht
bestreiten, doch sollte man Vorsicht walten lassen.
Angenommen, folgendes habe sich zugetragen:

(a)   Holmes übergab den Hut an Watson und fragte ihn, zu
       welchen Schlüssen er über dessen Eigentümer kommen
       könnte. Watson untersuchte ihn sorgfältig und sagte
       schließlich: »Etwas weist ganz deutlich auf eine be-
       stimmte Eigenschaft des Mannes hin, es handelt sich
       dabei aber um einen der Aspekte seines Wesens, den
       man in Worten nicht ausdrücken kann.« Holmes, seine
       Ungeduld verbergend, fragte Watson, welche Gründe er
       für diesen Schluß habe. Watson entgegnete: »Es ist eine
       unaussprechliche Beschaffenheit seines Hutes – etwas,
       das ich unmöglich beschreiben kann.«

Ein solcher Vorfall (der sich niemals ereignete und
überhaupt nicht zu Dr. Watson paßt) würde sicherlich
den begründeten Verdacht aufkommen lassen, daß gar
kein Schluß gezogen worden ist, daß keine Konklusion
abgeleitet wurde und daß keine Gründe gesehen wurden. Ob dieser Verdacht nun zutrifft oder nicht, es wäre
für jeden, Watson eingeschlossen, unmöglich, den
angeblichen Schluß einer logischen Analyse zu unterziehen. Deshalb betrachten wir die Analyse von Argumenten als die Hauptaufgabe der Logik, wobei wir anerken-
nen, daß Schlüsse analysiert werden können, indem
man sie in Argumente umformt. Das bedeutet, daß ein
äußerst enger Zusammenhang zwischen Logik und

Sprache besteht. Wir werden auf diese enge Verbindung im Laufe unserer Untersuchung immer wieder stoßen.

3. Entdeckung und Begründung

Wenn eine Behauptung aufgestellt worden ist, können sich zwei Fragen stellen: »Wie ist es dazu gekommen?« und »Welche Gründe haben wir, sie für wahr zu halten?« Das sind verschiedene Fragen. Es wäre ein schwerer Fehler, die Fragen nicht auseinanderzuhalten, und es wäre mindestens genauso fehlerhaft, die Antworten nicht auseinanderzuhalten. Die erste ist eine Frage nach der *Entdeckung*; Umstände, die diese Frage betreffen, gehören zu dem *Entdeckungszusammenhang*. Die zweite ist eine Frage nach der *Begründung*; Einzelheiten, die für diese Frage von Belang sind, gehören in den *Begründungszusammenhang*.

Immer wenn es darum geht, eine Behauptung zu stützen, ist es wichtig, zwischen dem Entdeckungs- und dem Begründungszusammenhang deutlich zu unterscheiden. *Die Begründung einer Behauptung besteht in einem Argument.* Die Aussage, die begründet werden soll, ist die Konklusion dieses Arguments. Das Argument besteht aus dieser Konklusion und den Gründen, die zu ihr in Beziehung stehen und sie stützen. Wie es zu dieser Behauptung kommt, ist im Gegensatz dazu ein psychischer Vorgang, bei dem die Behauptung vorgestellt, in Betracht gezogen oder auch akzeptiert wird.

Der Unterschied zwischen Entdeckung und Begründung wird durch das folgende Beispiel sehr gut veranschaulicht.

(a)   Das indische Mathematikgenie Ramanujan (1887–1920)
       behauptete, daß die Göttin von Namakkal ihn in seinen
       Träumen besuchte und ihm mathematische Formeln mit-
       teilte. Nach dem Erwachen würde er sie aufschreiben
       und verifizieren.[4]

Es gibt keinen Grund, daran zu zweifeln, daß Ramanujan im Schlaf inspiriert wurde, ob von der Göttin von
Namakkal oder von natürlicheren Quellen. Diese
Umstände haben nichts mit der Richtigkeit der Formeln
zu tun. Die Begründung bezieht sich auf ihre Beweise –
mathematische Argumente –, die er in manchen Fällen
nach dem Erwachen fand.

Das folgende Beispiel veranschaulicht denselben Punkt:

(b)   Es gibt eine berühmte Geschichte über Sir Isaac New-
       tons Entdeckung des Gravitationsgesetzes. Nach diesem
       (wahrscheinlich unzutreffenden) Bericht saß Newton ei-
       nes Tages im Garten und sah, wie ein Apfel zu Boden
       fiel. Plötzlich hatte er eine ausgezeichnete Idee: Die
       Planetenbahnen, die zur Erde fallenden Gegenstände
       und die Gezeiten richten sich alle nach dem Gesetz der
       allgemeinen Gravitation.

Das ist eine hübsche Anekdote über die Entdeckung
einer Theorie, die aber keinerlei Einfluß auf ihre
Begründung hat. Die Frage nach der Begründung kann
nur durch Beobachtungen, Experimente und Argumente beantwortet werden – kurz, die Begründung
hängt von den Gründen für die Theorie ab und nicht
von den psychischen Faktoren, die dafür verantwortlich
waren, daß die Theorie Newton zum ersten Mal in den
Sinn kam.

4 Godfrey H. Hardy / P. V. Seshu Aiyar / Bertram M. Wilson (Hrsg.),
Collected Papers of Srinivasa Ramanujan, Cambridge: University Press,
1927, S. XII.

Begründungsfragen sind Fragen nach der Akzeptabilität von Aussagen. Da die Begründung einer Aussage ein Argument ist, besitzt sie zwei Aspekte: die Wahrheit der Prämissen und die logische Korrektheit des Arguments. Wie wir schon hervorgehoben haben, sind diese zwei Aspekte voneinander unabhängig. Eine Begründung kann unter jedem der beiden Aspekte als gescheitert gelten. Wenn wir nachweisen, daß die Prämissen falsch oder zweifelhaft sind, haben wir gezeigt, daß die Begründung inadäquat ist. Und wenn wir nachweisen, daß das Argument logisch inkorrekt ist, haben wir gezeigt, daß die Begründung unbefriedigend ist. *Der Nachweis, daß die Begründung aus irgendeinem dieser Gründe inadäquat ist, beweist nicht, daß die Konklusion falsch ist.* Es ist möglich, daß es eine andere, adäquate Begründung derselben Konklusion gibt. Wenn wir gezeigt haben, daß eine Begründung inadäquat ist, haben wir nur gezeigt, daß sie keinen guten Grund liefert, die Konklusion für wahr zu halten. Unter diesen Umständen haben wir weder einen Grund, die Konklusion als wahr anzuerkennen, noch einen Grund, sie als falsch zurückzuweisen; es liegt einfach keine Begründung vor. Es ist wichtig, daß man sich dieser Tatsache erinnert, wenn man die verbleibenden Abschnitte dieses Buches liest. Wir werden viele Argumente untersuchen, die entweder falsche Prämissen besitzen oder logisch inkorrekt sind. Daraus folgt nicht, daß die Konklusionen dieser Argumente falsch sind.

Es gibt jedoch so etwas wie eine *Negativbegründung*. Man kann manchmal nachweisen, daß eine Aussage falsch ist. Es wird sich herausstellen, daß die Regel der

Reductio ad absurdum (Abschnitt 8) und die Regel des Arguments gegen den Mann (Abschnitt 25) oft in dieser Weise benutzt werden. Negativbegründungen gehören genauso wie Positivbegründungen in den Begründungszusammenhang. Auch Fragen nach der Angemessenheit einer Begründung zählen zum Begründungszusammenhang.

gen.
Fehl-
schluss

Den Irrtum, der darin besteht, daß man Einzelheiten aus dem Entdeckungszusammenhang so behandelt, als gehörten sie in den Begründungszusammenhang, bezeichnet man als »genetischen Fehlschluß«. Es kommt zu diesem Fehlschluß, wenn man Umstände, die die Entdeckung oder den Ursprung von Aussagen betreffen, *ipso facto* als für deren Wahrheitswert relevant erachtet. Zum Beispiel:

(c)   Die Nazis verwarfen die Relativitätstheorie, weil Einstein, ihr Entdecker, ein Jude war.

Das ist ein ganz klarer Fall eines genetischen Fehlschlusses. Das nationale oder religiöse Umfeld, aus dem derjenige kommt, der eine Theorie aufstellt, ist sicherlich nur für den Entdeckungszusammenhang von Bedeutung. Die Nazis bewerteten so etwas, als ob es zum Begründungszusammenhang gehörte.

Der genetische Fehlschluß muß jedoch mit Sorgfalt dargestellt werden. Wie wir in den Abschnitten 24 und 25 sehen werden, haben sowohl das Argument aus der Autorität als auch das Argument gegen den Mann fehlerhafte Formen, die oft Beispiele für den genetischen Fehlschluß sind. Beide Argumente besitzen aber auch korrekte Formen, die man nicht mit dem genetischen Fehlschluß verwechseln darf. Der Unterschied besteht im folgenden: Einzelheiten aus dem Entdek-

kungszusammenhang kann man manchmal auf korrekte
Weise in den Begründungszusammenhang einbeziehen,
indem man zeigt, daß es einen objektiven Zusammenhang zwischen diesem Aspekt der Entdeckung und dem
Wahrheitswert der Konklusion gibt. Es ist dann für das
Argument unerläßlich, daß dieser objektive Zusammenhang in einer Prämisse ausgedrückt wird. Demgegenüber besteht der genetische Fehlschluß darin, daß
auf ein Merkmal der Entdeckung Bezug genommen
wird, ohne daß ein solcher Zusammenhang mit der
Begründung aufgewiesen wird.

Die Unterscheidung zwischen Entdeckung und Begründung hängt eng mit der Unterscheidung zwischen
Schluß und Argument zusammen. Die psychische Aktivität des Schlußfolgerns ist ein Prozeß der Entdeckung.
Derjenige, der den Schluß zieht, muß an die Konklusion denken. Darin besteht aber nicht das ganze Problem der Entdeckung. Er muß die Gründe finden, und
er muß die Beziehung zwischen den Gründen und der
Konklusion entdecken. Der Schluß wird manchmal dargestellt als der Übergang von den Gründen zur Konklusion. Wenn das heißen soll, daß man beim Denken,
Urteilen und Schlußfolgern von Gründen ausgeht, die
irgendwie gegeben sind, und durch saubere logische
Schritte zu einer Konklusion kommt, dann ist das
sicherlich falsch. Zunächst einmal sind die Gründe nicht
immer vor der Konklusion da. Manchmal denkt man
zuerst an eine Konklusion; man muß dann versuchen,
Gründe zu finden, die sie stützen oder sie als falsch
erweisen. Ein anderes Mal beginnt man mit unzureichenden Gründen, denkt dann an eine Konklusion und
muß schließlich weitere Gründe finden, bevor man zu

einem vollständigen Schluß kommt. Selbst wenn man
mit bestimmten Gründen beginnt und von diesen einfach zu einer Konklusion übergeht, ist es in den meisten
Fällen immer noch so, daß das Denken sich nicht in
logischen Schritten vollzieht. Die Gedanken schweifen
ab, man gibt sich Wunschvorstellungen hin, gerät ins
Träumen, irrelevante freie Assoziationen vollziehen
sich und Sackgassen werden beschritten. Aber wie
immer es auch vor sich geht, der Schluß wird manchmal
gezogen, und Gründe und Konklusion stehen in Beziehung zueinander. Alles das gehört zur Entdeckung.
Wenn der Prozeß der Entdeckung beendet ist, kann der
Schluß in ein Argument umgeformt werden, wie wir im
vorhergehenden Abschnitt erläutert haben, und das
Argument kann auf logische Korrektheit hin untersucht
werden. Das sich ergebende Argument ist keinesfalls
eine Beschreibung der Denkvorgänge, die zu der Konklusion führten.

Es sollte klar sein, daß die Logik nicht zu beschreiben
versucht, wie die Leute tatsächlich denken. Jemand
fragt sich aber vielleicht, ob es Aufgabe der Logik ist,
Regeln darüber aufzustellen, wie wir denken *sollten*.
Stellt uns die Logik eine Menge von Regeln zur Verfügung, um uns beim Urteilen, beim Lösen von Problemen und beim Ziehen von Schlüssen zu lenken? Legt
die Logik die Schritte fest, nach denen wir uns beim
Schlußfolgern richten sollten? Dies ist eine verbreitete
Auffassung. Wenn jemand überzeugend argumentiert,
dann sagt man, er sei ein »logischer Kopf« und er denke
»logisch«.

Sherlock Holmes ist ein sehr gutes Beispiel für einen
Mann von überragender Urteilskraft. Er ist außeror-

dentlich versiert, was das Ziehen von Schlüssen und das
Ableiten von Konklusionen betrifft. Wenn wir diese
seine Fähigkeit untersuchen, sehen wir jedoch, daß sie
nicht darin besteht, eine Menge von Regeln zur Steue-
rung seines Denkens benutzen zu können. Holmes ist,
was das Schlußfolgern angeht, seinem Freund Watson
weit überlegen. Holmes ist bereit, seine Methoden an
Watson weiterzugeben, und Watson ist ein intelligenter
Mann. Leider gibt es keine Regeln, die Holmes Watson
mitteilen kann und die Watson zu Holmes' Urteilsvermögen verhelfen. Holmes' Fähigkeiten bestehen unter
anderem in seiner brennenden Neugier, seiner großen,
natürlichen Intelligenz, seiner lebhaften Einbildungs-
kraft, seinem scharfen Wahrnehmungsvermögen, dem
hohen Maß seines Allgemeinwissens und seinem extre-
men Scharfsinn. Keine Menge von Regeln kann diese
Fähigkeiten ersetzen.

Wenn es eine Menge von Regeln für das Ziehen von
Schlüssen gäbe, dann würden diese Regeln Regeln für
die Entdeckung bilden. Um zu überzeugenden Überlegungen zu kommen, ist in Wirklichkeit ein freies Spiel
des Denkens und der Phantasie erforderlich. Die Bin-
dung an strenge Methoden oder Regeln würde nur zu
einer Behinderung des Denkens führen. Die fruchtbar-
sten Gedanken sind oft gerade diejenigen, auf die man
durch Regelanwendung nicht kommen kann. Natürlich
kann man sein Urteilsvermögen durch Erziehung,
Übung und Schulung verbessern, aber das hat alles
nichts mit dem Lernen und Aneignen einer Menge von
Denkregeln zu tun. Wenn wir jedenfalls die einzelnen
Regeln der Logik betrachten, werden wir sehen, daß
sie nicht im mindesten als Denkschemata geeignet

sind. Wenn man die Denkweisen auf die Logikregeln
begrenzte, würden letztere zu einer Zwangsjacke
werden.

Was wir über die Logik gesagt haben, ist vielleicht
enttäuschend. Wir haben mit großem Nachdruck darauf
hingewiesen, was die Logik nicht leisten kann. Die
Logik kann keine Beschreibung der tatsächlichen
Denkprozesse liefern – das ist eine Aufgabe der Psychologie. Die Logik kann keine Regeln für das Ziehen von
Schlüssen bereitstellen – das ist eine Angelegenheit der
Entdeckung. Wozu taugt dann die Logik? Die Logik
gibt uns Methoden an die Hand, mit denen wir Schlüsse
richtig beurteilen können. In diesem Sinne sagt uns die
Logik tatsächlich, wie wir denken sollen. Wurde ein
Schluß einmal gezogen, dann kann man ihn in ein
Argument umformen und die Logik dazu verwenden,
festzustellen, ob er korrekt ist. Die Logik schreibt uns
nicht vor, wie wir Schlüsse ziehen sollen, läßt uns aber
wissen, welche wir akzeptieren sollten. Jemand, der
inkorrekte Schlüsse billigt, ist unlogisch.

Um den Wert der logischen Methoden zu würdigen,
muß man realistische Annahmen über ihren Zweck
haben. Wenn man erwartet, daß ein Hammer die Aufgabe eines Schraubenziehers erfüllt, wird man bestimmt
enttäuscht werden. Kennt man aber seine Funktion,
dann kann man herausbekommen, ob er etwas taugt.
Die Logik befaßt sich mit Begründungen und nicht mit
Entdeckungen. Sie stellt Methoden für die Analyse von
Diskursen bereit; eine solche Analyse ist für eine ver-
nünftige Darstellung unserer eigenen Anschauungen
und das völlige Verständnis der Behauptungen der
anderen unverzichtbar.

Aufgabe u. Gegenstand d. Logik

4. Deduktive und induktive Argumente

Was wir bis jetzt gesagt haben, gilt für alle Argumenttypen. Es wird Zeit, zwei grundlegende Typen zu unterscheiden: den *deduktiven* und den *induktiven*. Für beide gibt es logisch korrekte und inkorrekte Formen. Das Folgende sind Beispiele für korrekte Formen.

(a) *Deduktiv:*   Jedes Säugetier hat ein Herz.
                     Alle Pferde sind Säugetiere.
                     ∴ Jedes Pferd hat ein Herz.

(b) *Induktiv:*   Jedes der Pferde, die bisher beobachtet worden sind, hat ein Herz gehabt.
                     ∴ Jedes Pferd hat ein Herz.

Es gibt bestimmte charakteristische Merkmale, die korrekte deduktive Argumente von korrekten induktiven Argumenten unterscheiden. Wir werden zwei der wichtigsten anführen.

Deduktiv	*Induktiv*
I. Wenn alle Prämissen wahr sind, muß die Konklusion wahr sein.	I. Wenn alle Prämissen wahr sind, ist es wahrscheinlich, aber nicht notwendig, daß die Konklusion wahr ist.
II. Der Informations- oder Tatsachengehalt der Konklusion war schon vollständig, wenigstens implizit, in den Prämissen enthalten.	II. Die Konklusion enthält Informationen, die nicht einmal implizit in den Prämissen vorhanden sind.

Es ist nicht schwer zu erkennen, daß die beiden Beispiele diese Bedingungen erfüllen.
Merkmal I. Die einzige Gelegenheit, bei der die Kon-

klusion von (a) falsch sein könnte – d. h. der einzig mögliche Umstand, unter dem es falsch sein könnte, daß jedes Pferd ein Herz hat –, ist, daß entweder nicht alle Pferde Säugetiere sind oder nicht jedes Säugetier ein Herz hat. Mit anderen Worten, damit die Konklusion von (a) falsch ist, müssen eine oder beide Prämissen falsch sein. Wenn beide Prämissen wahr sind, muß die Konklusion wahr sein. In Beispiel (b) ist es auf der anderen Seite durchaus möglich, daß die Prämisse wahr und die Konklusion falsch ist. Dies wäre dann der Fall, wenn man irgendwann in der Zukunft ein Pferd beobachtet, das kein Herz hat. Die Tatsache, daß bisher kein Pferd ohne ein Herz beobachtet worden ist, spricht dafür, daß niemals ein solches auftauchen wird. In diesem Argument hat die Prämisse die Konklusion nicht notwendigerweise zur Folge, aber sie verleiht ihr ein gewisses Gewicht.

Merkmal II. Wenn die Konklusion von (a) besagt, daß jedes Pferd ein Herz hat, dann sagt sie etwas, das in Wirklichkeit schon von den Prämissen ausgedrückt worden ist. Die erste Prämisse drückt aus, daß jedes Säugetier ein Herz hat, und das schließt gemäß der zweiten Prämisse alle Pferde ein. In diesem Argument, wie in allen anderen korrekten deduktiven Argumenten, teilt die Konklusion explizit die Informationen mit oder drückt sie mit anderen Worten aus, die schon in den Prämissen gegeben werden. Aus diesem Grund besitzen deduktive Argumente auch Merkmal I. Die Konklusion muß wahr sein, wenn die Prämissen wahr sind, weil die Konklusion nichts zum Ausdruck bringt, was nicht schon in den Prämissen steht. Auf der anderen Seite bezieht sich die Prämisse unseres induktiven Arguments

(b) nur auf die Pferde, die bis jetzt beobachtet worden sind, während die Konklusion sich auch auf Pferde bezieht, die bisher noch nicht beobachtet worden sind. Deshalb drückt die Konklusion etwas aus, das über die Informationen hinausgeht, die in der Prämisse gegeben werden. Und weil die Konklusion etwas sagt, was nicht in der Prämisse steht, könnte die Konklusion falsch sein, selbst wenn die Prämisse wahr wäre. Diese zusätzliche Information der Konklusion könnte falsch sein und damit die Konklusion als ganze falsch werden lassen. Deduktive und induktive Argumente erfüllen verschiedene Funktionen. Das deduktive Argument ist dazu da, den Gehalt der Prämissen explizit zu machen; das induktive Argument hat die Aufgabe, den Umfang unseres Wissens zu erweitern.

Zusammenfassend können wir sagen, daß das induktive Argument den Gehalt der Prämissen auf Kosten der Notwendigkeit der Beziehung zwischen Prämissen und Konklusion erweitert, während das deduktive Argument auf Kosten der Erweiterung des Gehalts eine notwendige Beziehung herstellt.

Aus diesen Merkmalen folgt unmittelbar, daß die deduktive Korrektheit (oder *Gültigkeit* – vgl. Abschnitt 5) ein Entweder-Oder ist. Ein Argument entspricht den Bedingungen für eine korrekte Deduktion entweder völlig oder gar nicht; es gibt keine Grade deduktiver Gültigkeit. Die Prämissen haben die Konklusion entweder notwendigerweise zur Folge oder überhaupt nicht. Im Gegensatz dazu gibt es für korrekte induktive Argumente Grade der Argumentstärke, die davon abhängen, inwieweit die Prämissen die Konklusion stützen. Es gibt Grade der Wahrscheinlichkeit, die die Prämissen eines induktiven Arguments auf eine Konklusion übertragen können; aber die logische Notwendigkeit der Beziehung zwischen Prämissen und Konklusion in einem deduktiven Argument läßt keine Gradeinteilung zu.

Die Beispiele (a) und (b) veranschaulichen deutlich die grundlegenden Eigenschaften induktiver und deduktiver Argumente und die wichtigen Unterschiede zwischen ihnen. Dieselben Merkmale können dazu benutzt werden, weit weniger triviale Argumente zu klassifizieren.

(c)   Die Beziehung zwischen einer wissenschaftlichen Verallgemeinerung und den Beobachtungsdaten, die sie stützen, ist *induktiv*. Nach dem ersten Keplerschen Gesetz ist zum Beispiel die Bahn des Mars eine Ellipse. Die Beobachtungsbasis für dieses Gesetz besteht in einer Reihe von isolierten Beobachtungen der Position des Mars. Das Gesetz selbst bezieht sich auf die Position des Planeten, ob diese nun beobachtet wird oder nicht. Insbesondere besagt das Gesetz, daß die zukünftige Bewegung des Planeten elliptisch sein wird, daß seine Bewegung elliptisch war, bevor die Menschen sie beobachteten, und daß seine Bewegung elliptisch ist, wenn Wolken den Himmel verdecken. Ohne Zweifel hat dieses Gesetz (die Konklusion) einen viel größeren Gehalt als die Aussagen (die Prämissen), die die beobachteten Positionen des Mars beschreiben.[5]

(d)   Mathematische Argumente sind *deduktiv*. Das bekannteste Beispiel ist die euklidische Geometrie der Ebene,

5 Die Tatsache, daß das erste Keplersche Gesetz aus dem Newtonschen Gesetz folgt, beeinträchtigt nicht das Beispiel, weil das Newtonsche Gesetz selbst einen Gehalt besitzt, der weit über das Beobachtungsmaterial, auf dem es beruht, hinausgeht. In beiden Fällen besteht zwischen dem Beobachtungsmaterial und dem Gesetz eine induktive Beziehung.

die beinahe jeder auf der höheren Schule lernt. In der
Geometrie werden Theoreme auf der Grundlage von
Axiomen und Postulaten bewiesen. Die Beweismethode
besteht darin, die Theoreme (Konklusionen) aus den
Axiomen und Postulaten (Prämissen) abzuleiten. Die
deduktive Methode garantiert uns, daß die Theoreme
wahr sein *müssen*, wenn die Axiome und Postulate wahr
sind. Dieses Beispiel zeigt übrigens, daß deduktive Argumente nicht immer trivial sind. Obwohl der Gehalt
des Theorems in den Axiomen und Postulaten gegeben
ist, ist dieser Gehalt keineswegs ganz und gar offenkundig. Den unausgesprochenen Gehalt der Axiome und
Postulate explizit zu machen ist in Wirklichkeit erhellend.

Einer der Hauptgründe für die Betonung der charakteristischen Merkmale induktiver und deduktiver Argumente besteht darin, deutlich zu machen, was man von
ihnen erwarten kann. Insbesondere der Deduktion sind
enge Grenzen gesetzt. Der Gehalt der Konklusion eines
korrekten deduktiven Arguments ist in den Prämissen
enthalten. Deshalb kann ein Argument keine logisch
korrekte Deduktion sein, wenn es eine Konklusion
besitzt, deren Gehalt über den Gehalt ihrer Prämissen
hinausgeht. Wir wollen diese Überlegung auf zwei
äußerst wichtige Beispiele anwenden.

(e) René Descartes (1596–1650), den man oft für den Begründer der modernen Philosophie hält, war zutiefst
darüber beunruhigt, daß das, was als Wissen galt, unsicher und voller Irrtümer war. Um dem abzuhelfen,
versuchte er, sein philosophisches System auf unbezweifelbare Wahrheiten zu gründen und eine Vielzahl von
weitreichenden Konsequenzen daraus abzuleiten. In seinen *Meditationen* unternimmt er große Anstrengungen,
um zu zeigen, daß die Aussage »Ich denke, also bin ich«

unbezweifelbar ist. Er geht dann dazu über, ein umfassendes philosophisches System auszuarbeiten, innerhalb dessen er schließlich zu Konklusionen kommt, die das Dasein Gottes, das Wesen und die Existenz der materiellen Dinge und die substantielle Verschiedenheit zwischen Körper und Geist betreffen. Man bekommt unschwer den Eindruck, daß Descartes versucht, diese Schlüsse allein aus der oben genannten Prämisse abzuleiten. Aber keine derartige Deduktion kann logisch korrekt sein, weil der Gehalt der Konklusionen weit über den Gehalt der Prämissen hinausführt. Wenn Descartes sich nicht grober logischer Fehler schuldig machte, muß er zusätzliche Prämissen oder nichtdeduktive Argumente oder beides benutzt haben. Diese einfachen Überlegungen sollten als Hinweis darauf verstanden werden, daß die erste Interpretation von Descartes' Argument wahrscheinlich falsch ist und daß eine eingehendere Untersuchung nötig ist.

(f)   Eines der schwierigsten und immer wieder zu Debatten Anlaß gebenden Probleme der Moralphilosophie besteht darin, eine Rechtfertigung für Werturteile zu liefern. Der englische Philosoph David Hume (1711–76) sah deutlich, daß sich Werturteile nicht dadurch rechtfertigen lassen, daß man sie allein aus Tatsachenaussagen ableitet. Er schreibt: »Bei jedem System der Moral, das ich bisher kennengelernt habe, habe ich immer die Beobachtung gemacht, daß der Autor eine Zeitlang seinen Untersuchungen auf die übliche Art und Weise nachgeht und die Existenz eines Gottes nachweist oder Betrachtungen über den Menschen anstellt; bis ich plötzlich zu meiner Überraschung entdecke, daß ich keine Aussage antreffe, die nicht anstatt durch die gewöhnlichen Kopulas *ist* und *ist nicht* durch ein *sollte* oder *sollte nicht* gebildet wird. Dieser Übergang vollzieht sich fast unmerklich, hat aber weitreichende Auswirkungen. Denn weil dieses *sollte* oder *sollte nicht* eine neue Beziehung oder Behauptung aufstellt, ist die Forderung unabweisbar, daß man das zur Kenntnis nimmt und erklärt; gleichzeitig muß man etwas scheinbar vollkommen Unbegreifliches begründen, nämlich auf welche Weise man diese neue Beziehung aus anderen Beziehungen, die von ihr ganz und gar verschieden sind, deduktiv ableiten kann.«[6]

Die oben genannten Merkmale dienen zur Unterscheidung zwischen *korrekten* deduktiven und *korrekten* induktiven Argumenten. Jetzt fragt sich jemand vielleicht, woran man inkorrekte Deduktionen und Induktionen erkennen soll. Uns werden schließlich einige wohlbekannte ungültige Formen deduktiver Argumente (z. B. in den Abschnitten 7 und 14) sowie auch einige induktive Fehlschlüsse (z. B. in den Abschnitten 21 und 22) begegnen. Trotzdem gibt es genaugenommen keine inkorrekten deduktiven oder induktiven Argumente; es gibt gültige Deduktionen, korrekte Induktionen und verschiedenartige fehlerhafte Argumentationen. Es gibt natürlich ungültige Argumente, die fast wie gültige Deduktionen aussehen; diese bezeichnet man ungenau als »ungültige Deduktionen« oder »deduktive Fehlschlüsse«. Sie werden deduktive Fehlschlüsse genannt, weil sie sich leicht mit korrekten Deduktionen verwechseln werden können. Ähnliche Bemerkungen können über die Fehler im Bereich des induktiven Schließens gemacht werden. Es gibt keine exakten logischen Merkmale, die inkorrekte Deduktionen und inkorrekte Induktionen kennzeichnen; letzteres ist grundsätzlich eine Angelegenheit der Psychologie. Ein inkorrektes Argument, das als gültige Deduktion vorgebracht wird,

6 David Hume, *A Treatise of Human Nature*, Drittes Buch, Erster Teil, erster Abschnitt.

entweder weil der Verfasser des Arguments einen logischen Fehler begeht oder weil er einen anderen täuschen will, würde man normalerweise als einen deduktiven Fehlschluß ansehen. Inkorrekte Induktionen können analog beschrieben werden.

Jemand hat möglicherweise ganz richtig bemerkt, daß jedes induktive Argument in ein deduktives Argument verwandelt werden kann, indem man ein oder zwei Prämissen hinzufügt. Es ist deshalb vielleicht verlokkend, induktive Argumente als unvollständige deduktive Argumente anzusehen und nicht als einen wichtigen und gesonderten Argumenttyp. Das wäre ein Fehler. Wenn auch jedes induktive Argument durch zusätzliche Prämissen in ein deduktives Argument verwandelt werden kann, so sind doch die erforderlichen Prämissen oft Aussagen, deren Wahrheit sehr zweifelhaft ist. Und wenn wir Konklusionen begründen wollen, bringt es nichts, höchst unsichere Prämissen einzuführen. Der Argumenttyp, der unser Wissen erweitert, ist tatsächlich unverzichtbar. Ständen zum Beispiel solche Argumente nicht zur Verfügung, wäre es unmöglich, zu irgendwelchen Konklusionen über die Zukunft aufgrund unserer Erfahrung der Vergangenheit und der Gegenwart zu kommen. Ohne irgendeine Art von induktiven Schlüssen hätten wir keinen Grund vorherzusagen, daß auf jeden Tag eine Nacht folgt, daß die Jahreszeiten immer in ihrem gewohnten Ablauf einander folgen werden oder daß Zucker auch in Zukunft süß schmecken wird. Unser ganzes Wissen über die Zukunft und vieles andere hängt ab von der Fähigkeit induktiver Argumente, Konklusionen zu stützen, die über den Gehalt ihrer Prämissen hinausgehen.

Zweites Kapitel

Deduktion

Die Gültigkeit deduktiver Argumente wird durch ihre logische Form und nicht durch den Gehalt der Aussagen, aus denen sie bestehen, festgelegt. Nach der Analyse des Zusammenhangs zwischen Form und Gültigkeit werden wir einige der wichtigsten gültigen Formen (oder Regeln) deduktiver Argumente und einige weitverbreitete deduktive Fehlschlüsse untersuchen. Wir werden uns auch mit einigen grundlegenden Methoden zur Bestimmung der Gültigkeit oder Ungültigkeit deduktiver Argumentformen beschäftigen.

5. Gültigkeit

Wie wir gesehen haben, befaßt sich die Logik mit der Korrektheit von Argumenten und nicht mit der Wahrheit oder Falschheit von Prämissen oder Konklusionen. Korrekte deduktive Argumente werden »gültig« genannt. Die Gültigkeit eines deduktiven Arguments hängt allein von der Beziehung zwischen den Prämissen und der Konklusion ab. Daß ein deduktives Argument »gültig« ist, bedeutet, daß die Prämissen in einer solchen Beziehung zur Konklusion stehen, daß *die Konklusion wahr sein muß, wenn die Prämissen wahr sind. Gültigkeit* ist eine Eigenschaft von Argumenten, das sind Gruppen von Aussagen, und nicht von einzelnen Aussagen. *Wahrheit* ist demgegenüber eine Eigenschaft von einzelnen Aussagen und nicht von Argumenten. Es ist sinnlos, ein Argument als »wahr« oder eine einzelne Aussage als »gültig« zu bezeichnen. Argumentationen, die gültige Deduktionen sein sollen, aber logisch inkorrekt sind, nennt man auch »ungültig«. Ein vermeintlich deduktives Argument ist ungültig, wenn es möglich ist, daß die Prämissen wahr sind und die Konklusion (gleichzeitig) falsch ist.

Es ist kein Beweis für die Gültigkeit eines Arguments, wenn man zeigt, daß es eine wahre Konklusion besitzt. Und es ist kein Beweis für die Ungültigkeit eines Arguments, wenn man zeigt, daß es eine falsche Konklusion besitzt. Jede der folgenden Kombinationen ist für gültige deduktive Argumente möglich:

1. Wahre Prämissen und eine wahre Konklusion.
2. Einige oder alle Prämissen falsch und eine wahre Konklusion.
3. Einige oder alle Prämissen falsch und eine falsche Konklusion.

Die folgenden Argumente, die die vorhergehenden Kombinationen veranschaulichen, sind gültig (vgl. Abschnitt 14):

(a)	Alle Diamanten sind hart.	*Wahr*
	Einige Diamanten sind Edelsteine.	*Wahr*
∴	Einige Edelsteine sind hart.	*Wahr*
(b)	Alle Katzen haben Flügel.	*Falsch*
	Alle Vögel sind Katzen.	*Falsch*
∴	Alle Vögel haben Flügel.	*Wahr*
(c)	Alle Katzen haben Flügel.	*Falsch*
	Alle Hunde sind Katzen.	*Falsch*
∴	Alle Hunde haben Flügel.	*Falsch*

Für jedes dieser Argumente gilt, daß, wenn die Prämissen wahr wären, die Konklusion wahr sein müßte. Es ist unmöglich, daß ein gültiges deduktives Argument (gleichzeitig) wahre Prämissen und eine falsche Konklusion besitzt.

Ungültige Argumente können jede Wahrheitswerteverteilung auf die Prämissen und die Konklusion aufweisen. Wir werden nicht für alle möglichen Kombinationen Beispiele angeben, müssen aber nochmals besonders betonen, daß ein ungültiges Argument wahre Prämissen und eine wahre Konklusion haben kann. Dies wird durch Beispiel (b) aus Abschnitt 1 veranschaulicht.

Zur Analyse der Begriffe »Gültigkeit« und »Ungültigkeit« teilen wir die Argumente nach ihren *Formen* ein. Vom Standpunkt der Logik aus gesehen, ist der Gegenstand eines Arguments unwichtig; auf die Form oder die Struktur kommt es an. Die Gültigkeit oder Ungültigkeit eines Arguments wird durch seine Form und nicht durch das, wovon die Prämissen und die Konklusion handeln, festgelegt. Indem wir die Form eines Arguments unter Abstraktion von dem Inhalt der Prämissen und der Konklusion analysieren, können wir die Beziehung zwischen den Prämissen und der Konklusion untersuchen, ohne deren Wahrheit oder Falschheit zu berücksichtigen.

Verschiedene Argumente können dieselbe Form besitzen; und weil die Form die Gültigkeit bestimmt, können wir sowohl von der Gültigkeit einer Argumentform als auch von der Gültigkeit eines Arguments sprechen. Wenn wir sagen, daß eine Argumentform gültig ist, dann bedeutet dies, daß es unmöglich ist, daß irgendein Argument dieser Form wahre Prämissen und eine falsche Konklusion besitzt. Jedes Argument einer gültigen

Form ist ein gültiges Argument. Wir untersuchen ein Argument auf seine Gültigkeit hin, indem wir prüfen, ob es eine gültige Argumentform besitzt.

Man betrachte Beispiel (b). Dieses Argument enthält Ausdrücke, die sich auf drei Klassen von Lebewesen beziehen: Vögel, Katzen und Lebewesen mit Flügeln. Wenn wir uns mit der Form dieses Arguments beschäftigen, lassen wir die besonderen Eigenschaften dieser Dinge außer acht, so daß wir ganz bewußt von ihnen absehen können. Für jeden dieser Ausdrücke können wir Buchstaben einsetzen, wobei der gleiche Buchstabe benutzt wird, um den gleichen Ausdruck an jeder Stelle, an der er auftritt, zu ersetzen, und verschiedene Buchstaben benutzt werden, um verschiedene Ausdrücke zu ersetzen.

Wenn wir jeweils die Buchstaben »F«, »G« und »H« verwenden, erhalten wir:

(d)   Alle G sind H.
       Alle F sind G.
    $\therefore$ Alle F sind H.

Dasselbe können wir mit Beispiel (c) machen. Diesmal sollen »F«, »G« und »H« jeweils für Hunde, Katzen und Lebewesen mit Flügeln stehen. Und wieder kommt (d) heraus. Die Beispiele (b) und (c) besitzen also dieselbe Form; diese Form wird durch (d) dargestellt. Das Schema (d) ist selbst kein Argument; es ist eine Argumentform, die zu einem Argument wird, wenn bestimmte Ausdrücke für die drei Buchstaben eingesetzt werden. Es handelt sich hier um eine gültige Argumentform. Unabhängig davon, welche Ausdrücke man für »F«, »G« und »H« einsetzt, das Ergebnis ist immer ein gültiges Argument, vorausgesetzt, der gleiche Ausdruck wird für einen bestimmten Buchstaben an jeder Stelle, an der er auftritt, eingesetzt. Es ist unerheblich, auf welche Gegenstandsarten sich »*F*«, »*G*« und »*H*« beziehen. Wenn es wahr ist, daß alle *G H* sind, und es wahr ist, daß alle *F G* sind, dann muß es wahr sein, daß alle *F H* sind.

Es ist leicht einzusehen, daß die Gültigkeit eines Arguments nur von seiner Form und nicht von seinem Inhalt oder der Wahrheit oder Falschheit der Aussagen, die in ihm vorkommen, abhängt.

(e)   Alle Flageolets sind Fipple-Flutes.
       Alle Monauli sind Flageolets.
    ∴ Alle Monauli sind Fipple-Flutes.

Das Argument (e) hat die Form (d). Sie haben vielleicht nicht die leiseste Ahnung, welche der Aussagen in diesem Argument wahr sind, wenn überhaupt welche wahr sind; es liegt aber auf der Hand, daß das Argument gültig ist: wenn die Prämissen wahr sind, kann die Konklusion nicht falsch sein. Wir können das durch eine Untersuchung der Argumentform feststellen. Es ist nicht erforderlich, die Bedeutungen der Aussagen zu kennen, und schon gar nicht, zu wissen, ob sie wahr oder falsch sind. Die Argumentform ist gültig.

Eine ungültige Argumentform bezeichnet man als deduktiven »Fehlschluß«. Ein verbreitetes Verfahren, fehlerhafte Argumente aufzuzeigen, besteht darin, es mit einem anderen Argument derselben Form zu vergleichen, bei dem die Prämissen wahr sind, die Konklusion aber falsch ist. Wir werden diese Methode des Ungültigkeitsnachweises die »Methode des Gegenbeispiels« nennen. Die Behauptung, daß ein Argument gültig ist, besagt, daß es eine gültige Argumentform

besitzt. Und die Aussage, daß eine Argumentform gültig ist, bedeutet, daß *kein Argument dieser Form wahre
Prämissen und eine falsche Konklusion haben kann.*
Wenn wir also behaupten, daß ein Argument gültig ist,
machen wir eine allgemeine Aussage über alle Argumente dieser Form.

Eine allgemeine Aussage kann durch einen negativen
Fall – ein Gegenbeispiel – widerlegt werden. Für den
Beweis, daß eine Argumentform ungültig ist, genügt es,
wenn man ein Gegenbeispiel findet, d. i. ein Argument
dieser Form, das aber wahre Prämissen und eine falsche
Konklusion besitzt. An dieser Stelle müssen wir vor
einem unüberlegten Gebrauch der Methode des Gegenbeispiels warnen. Man sollte beachten, daß diese
Methode die Ungültigkeit einer *Argumentform,* aber
nicht notwendigerweise eines bestimmten *Arguments*
schlüssig beweist. Daß ein Argument fehlerhaft ist,
bedeutet, daß es keine gültige Argumentform gibt, von
der es ein Einzelfall ist. Wenn wir also nur zeigen, daß
ein Argument eine bestimmte Form besitzt und daß
diese Argumentform ungültig ist, haben wir damit noch
nicht gezeigt, daß das Argument ungültig ist. Um die
Ungültigkeit eines Arguments zwingend nachzuweisen,
ist es notwendig zu zeigen, daß es keine andere Argumentform besitzt, aufgrund deren es gültig ist.

Ein einzelnes Argument kann mehr als *eine* Argumentform besitzen; wie wir sehen werden, kann ein
bestimmtes Argument sowohl eine wahrheitsfunktionale Form als auch eine syllogistische Form haben.
Wenn wir zum Beispiel das Argument (e) vermittels der
Methode aus Abschnitt 10 analysieren, würde seine
Form wie folgt wiedergegeben werden:

(f) p

  q

  $\therefore r$

wobei die Buchstaben »p«, »q« und »r« für irgendwelche Aussagen stehen können. Selbstverständlich ist (f) keine gültige Argumentform. Man neigt vielleicht zu der Behauptung, daß wahrscheinlich (d) und nicht (f) *die* Form des Arguments (e) ist. Das stimmt aber nicht. Sowohl (d) als auch (f) sind Formen des Arguments (e); während (d) jedoch eine gültige Argumentform ist, ist (f) eine ungültige Argumentform. Indem wir nachweisen, daß das Argument (e) die Form (d) hat, zeigen wir, daß es gültig ist. Durch die Feststellung, daß das Argument (e) ebenfalls ein Einzelfall der Argumentform (f) ist, beweisen wir ganz gewiß nicht, daß es ein ungültiges Argument ist. Wir können sagen, daß (d) die Argumentform ist, aufgrund deren (e) ein gültiges Argument ist, wohingegen die Argumentform (f) keine derart wichtige Rolle spielt. Der springende Punkt ist folgender: Wenn wir mit der wahrheitsfunktionalen Analyse (vgl. Abschnitt 10) des Arguments (e) begonnen und diesem die Form (f) zugeschrieben hätten, dann hätten wir damit nicht gezeigt, daß das Argument (e) ungültig ist. Wir hätten nur schließen können, daß es aufgrund der Argumentform (f) nicht gültig ist und daß wir eine andere seiner Argumentformen finden müssen, wenn wir zeigen sollen, daß es ein gültiges Argument ist.

Tatsächlich können wir in vielen Fällen sagen, welche Argumentform die eigentliche logische Struktur eines bestimmten Arguments darstellt. Wenn diese Argumentform gültig sein sollte, ist unsere Arbeit erledigt, denn ein Argument ist gültig, wenn es irgendeine gültige Form besitzt, unabhängig davon, ob es noch andere Argumentformen gibt, in denen es sich darstellen läßt. Wenn die Argumentform, von der wir glauben, daß sie ein bestimmtes Argument wiedergibt, ungültig ist, können wir gewöhnlich wenigstens versuchsweise schließen, daß das Argument fehlerhaft ist. Wenn irgend jemand uns vom Gegenteil überzeugen will, muß er uns eine gültige Argumentform zeigen, die das Argument besitzt.

Wir werden die Methode des Gegenbeispiels benutzen, um zu zeigen, daß die verschiedenen Fehlschlüsse, mit denen wir uns befassen, tatsächlich ungültig sind. Als eine einführende Erläuterung dieser Methode wollen wir Beispiel (b) aus Abschnitt 1 näher untersuchen.

(g)   Alle Säugetiere sind sterblich.
       Alle Hunde sind sterblich.
    ∴ Alle Hunde sind Säugetiere.

Dieses Argument besitzt wahre Prämissen und eine wahre Konklusion; trotzdem hat es eine ungültige Form.

(h)   Alle F sind H.
       Alle G sind H.
    ∴ Alle G sind F.

Für »F« setze man »Säugetiere« ein, für »G« »Reptilien« und für »H« »sterblich«. Das ergibt:

(i)   Alle Säugetiere sind sterblich.   *Wahr*
       Alle Reptilien sind sterblich.   *Wahr*
    ∴ Alle Reptilien sind Säugetiere.   *Falsch*

Argument (i) besitzt dieselbe Form wie (g), seine Prämissen sind aber offensichtlich wahr, während seine Konklusion eindeutig falsch ist. Folglich ist (i) ein Gegenbeispiel, das beweist, daß (h) eine ungültige

Argumentform ist. Da (h) die grundlegende logische Struktur des Arguments (g) darzustellen scheint, schließen wir, daß es ein ungültiges Argument ist.

6. Konditionalaussagen

Die ersten Beispiele gültiger und ungültiger Argumentformen, die wir untersuchen werden, enthalten einen sehr wichtigen Aussagentyp, der als Prämisse verwendet wird: die *Konditional*aussage (oder *hypothetische* Aussage). Es ist eine komplexe Aussage aus zwei Teilaussagen, die durch die Verknüpfungswörter »wenn . . ., dann . . .« verbunden werden. Zum Beispiel:

(a) Wenn heute Mittwoch ist, dann ist morgen Donnerstag.
(b) Wenn Newton ein Physiker war, dann war er ein Wissenschaftler.

Beides sind konditionale oder hypothetische Aussagen. Bei einer Konditionalaussage wird der Teil, der mit »wenn« beginnt, »Antecedens« genannt; den Teil, der unmittelbar auf »dann« folgt, bezeichnet man als »Konsequens«. »Heute ist Mittwoch« ist das Antecedens von (a); »Newton war ein Physiker« ist das Antecedens von (b). »Morgen ist Donnerstag« ist das Konsequens von (a); »er (Newton) war ein Wissenschaftler« ist das Konsequens von (b). Die Satzteile, die wir als Antecedens und Konsequens bezeichnen, sind selbst Aussagen. Eine Konditionalaussage hat eine ganz bestimmte *Form*, die man folgendermaßen ausdrücken kann:

(c) Wenn p, dann q.

wobei »p« und »q« natürlich für Aussagen stehen sollen. Der *Gehalt* einer Konditionalaussage hängt von den einzelnen Aussagen ab, die als Antecedens und Konsequens vorkommen. Die *Form* wird dadurch festgelegt, daß die Verknüpfungswörter »wenn ..., dann ...« die zwei Aussagen, unabhängig von deren Gehalt, in eine ganz bestimmte Beziehung zueinander setzen.

In der Logik ist es nützlich, wenn man über Normalformen verfügt: Wir werden (c) als unsere Normalform für eine Konditionalaussage ansehen. Trotzdem ist es wichtig zu wissen, daß eine Konditionalaussage auf verschiedene, aber äquivalente Weisen ausgedrückt werden kann. Wir müssen damit rechnen, auf diese Alternativen zu stoßen, wenn wir uns mit Argumenten befassen, wie wir sie in der Umgangssprache vorfinden. Die Untersuchung einiger dieser verschiedenen Formulierungen wird uns helfen, sie zu identifizieren, wenn sie vorkommen, außerdem wird unser Verständnis der äußerst wichtigen Konditionalform dadurch vertieft.

1. »Wenn p, dann q« ist äquivalent mit »Wenn nicht-q, dann nicht-p«. Diese Beziehung ist so grundlegend, daß sie einen eigenen Namen besitzt: »Kontraposition«. »Wenn nicht-q, dann nicht-p« ist die Kontraposition von »Wenn p, dann q«.

Die Anwendung der Kontrapositionsregel auf (b) ergibt

(d) Wenn Newton kein Wissenschaftler war, dann war er kein Physiker.

Sie sollten sich selbst davon überzeugen, daß (b) und (d) äquivalent sind (vgl. S. 87).

2. »Setzt man voraus, daß nicht« [unless] ist gleichbedeutend mit »wenn nicht ...« [if not].

Daher kann (d) unmittelbar übersetzt werden in

(e) Setzt man voraus, daß Newton kein Wissenschaftler war, dann war er kein Physiker.

Sie sollten sich wieder davon überzeugen, daß (e) mit (d) und auch mit (b) äquivalent ist.

3.   »Nur, wenn« ist genau konvers zu »wenn«; d. h., »Wenn *p*, dann *q*« ist mit »Nur, wenn *q*, dann *p*« äquivalent.

Durch Anwendung dieser Äquivalenz auf (b) erhalten wir

(f)   Nur, wenn Newton ein Wissenschaftler war, war er ein Physiker.

Man sollte sich selbst davon überzeugen, daß (f) und (b) äquivalent sind. Ferner sollte man sich vollkommen darüber im klaren sein, daß (b) eine andere Bedeutung hat als

(g)   Nur, wenn Newton ein Physiker war, war er ein Wissenschaftler.

Diese Aussage besagt, daß Newton kein Wissenschaftler gewesen wäre, wenn er nicht Physiker, sondern Chemiker oder Biologe gewesen wäre. Die Aussage (b) ist sicherlich wahr, (g) hingegen ist gewiß falsch; (g) bedeutet dasselbe wie

(h)   Wenn Newton ein Wissenschaftler war, dann war er ein Physiker.

was einen vollkommen anderen Gehalt hat als (b).

4.   Man kann die Wortstellung von Konditionalaussagen umkehren, ohne die Bedeutung zu ändern, vorausgesetzt, daß immer noch derselbe Teilsatz mit »wenn« beginnt. Das Antecedens einer Konditionalaussage muß nicht am Satzanfang stehen; es kann auch auf das Konsequens folgen. Das Antecedens ist die Aussage, die mit »wenn« anfängt, unabhängig davon, an welcher Stelle »wenn« steht. Dasselbe gilt von Konditionalaussagen, die vermittels der Ausdrücke »nur, wenn« oder »setzt man voraus, daß« formuliert sind: eine solche Aussage darf

umgestellt werden, vorausgesetzt, daß nach wie vor derselbe Teilsatz mit »nur, wenn« oder »setzt man voraus,
daß« anfängt.

Aufgrund dieser Äquivalenz kann man (b), (d), (e)
beziehungsweise (f) ohne Bedeutungsveränderung wie
folgt ausdrücken:

(i)   Newton war ein Wissenschaftler, wenn er ein Physiker
      war.

(j)   Newton war kein Physiker, wenn er kein Wissenschaftler
      war.

(k)   Newton war kein Physiker, setzt man voraus, daß er kein
      Wissenschaftler war.

(l)   Newton war nur dann ein Physiker, wenn er ein Wissen-
      schaftler war.

Diese Liste erschöpft auf keinen Fall die möglichen
Varianten, Konditionalaussagen auszudrücken, sie ver-
mittelt aber einen guten Eindruck von den möglichen
Alternativen, die es gibt. Bei den Argumenten, die wir
später untersuchen, werden uns einige dieser Alternativen begegnen.

7. Konditionale Argumente

Zu Beginn unserer Untersuchung einzelner Argumentformen betrachten wir vier sehr einfache und elementare. Zwei von ihnen sind gültig, und die anderen
beiden sind ungültig. Alle besitzen sie zwei Prämissen,
wobei die erste Prämisse eine Konditionalaussage ist.
Die erste gültige Argumentform bezeichnet man als
»Bejahung des Antecedens« (oder manchmal als *Modus
ponens*). Man betrachte das folgende Beispiel:

(a) Wenn Smith seine Englischprüfung nicht besteht, dann
     wird er für das Heimspiel nicht eingesetzt werden.
     Smith besteht seine Englischprüfung nicht.
     ∴ Smith wird für das Heimspiel nicht eingesetzt werden.

Dieses Argument ist offensichtlich gültig; seine Form
wird durch das folgende Schema wiedergegeben:

(b) Wenn p, dann q.
     p.
     ∴ q.

Wir haben hier ein weiteres Beispiel für den Übergang
von einem Argument zu seiner Form oder Struktur: (b)
ist kein Argument, sondern das Schema eines Arguments. Die Buchstaben »p« und »q« sind keine Aussagen – es sind bloß Buchstaben –, wenn aber für diese
Buchstaben Aussagen eingesetzt werden, ergibt sich ein
Argument. Es ist natürlich wichtig, daß für »p« an allen
Stellen, an denen es auftritt, die gleiche Aussage eingesetzt wird; dasselbe gilt für »q«. Wenn die Einsetzung in
dieser Weise vorgenommen wird, dann wird das sich
ergebende Argument gültig sein, unabhängig davon,
welche Aussagen für »p« und »q« eingesetzt wurden.
Wir können sogar Aussagen für »p« und »q« einsetzen,
die die Prämissen entweder zweifelhaft oder, soweit wir
wissen, falsch werden lassen, und trotzdem sicher sein,
daß *die Konklusion wahr ist, wenn die Prämissen wahr
sind*. Dies veranschaulicht wieder die Tatsache, daß die
Gültigkeit eines Arguments nur von seiner Form und
nicht von seinem Gehalt abhängt.
Es ist leicht einzusehen, warum die Argumentform (b)
»Bejahung des Antecedens« genannt wird. Die erste
Prämisse ist eine Konditionalaussage, und die zweite
Prämisse bejaht (behauptet) das Antecedens dieses

Konditionals. Die Konklusion des Arguments ist das
Konsequens der ersten Prämisse. Hier ist ein weiteres
Beispiel für die Regel der Bejahung des Antecedens.

(c)   Ist 288 durch 9 teilbar? Ja, wenn die Summe der Ziffern
       durch 9 teilbar ist. Da $2 + 8 + 8 = 18$ ist und 18 durch 9
       teilbar ist, fällt die Antwort positiv aus.

Wie die meisten der Argumente, denen wir begegnen,
ist (c) nicht in der logischen Standardform ausgedrückt.
Wir schreiben es um:

(d)   Wenn die Summe der Ziffern von 288 durch 9 ohne Rest
       teilbar ist, dann ist 288 durch 9 ohne Rest teilbar.
       Die Summe der Ziffern von 288 ist durch 9 ohne Rest
       teilbar.
       ∴ 288 ist durch 9 ohne Rest teilbar.

Dieses Argument besitzt die Form (b).
Eine andere gültige Form deduktiver Argumente ist die
Regel der *Verneinung des Konsequens* (manchmal
Modus tollens genannt).

(e)   Wenn es heute nacht einen Sturm geben wird, dann fällt
       das Barometer.
       Das Barometer fällt nicht.
       ∴ Es wird heute nacht keinen Sturm geben.

Dieses Argument hat die Form

(f)   Wenn p, dann q.
       Nicht-q.
       ∴ Nicht-p.

Es ist nicht schwer zu verstehen, warum man diese
Argumentform als »Verneinung des Konsequens«
bezeichnet. Die erste Prämisse ist eine Konditionalaussage, und die zweite Prämisse ist die Verneinung oder
Negation des Konsequens dieses Konditionals. Hier ist
ein anderes Beispiel:

(g)   Er nahm die Krone nicht.
        Deshalb ist es gewiß, daß er nicht herrschsüchtig war.[1]

Und auch dieses Argument müssen wir wieder in die Standardform übersetzen. Diesmal fehlt eine Prämisse, die wir aber leicht ergänzen können.

(h)   Wenn Cäsar herrschsüchtig gewesen wäre, dann hätte er
        die Krone genommen.
        Er nahm die Krone nicht.
      ∴ Cäsar war nicht herrschsüchtig.

Der Ausdruck »deshalb« weist auf die Konklusion hin; die Wendung »es ist gewiß« deutet die Notwendigkeit eines deduktiven Arguments an. Es ist klar, daß (h) die Argumentform (f) besitzt.
Die Regel der Verneinung des Konsequens tritt oft in einer leicht abweichenden Form auf. Zum Beispiel:

(i)   BRUTUS. Ja, Casca, sag uns, was sich heut begeben,
            Daß Cäsar finster dreinblickt.
        CASCA. Ihr wart bei ihm: wart Ihr nicht?
        BRUTUS. Dann fragt' ich Casca nicht, was sich begeben.[2]

Dieses Argument kann wie folgt rekonstruiert werden:

(j)   Wenn ich bei Cäsar gewesen wäre, dann hätte ich nicht
        gefragt, was geschehen ist.
        Ich habe gefragt, was geschehen ist.
      ∴ Ich war nicht bei Cäsar.

Das Konsequens der ersten Prämisse ist eine negative Aussage, daher ist die zweite Prämisse, die diese Aussage negiert, positiv. Daraus entsteht eine geringfügige Variante von (f), nämlich:

1 William Shakespeare, *Julius Cäsar*, Dritter Aufzug, zweite Szene.
2 Ebd., Erster Aufzug, zweite Szene.

(k)   Wenn p, dann nicht-q.

　　　 q.

　∴ Nicht-p.

Auch diese Argumentform bezeichnet man als »Verneinung des Konsequens«.

Die weiteren Beispiele für diese zwei Argumentformen haben unmittelbar mit dem philosophischen Problem des freien Willens zu tun. Wir beziehen uns auf eine klassische Quelle.

(f)   Lukrez, ein römischer Dichter des 1. Jahrhunderts v. Chr., behauptete in seinem berühmten Werk *De rerum natura*, daß alles aus Atomen bestehe. Darüber hinaus war er der Meinung, daß diese Atome spontan und unregelmäßig von ihrer Bahn abweichen; denn wie sollte ein freier Wille möglich sein, wenn jede Atombewegung durch vorhergehende Bewegungen vollkommen festgelegt wäre? Für Lukrez war es zweifelsfrei, daß lebendige Wesen tatsächlich einen freien Willen haben, und so schloß er, daß der Determinist nicht recht haben könne.

Das Wesentliche des Arguments kann man wie folgt wiedergeben:

(m)   Wenn der Determinismus zutrifft, dann besitzt der Mensch keinen freien Willen.

　　　 Der Mensch besitzt einen freien Willen.

　∴ Der Determinismus trifft nicht zu.

Das Argument ist gültig; es ist ein Beispiel für eine Anwendung der Regel der Verneinung des Konsequens. Die einzige Möglichkeit, es anzugreifen, besteht darin, die Wahrheit der Prämissen anzuzweifeln. Indessen haben einige Leute, für die es einleuchtender ist, daß der Determinismus zutrifft, als daß der Mensch einen freien Willen besitzt, ein anderes Argument konstruiert:

(n) Wenn der Determinismus zutrifft, dann besitzt der Mensch keinen freien Willen.
Der Determinismus trifft zu.
∴ Der Mensch besitzt keinen freien Willen.

Auch dieses Argument ist gültig; es ist ein Beispiel für eine Anwendung der Regel der Bejahung des Antecedens (Schema (b)). Die Zustimmung zu der Konklusion dieses Arguments erfordert aber, daß man die Wahrheit der zweiten Prämisse von (m) bestreitet. Die Meinungsverschiedenheit zwischen denen, die (m) akzeptieren, und denen, die (n) akzeptieren, betrifft also nicht die Gültigkeit der Argumente; diese sind beide gültig. Sie besteht hinsichtlich der Wahrheit der Prämissen. In den zwei Argumenten treten drei Prämissen auf; sie können nicht alle wahr sein, weil sie zusammengenommen unvereinbar sind. Die philosophische Kontroverse dreht sich um die Frage, welche Prämissen falsch sind.

Es gibt zwei ungültige Argumentformen, die den zwei gerade besprochenen gültigen Argumentformen täuschend ähnlich sind. Die erste dieser beiden Formen bezeichnet man als »den Fehlschluß der Bejahung des Konsequens«. Zum Beispiel:

(o) Männer, wir werden dieses Spiel gewinnen, es sei denn, wir lassen in der zweiten Hälfte nach. Ich weiß aber, daß wir gewinnen werden, also werden wir in der zweiten Hälfte nicht nachlassen.

In der Standardform sieht das Argument folgendermaßen aus:

(p)   Wenn wir in der zweiten Hälfte nicht nachlassen, werden
      wir das Spiel gewinnen.
      Wir werden das Spiel gewinnen.
      ∴ Wir werden in der zweiten Hälfte nicht nachlassen.

Dieses Argument besitzt die Form

(q)   Wenn p, dann q.
      q.
      ∴ p.

Diese Argumentform besitzt eine gewisse Ähnlichkeit
mit der gültigen Form der Bejahung des Antecedens
(Schema (b)), es gibt aber entscheidende Unterschiede.
Bei der Regel der Bejahung des Antecedens behauptet
die zweite Prämisse das *Antecedens* der ersten Prämisse,
und die Konklusion ist das Konsequens der ersten Prämisse. Bei dem Fehlschluß der Bejahung des Konsequens behauptet die zweite Prämisse das *Konsequens*
der ersten Prämisse, und die Konklusion ist das Antecedens der ersten Prämisse.

Die Ungültigkeit der Regel der Bejahung des Konsequens kann mittels der Methode des Gegenbeispiels
(Abschnitt 5) unschwer nachgewiesen werden. Wir können ein Argument dieser Form konstruieren, das wahre
Prämissen und eine falsche Konklusion besitzt.

(r)   Wenn die Harvard University in Vermont liegt, dann
      liegt sie in Neuengland.
      Die Harvard University liegt in Neuengland.
      ∴ Die Harvard University liegt in Vermont.

Die zweite ungültige Argumentform bezeichnet man als
»den Fehlschluß der Verneinung des Antecedens«. Sie
besitzt eine gewisse Ähnlichkeit mit der gültigen Argumentform der Verneinung des Konsequens. Man
betrachte das folgende Argument:

(s) Wenn Richard Roe bereit ist auszusagen, dann ist er unschuldig.
Richard Roe ist nicht bereit auszusagen.
∴ Richard Roe ist nicht unschuldig.

Das Argument besitzt die Form

(t) Wenn p, dann q.
Nicht-p.
∴ Nicht-q.

Der folgende, frei erfundene Ausschnitt aus einer Wahlkampfrede ist ein anderes Beispiel für diesen Fehlschluß:

(u) Deshalb sage ich Ihnen, meine Damen und Herren, wählen Sie den Kandidaten der Gegenpartei, *wenn* Sie höhere Steuern bezahlen und weniger für Ihr Geld bekommen wollen, oder *wenn* Sie der Meinung sind, daß eine saubere und ehrliche Regierung nichts wert ist. Ich weiß aber, daß Sie achtbare und intelligente Leute sind, und bitte Sie deshalb, mich am Wahltag zu unterstützen.

Dieses Argument kann man folgendermaßen analysieren:

(v) Wenn Sie höhere Steuern bezahlen und weniger für Ihr Geld bekommen wollen und Sie der Meinung sind, daß eine saubere und ehrliche Regierung nichts wert ist, dann sollten Sie den Kandidaten der Gegenpartei wählen.
Es ist nicht wahr, daß Sie höhere Steuern bezahlen und weniger für Ihr Geld bekommen wollen, oder daß Sie der Meinung sind, daß eine saubere und ehrliche Regierung nichts wert ist.
∴ Sie sollten den Kandidaten der Gegenpartei nicht wählen.

In Wirklichkeit sagen die Leute oft »wenn«, wenn sie »genau dann, wenn« meinen; wenn die erste Prämisse in dieser Weise konstruiert wird, wird das Argument natürlich gültig, indessen geht dabei einiges von seiner rhetorischen Wirksamkeit verloren.

Es läßt sich mit der Methode des Gegenbeispiels leicht zeigen, daß die Regel der Verneinung des Antecedens ungültig ist.

(w)   Wenn die Columbia University in Kalifornien liegt, dann liegt sie in den Vereinigten Staaten.
Die Columbia University liegt nicht in Kalifornien.
∴ Die Columbia University liegt nicht in den Vereinigten Staaten.

Sowohl für den Fehlschluß der Bejahung des Konsequens als auch für den Fehlschluß der Verneinung des Antecedens gibt es bestimmte Beispiele, die besondere Erwähnung verdienen. Wie wir erklärt haben, gilt für ein gültiges deduktives Argument, daß, wenn die Prämissen wahr sind, die Konklusion wahr sein muß. Angenommen, uns liegt ein Argument vor, von dem wir wissen, daß es gültig ist und eine wahre Konklusion besitzt. Was folgt daraus für die Prämissen? Man könnte versucht sein zu behaupten, daß die Prämissen dieses Arguments wahr sind. Dies zu tun hieße, den Fehlschluß der Bejahung des Konsequens zu ziehen.

(x)   Wenn die Prämissen des Arguments wahr sind, dann ist die Konklusion des Arguments wahr (d. h., das Argument ist gültig).
Die Konklusion des Arguments ist wahr.
∴ Die Prämissen des Arguments sind wahr.

Es ist ein logischer Fehler, die Wahrheit der Prämissen aus der Wahrheit der Konklusion zu folgern. Wenn uns ein gültiges Argument mit falschen Prämissen vorliegt, könnten wir gleichfalls zu der Behauptung neigen, daß

die Konklusion falsch ist. Das wäre ein Beispiel für den
Fehlschluß der Verneinung des Antecedens.

(y) Wenn die Prämissen des Arguments wahr sind, dann ist
     die Konklusion des Arguments wahr (d. h., das Argu-
     ment ist gültig).
     Die Prämissen des Arguments sind nicht wahr.
     ∴ Die Konklusion des Arguments ist nicht wahr.

Wenn ein Argument mit fehlenden Prämissen von
jemandem vorgebracht wird, dann ist es manchmal
unmöglich zu sagen, an welche Prämissen er gedacht
hatte. Die Entscheidung liegt dann bei uns, und es kann
mehr als eine Möglichkeit geben. Man betrachte die
folgende, frei erfundene Unterhaltung:

(z) Es war an einem Montag morgen. Weder John noch
     Harvey hatten Lust zu arbeiten, deshalb schlugen sie im
     Erfrischungsraum die Zeit damit tot, über ihre Kollegen
     zu schwatzen.
     »Hast du bemerkt«, fragte John, »daß Henry offensicht-
     lich nie etwas trinkt? Letzten Freitag trafen wir uns alle
     nach der Arbeit in der kleinen Kneipe drüben in der
     Ulmenstraße – schade, daß du nicht kommen konntest,
     Harvey –, und Henry trank nur Kaffee. Und beim
     Betriebsausflug im vergangenen Frühling – Junge, das
     Bier floß damals in Strömen, nicht wahr – trank er
     Eistee. Was ist los mit ihm?«
     »Nun, wie du weißt«, antwortete Harvey, »kenne ich
     den guten Hank seit Jahren, und ich habe ihn nie einen
     Tropfen anrühren sehen.«
     »Du meinst, er ist wirklich Abstinenzler?« fragte John
     verblüfft. »Seltsam, er kam mir nie wie ein Puritaner
     vor.«

In dieser Unterhaltung kommen Argumente vor, die
aber wie gewöhnlich herausgelesen werden müssen.

Zunächst einmal wird ein induktives Argument zur Stützung der Konklusion, daß Henry keinerlei alkoholische Getränke zu sich nimmt, vorgebracht. Diese Konklusion als Prämisse benutzend, zieht John weiter den Schluß, daß Henry einem Puritaner gleicht, d. h., daß er moralische Prinzipien vertritt, die ihm das Trinken verbieten. Offensichtlich fehlt dem Argument eine Prämisse, die wir also nachliefern müssen. Wir könnten es wie folgt rekonstruieren:

(aa) Wenn Henry niemals trinkt, dann hat er moralische Bedenken gegen das Trinken.
Henry trinkt niemals.
∴ Henry hat moralische Bedenken gegen das Trinken.

Das Argument ist ein Beispiel für eine Anwendung der Regel der Bejahung des Antecedens und ist deshalb gültig. Das Problem ist, daß es eigentlich keinen Grund gibt, die Prämisse, die wir nachgeliefert haben, für wahr zu halten. Henry könnte, soweit wir wissen, der Gesundheit wegen, oder weil er den Geschmack alkoholischer Getränke nicht mag, Abstinenzler sein. Wir könnten es mit einer anderen Prämisse versuchen:

(ab) Wenn Henry moralische Bedenken gegen das Trinken hat, dann trinkt Henry niemals.
Henry trinkt niemals.
∴ Henry hat moralische Bedenken gegen das Trinken.

Die Prämisse, die wir diesmal eingeführt haben, ist viel plausibler als die, die wir vorher benutzten. Das Argument ist aber jetzt ungültig, denn es ist ein Beispiel für den Fehlschluß der Bejahung des Konsequens. Irgendeine andere Argumentform, die es haben könnte und die es gültig machen würde, scheint es nicht zu geben.

8. Die Regel der Reductio ad absurdum

Die *Reductio ad absurdum* ist eine gültige Argumentform, die sehr oft benutzt wird und höchst effektiv ist. Sie wird manchmal dazu verwendet, eine positive Konklusion zu ziehen; oft bedient man sich ihrer aber auch, um die Behauptung eines Opponenten zu widerlegen. Die Überlegung, die hinter dieser Argumentform steht, ist recht einfach. Angenommen, wir wollen beweisen, daß eine Aussage p wahr ist. Als Ausgangspunkt setzen wir voraus, daß p falsch ist, d. h., wir nehmen an, daß *nicht-p* gilt. Unter Zugrundelegung dieser Voraussetzung leiten wir eine Konklusion ab, die bekanntermaßen falsch ist. Da eine falsche Konklusion aus unserer Voraussetzung, daß *nicht-p*, aufgrund eines gültigen deduktiven Arguments folgt, muß die Voraussetzung falsch gewesen sein. Wenn *nicht-p* falsch ist, dann muß p wahr sein, und p war die Aussage, die wir an erster Stelle beweisen wollten.

Wir wollen das Argument, vermittels dessen wir eine falsche Aussage aus der Annahme *nicht-p* abgeleitet haben, die »Hilfsdeduktion« nennen. Diese kann eine beliebige Argumentform besitzen, vorausgesetzt, sie ist gültig. Die Gültigkeit jeder einzelnen Anwendung der Regel der Reductio ad absurdum hängt von der Gültigkeit ihrer Hilfsdeduktion ab. Man kann einen bestimmten Einzelfall einer Reductio ad absurdum angreifen, indem man zeigt, daß die Hilfsdeduktion ungültig ist. Die allgemeine Form der Reductio ad absurdum aber (die die Gültigkeit der Hilfsdeduktion voraussetzt) ist unangreifbar, da sie eine gültige Argumentform darstellt. Ferner hängt die Schlüssigkeit des Beweises von p

mittels einer Anwendung der Regel der Reductio ad absurdum von der Falschheit der Konklusion der Hilfsdeduktion ab. Die Konklusion der Hilfsdeduktion kann entweder irgendeine Aussage sein, die wir einfach als falsch annehmen, oder es kann ein eindeutiger Selbstwiderspruch sein (vgl. Abschnitt 31). Häufig ist *p* selbst die Konklusion der Hilfsdeduktion. Das ist ein Spezialfall eines Selbstwiderspruchs. Wenn wir, unter der Voraussetzung, daß *nicht-p*, *p* ableiten können, dann gilt unter der Voraussetzung, daß *nicht-p*, sowohl *p* als auch *nicht-p*, was ein Selbstwiderspruch ist.

Die Regel der Reductio ad absurdum kann schematisch folgendermaßen dargestellt werden:

(a) *Behauptung:*   *p.*
     Voraussetzung: *Nicht-p.*
     Daraus deduziert man: Eine falsche Aussage;
                                entweder
                                p (Widerspruch zur Voraussetzung *nicht-p*) oder
                                q und *nicht-q* (Selbstwiderspruch) oder
                                irgendeine andere Aussage *r*, die bekanntermaßen falsch ist.
     Konklusion: ∴ *Nicht-p* ist falsch; also gilt *p*.

Die Regel der Reductio ad absurdum steht in einem engen Zusammenhang mit der Regel der Verneinung des Konsequens. Diese Beziehung wird durch das folgende Argument dargestellt:

(b) Wenn die Prämisse (die Voraussetzung) der Hilfsdeduktion wahr ist, dann ist die Konklusion der Hilfsdeduktion wahr (d. h., die Hilfsdeduktion ist gültig).
     Die Konklusion der Hilfsdeduktion ist nicht wahr.
     ∴ Die Prämisse der Hilfsdeduktion ist nicht wahr.

Die Regel der Reductio ad absurdum wird in der Mathematik oft verwendet; dort bezeichnet man sie als »indirekten Beweis«. Hier ist ein klassisches mathematisches Beispiel, das wegen seiner Einfachheit und Eleganz berühmt ist.

(c) Eine rationale Zahl kann als einfacher Bruch, d. h. als das Verhältnis zweier ganzer Zahlen, dargestellt werden. Dem griechischen Philosophen und Mathematiker Pythagoras (6. Jahrhundert v. Chr.) wird die Entdekkung zugeschrieben, daß es keine rationale Zahl gibt, deren Quadrat gleich 2 ist – mit anderen Worten, daß die Quadratwurzel von 2 eine irrationale Zahl ist. Die Konklusion ist leicht durch eine Anwendung der Regel der Reductio ad absurdum zu beweisen.

Wir nehmen an, daß es eine rationale Zahl gibt, deren Quadrat gleich 2 ist. Diese Zahl soll mit den kleinstmöglichen Ziffern dargestellt sein, d. h., wenn der Zähler und der Nenner einen gemeinsamen Faktor größer als 1 besitzen, dann soll durch diesen gekürzt werden. Wir gehen also davon aus, daß

$$2 = (a/b)^2 \text{ oder } a^2 = 2b^2$$

wobei a und b keinen gemeinsamen Faktor größer als 1 besitzen. a^2 ist eine gerade Zahl, weil es gleich 2 mal b^2 ist; also ist a eine gerade Zahl, da das Quadrat einer beliebigen ungeraden Zahl ungerade ist. Weil a gerade ist, kann man es als $2c$ schreiben; a^2 ist gleich $4c^2$. Das ergibt

$$4c^2 = 2b^2 \text{ und } 2c^2 = b^2.$$

Daraus folgt, daß b^2 und damit b gerade Zahlen sind. Wir haben gezeigt, daß sowohl a als auch b gerade sind. Das ist ein Widerspruch zu unserer Voraussetzung, daß a/b eine rationale Zahl ist, die mit den kleinstmöglichen Ziffern dargestellt ist. Folglich gibt es keine rationale Zahl, deren Quadrat gleich 2 ist.

Eine andere ausgezeichnete Quelle für Reductio-ad-absurdum-Argumente sind die Dialoge von Platon. Das Charakteristische an diesen Dialogen ist, daß Sokrates eine Frage stellt und die gegebenen Antworten widerlegt, indem er zeigt, daß sie zu unannehmbaren Konsequenzen führen. Hier ist ein kurzes und einfaches Beispiel.

(d)   Das sagst du sehr schön, Kephalos, erwiderte ich. Doch was nun eben diesen Punkt, die *Gerechtigkeit*, betrifft: sollen wir behaupten, sie bestehe einfach nur darin, daß man die Wahrheit sagt und daß man das wieder zurückgibt, was man von jemandem empfangen hat? Oder ist auch das manchmal gerecht und manchmal wieder ungerecht? Wenn zum Beispiel jemand von einem Freunde, der bei gutem Verstande ist, Waffen in Verwahrung genommen hat und wenn dann dieser wahnsinnig wird und sie in solchem Zustand wieder zurückverlangt – da wird doch jeder zugeben, daß er sie ihm nicht wieder ausliefern darf und daß es von ihm nicht gerecht wäre, wenn er sie zurückgäbe, und ebensowenig, wenn er einem Menschen, der in diesem Zustande ist, die volle Wahrheit sagen wollte.
»Du hast recht«, sagte er.
Dann ist also dies nicht die richtige Bestimmung des Begriffs der Gerechtigkeit: daß man die Wahrheit sagen und das, was man empfangen hat, wieder zurückgeben soll.[3]

Die Argumentationsstruktur ist ziemlich klar:

(e)   *Behauptung:*   Es ist keine korrekte Definition des Gerechtigkeitsbegriffs: daß man die Wahrheit sagen und das, was man empfangen hat, wieder zurückgeben soll.

3 Platon, *Der Staat*, Erstes Buch [331c; übertr. von Rudolf Rufener, Zürich/München 1974].

Voraussetzung:	Es ist eine korrekte Definition des Gerechtigkeitsbegriffs: daß man die Wahrheit sagen und das, was man empfangen hat, wieder zurückgeben soll.
Daraus deduziert man:	Es ist gerecht, einem Wahnsinnigen Waffen zu geben. Das aber ist absurd.
Konklusion:	Es ist keine korrekte Definition des Gerechtigkeitsbegriffs: daß man die Wahrheit sagen und das, was man empfangen hat, wieder zurückgeben soll.

Für ein letztes Beispiel einer Anwendung der Regel der Reductio ad absurdum beziehen wir uns auf Kants Antinomien der reinen Vernunft. Jede der vier Antinomien umfaßt den Beweis einer Thesis und den Beweis einer Antithesis. Jeder dieser acht Beweise besteht in einer Anwendung der Regel der Reductio ad absurdum. Mit dem Beweis eines Teils der Thesis der ersten Antinomie wollen wir einen Eindruck davon vermitteln.

(f) *Thesis:* Die Welt hat einen Anfang in der Zeit ...
Beweis: Denn, man nehme an, die Welt habe der Zeit nach keinen Anfang: so ist bis zu jedem gegebenen Zeitpunkte eine Ewigkeit abgelaufen, und mithin eine unendliche Reihe auf einander folgender Zustände der Dinge in der Welt verflossen. Nun besteht aber eben darin die Unendlichkeit einer Reihe, daß sie durch sukzessive Synthesis niemals vollendet sein kann. Also ist eine unendliche verflossene Weltreihe unmöglich, mithin ein Anfang der Welt eine notwendige Bedingung ihres Daseins; welches zuerst zu beweisen war.[4]

4 Immanuel Kant, *Kritik der reinen Vernunft*, [B 454 / A 426 – B 456 / A 428].

Was die von uns angegebenen Beispiele betrifft, so
waren wir nicht in erster Linie an der Gültigkeit ihrer
Hilfsdeduktionen interessiert; wir wollten vielmehr die
Struktur der Regel der Reductio ad absurdum verdeutlichen. Wir können aber kurz anmerken, daß die Hilfsdeduktion in Beispiel (c) korrekt ist, daß die Hilfsdeduktion in (f) mit ziemlicher Sicherheit inkorrekt ist und
daß die Hilfsdeduktion in (d) im besten Fall zweifelhaft
ist.

9. Das Dilemma

Gewöhnlich sagen wir, daß sich jemand in einem
Dilemma befindet, wenn er zwischen zwei in gleicher
Weise unangenehmen Dingen wählen muß oder soll.
Zum Beispiel:

(a) Herr Brown mußte vor Gericht erscheinen, weil er wegen eines kleineren Verkehrsvergehens angeklagt wur-
de, an dem er keine Schuld hatte. Der Richter fragt, ob
er sich für schuldig oder für unschuldig halte. Herr
Brown sieht sich folgendem Dilemma gegenüber:
Entweder bekenne ich mich schuldig, oder ich bestreite
jede Schuld. Wenn ich mich schuldig bekenne, dann
muß ich eine Geldstrafe von fünf Dollar bezahlen für ein
Vergehen, das ich nicht begangen habe. Wenn ich jede
Schuld bestreite, dann muß ich einen weiteren vollen
Tag vor Gericht zubringen.
∴ Entweder muß ich fünf Dollar für ein Vergehen bezah-
len, das ich nicht begangen habe, oder ich muß einen
weiteren vollen Tag vor Gericht zubringen.

Dieses Argument ist gültig; es besitzt die folgende
Form:

(b) Entweder p, oder q.
Wenn p, dann r.
Wenn q, dann s.
∴ Entweder r, oder s.

Jedes Argument der Form (b) wird als »Dilemma« bezeichnet, unabhängig davon, ob die Konklusion als unangenehm empfunden wird oder nicht. Das Dilemma ist bei Meinungsverschiedenheiten oder Auseinandersetzungen ein äußerst wirkungsvoller Argumentationstyp.

Ein etwas speziellerer Fall des Dilemmas wird durch ein berühmtes Beispiel veranschaulicht.

(c) Ein Rhetoriklehrer der Antike schloß mit einem seiner Schüler einen Vertrag ab: Der Schüler müsse die Unterrichtsstunden nicht bezahlen, falls er seinen ersten Rechtsstreit nicht gewinnen würde. Nach Abschluß seiner Ausbildung übernahm der Student keinerlei Fälle. Um seine Bezahlung zu erhalten, reichte der Lehrer eine Klage ein. Der Schüler verteidigte sich mit folgendem Argument:
Entweder werde ich diesen Prozeß gewinnen, oder ich werde ihn verlieren.
Wenn ich den Prozeß gewinne, brauche ich meinen Lehrer nicht zu bezahlen (weil seine Klage auf Bezahlung dann abgewiesen wird).
Wenn ich den Prozeß verliere, brauche ich meinen Lehrer nicht zu bezahlen (wegen unserer Vertragsbedingungen).
∴ Ich brauche nicht zu bezahlen.
Der Lehrer aber brachte folgendes Argument vor:
Entweder werde ich diesen Prozeß gewinnen, oder ich werde ihn verlieren.
Wenn ich den Prozeß gewinne, muß der Schüler mich bezahlen (weil meiner Klage auf Bezahlung stattgegeben wurde).

> Wenn ich den Prozeß verliere, muß der Schüler mich
> bezahlen (weil er dann seinen ersten Rechtsstreit ge-
> wonnen hat).
> ∴ Der Schüler muß mich bezahlen.

Wir wissen nicht, wie dieser Rechtsstreit entschieden
wurde, diese beiden Dilemmata beweisen aber, daß der
ursprüngliche Vertrag einen Selbstwiderspruch enthält
(vgl. Abschnitt 31). Beide Dilemmata in (c) besitzen die
folgende Form:

(d)   Entweder p, oder nicht-p.
       Wenn p, dann r.
       Wenn nicht-p, dann r.
       ∴ r.

Offensichtlich ist (d) ein Spezialfall von (b).

Das alte theologische Problem des Übels in der Welt
kann als Dilemma dargestellt werden. Man argumentiert folgendermaßen:

(e)   Die Welt ist voller Übel. Das bedeutet, daß Gott entwe-
       der die Übel nicht verhindern kann oder daß er die Übel
       nicht verhindern will. Wenn Gott die Übel nicht verhin-
       dern kann, dann ist er nicht allmächtig. Wenn Gott die
       Übel nicht verhindern will, dann ist er nicht gütig.
       Deshalb ist Gott entweder nicht allmächtig, oder er ist
       nicht gütig.

Dieses Argument ist gültig; es besitzt die Form (b). In
Anbetracht der theologischen Kontroversen beeilen wir
uns jedoch, noch einmal zu bemerken, daß die Gültigkeit nichts mit der Wahrheit der Prämissen zu tun hat.
Einige Theologen bestreiten die Prämisse, daß die Welt
voller Übel ist. Einige Theologen bestreiten die Prämisse, daß Gott nicht gütig ist, wenn er die Übel nicht
verhindern will. Die Gültigkeit des Arguments steht
jedoch außer Frage.

In Abschnitt 7 bezogen wir uns in einem Beispiel auf das Problem des freien Willens und des Determinismus. Aus diesem Problem ergibt sich ein weiteres Dilemma.

(f)   Viele Philosophen haben argumentiert, daß der Mensch keinen freien Willen haben könne, wenn alle Ereignisse, einschließlich Willensregungen und Handlungen, durch vorhergehende Ursachen vollkommen determiniert werden. Indessen haben andere Philosophen behauptet, daß ein freier Wille gleichermaßen unmöglich sei, wenn einige Ereignisse nicht vollständig durch vorhergehende Ursachen determiniert werden. Wie auch immer die Ereignisse sich dem Zufall verdanken, sie haben überhaupt nichts mit einem freien Willen der Menschen zu tun. Ein freier Wille ist mit dem Zufall genausowenig vereinbar wie mit einer kausalen Determiniertheit allen Geschehens. Diese Lehren lassen zusammengenommen das folgende Dilemma entstehen:

Wenn der Determinismus zutrifft, dann besitzt der Mensch keinen freien Willen.

Wenn der Determinismus nicht zutrifft, dann besitzt der Mensch keinen freien Willen.

Der Determinismus trifft entweder zu, oder er trifft nicht zu.

∴ Der Mensch besitzt keinen freien Willen.

Dieses Argument ist ein Beispiel für die spezielle Form (d). Es ist ein gültiges Argument, über die Wahrheit der Prämissen aber gibt es heftige Meinungsverschiedenheiten.

10. Wahrheitstafeln und Gültigkeit

In den Abschnitten 7 bis 9 beschäftigten wir uns mit mehreren deduktiven Argumentformen. Solche Argumente sind aus Teilaussagen zusammengesetzt. Diese Teilaussagen müssen nicht weiter zergliedert werden, um die Gültigkeit oder Ungültigkeit der Argumentform zu bestimmen. Die Regel der Bejahung des Antecedens zum Beispiel

(a) Wenn p, dann q.
   p.
   $\therefore q$.

ist gültig, weil ihre erste Prämisse eine Konditionalaussage, ihre zweite Prämisse das Antecedens dieses Konditionals und die Konklusion das Konsequens desselben Konditionals ist. Argumente dieses Typs sind gültig, unabhängig davon, für welche Aussagen die Buchstaben »p« und »q« stehen. Die Gültigkeit des Arguments hängt in keiner Weise von der inneren Struktur der Teilaussagen »p« und »q« ab. Das gleiche gilt auch für die Regeln der Verneinung des Konsequens, der Reductio ad absurdum und für das Dilemma. Alle diese Argumente können mit der äußerst wirkungsvollen Methode der *Wahrheitstafeln* untersucht werden.

Viele Sätze – wie zum Beispiel Imperative (»Laß das Rauchen«) und Ausrufe (»Autsch!«) – sind im Deutschen weder wahr noch falsch. Im gegenwärtigen Kontext lassen wir solche Sätze außer acht. Die meisten Behauptungssätze – das sind Sätze, deren Hauptfunktion in der Mitteilung irgendeiner Information besteht – sind entweder wahr oder falsch, wenn wir auch in vielen Fällen nicht wissen, welche von den zwei Möglichkeiten der Fall ist. An diese Art von Sätzen denken wir, wenn wir von Aussagen sprechen. Wahrheit und Falschheit sind uns als *Wahrheitswerte* von Aussagen bekannt; jede Aussage besitzt genau einen dieser Wahrheitswerte. Bei der Analyse deduktiver Argumente sind wir offensichtlich an der Art von Sätzen interessiert, denen man Wahrheitswerte zuschreiben kann, denn wir haben den Begriff der deduktiven Gültigkeit vermittels des Wahrheitswertebegriffs charakterisiert: die Konklusion muß wahr sein, wenn die Prämissen wahr sind.

Der Grundgedanke der Konstruktion von Wahrheitstafeln ist, daß es bestimmte Möglichkeiten gibt, komplexe Aussagen aus Teilaussagen zu bilden, und zwar derart, daß der Wahrheitswert der zusammengesetzten Aussage vollkommen durch die Wahrheitswerte der Teilaussagen bestimmt ist. Das einfachste Beispiel dafür ist die *Negation* einer Aussage. Eine Aussage wie »Jefferson war der erste Präsident der Vereinigten Staaten« kann man negieren, indem man die Aussage »Jefferson war nicht der erste Präsident der Vereinigten Staaten« bildet. Wenn wir von irgendeiner wahren Aussage ausgehen, dann ist ihre Negation falsch; negieren wir eine falsche Aussage, ergibt sich eine wahre Aussage. Die Negation verkehrt den Wahrheitswert der Aussage, auf die sie angewandt wird, einfach in sein Gegenteil.

Die Negation wird auf eine einzelne Aussage angewandt, um eine andere Aussage zu bilden. Es ist auch möglich, zwei Aussagen in einer Weise zu verknüpfen, daß der Wahrheitswert der zusammengesetzten Aussage von den Wahrheitswerten der Teilaussagen vollkommen bestimmt wird. Zum Beispiel besteht der Satz »Abraham Lincoln wurde in Washington ermordet, und

John F. Kennedy wurde in Dallas ermordet« aus zwei
einfachen Aussagen, die durch das Wort »und« miteinander verknüpft sind. Die zusammengesetzte Aussage
ist wahr, weil sie eine *Konjunktion* von zwei wahren
Teilaussagen ist. Die innere Struktur der Teilaussagen
ist für den Wahrheitswert der zusammengesetzten Aussage ohne Bedeutung. *Jede* komplexe Aussage der
Form »*p und q*« ist wahr, wenn die Teilaussagen »*p*«
und »*q*« beide wahr sind; andererseits, wenn eine oder
beide der Teilaussagen falsch sind, dann ist auch die
zusammengesetzte Aussage falsch.

Andere Ausdrücke, die Aussagen miteinander verknüpfen, wie »oder«, »wenn ..., dann ...« und »genau
dann, wenn«, können in einer ähnlichen Weise analysiert werden. Alle diese Ausdrücke bezeichnet man als
wahrheitsfunktionale Verknüpfungszeichen, denn der
Wahrheitswert irgendeiner komplexen Aussage, die
vermittels dieser Verknüpfungszeichen konstruiert
wurde, ist vollständig bestimmt durch die (ist eine
Funktion der) Wahrheitswerte der Teilaussagen. Um zu
sehen, wie das funktioniert, wollen wir zuerst einige
gebräuchliche Symbole einführen:

Komplexe Aussageform	Symbol	Name der Aussageform
nicht-*p*	$\neg p$	Negation
p und *q*	$p \wedge q$	Konjunktion
p oder *q*	$p \vee q$	(nicht-ausschließende) Dis-junktion
wenn *p*, dann *q*	$p \supset q$	(materiales) Konditional
p genau dann, wenn *q*	$p \equiv q$	(materiales) Bikonditional

Wir können nun die Bedeutung jedes dieser Verknüpfungszeichen in einer praktischen Tabellenform darstellen:

Tafel I   Tafel II

p	$\neg p$		p	q		$p \wedge q$	$p \vee q$	$p \supset q$	$p \equiv q$
W	F		W	W		W	W	W	W
F	W		W	F		F	W	F	F
			F	W		F	W	W	F
			F	F		F	F	W	W
			1	2		3	4	5	6

Das sind Wahrheitstafeln. Ihre Aufgabe ist es, die wahrheitsfunktionalen Verknüpfungszeichen zu definieren. Sie sind folgendermaßen zu verstehen:

In Tafel I haben wir es mit einem Verknüpfungszeichen zu tun, das auf eine einzelne Aussage angewendet wird. (Wir bezeichnen die Negation aus Gründen der Einfachheit als einstelliges »Verknüpfungszeichen«, obwohl sie ja nur die Funktion hat, den Wahrheitswert einer einzelnen Aussage umzukehren.) Eine einzelne Aussage kann entweder wahr oder falsch sein; eine dritte Möglichkeit gibt es nicht. Aus dieser Tafel läßt sich für alle möglichen Fälle das Ergebnis der Bildung der Negation ersehen: Eine wahre Aussage geht durch Negation in eine falsche Aussage über; negiert man eine falsche Aussage, ergibt sich eine wahre Aussage.

In Tafel II werden die sogenannten zweistelligen Verknüpfungszeichen definiert – Verknüpfungszeichen, die zwei Aussagen zu einer dritten Aussage verbinden. Es gibt vier Möglichkeiten, zwei Aussagen zwei Wahrheitswerte zuzuordnen; diese vier Möglichkeiten werden in den ersten beiden Spalten von Tafel II dargestellt. Um die zweistelligen Verknüpfungszeichen zu definieren, brauchen wir bloß den Wahrheitswert der zusammengesetzten Aussage für jede der möglichen Kombinationen von Wahrheitswerten der zwei Teilaussagen anzugeben. Spalte 3 faßt also das zusammen, was wir über Konjunktionen gesagt haben: Eine Konjunktion ist wahr, wenn beide Teilsätze wahr sind, und falsch in allen anderen Fällen.

Wir stellten in Abschnitt 6 fest, daß Konditionalaussagen auf verschiedene Weisen ausgedrückt werden können; genauso gibt es neben »und« noch andere Wörter, die bei der Bildung von Konjunktionen benutzt werden können. Das wichtigste Beispiel hierfür ist »aber«. Wenn man sagt: »Abraham Lincoln wurde in Washington ermordet, aber John F. Kennedy wurde in Dallas ermordet«, dann ist das logisch dasselbe, als wenn man den Ausdruck »und« benutzt hätte: beide Teilaussagen müssen wahr sein, wenn die komplexe Aussage wahr sein soll. Mit »aber« drückt man sein Erstaunen über die Konjunktion aus. Eine solche Verwunderung ist aber Ausdruck einer psychischen Einstellung und nicht Teil des Informationsgehalts der Aussage. In ähnlicher Weise werden Wörter wie »obwohl«, »trotzdem« und »jedoch« genauso wie »aber« dazu benutzt, Konjunktionen zu bilden und den Gegensatz zwischen den Konjunktionsgliedern hervorzuheben.

Wir müssen auch mit Nachdruck betonen, daß die wahrheitsfunktionale Konjunktion, die wir durch »∧« symbolisieren und in Spalte 3 von Tafel II definiert haben, nicht genau mit dem deutschen Wort »und«

übereinstimmt. In einer gewöhnlichen Unterhaltung hätte die Aussage »Jane wurde schwanger und verheiratete sich« eine vollkommen andere Bedeutung als die Aussage »Jane verheiratete sich und wurde schwanger«. Der Unterschied kommt daher, daß das Wort »und« im Deutschen manchmal in der Bedeutung von »und dann« gebraucht wird. Wir wollen annehmen, daß beide Teilaussagen, »Jane wurde schwanger« und »Jane verheiratete sich«, wahr sind, ohne dabei irgend etwas über die zeitliche Abfolge vorauszusetzen. Dann ist, gemäß der Wahrheitstafeldefinition der Konjunktion, die Konjunktion dieser beiden Aussagen wahr, unabhängig davon, in welcher Reihenfolge sie miteinander verbunden werden. Hier besteht also ein bedeutsamer Unterschied zwischen dem Wort »und«, wie es oft in der Umgangssprache verwendet wird, und dem wahrheitsfunktionalen Verknüpfungszeichen. Es ist ein sehr wichtiger Aspekt dieses Unterschiedes, daß der die zeitliche Abfolge mit einbeziehende »und dann«-Sinn des Wortes »und« nicht wahrheitsfunktional ist, denn der Wahrheitswert der zusammengesetzten Aussage wird durch die Wahrheitswerte der Teilaussagen *nicht* vollständig bestimmt. Wir verwenden die wahrheitsfunktionale Konjunktion, so wie sie in der Wahrheitstafel definiert wird, weil sie die, von einem logischen Gesichtspunkt aus betrachtet, einfacheren Eigenschaften besitzt; wir dürfen aber die Unterschiede zwischen unserem Symbol »∧« und dem deutschen Wort »und« nicht übersehen.

Das Wort »oder« hat im Deutschen zwei verschiedene Bedeutungen: in der einen (bekannt als der *ausschließende* Sinn) bedeutet es »das eine oder das andere, aber

nicht beides«. Dies ist die Bedeutung, die es auf einer
Speisekarte in der Wendung »Suppe oder Salat« hat,
die darüber informiert, was mit dem Hauptgericht ser-
viert wird. Die andere Bedeutung (bekannt als der
nicht-ausschließende Sinn) wird oft durch den Ausdruck
»und/oder« wiedergegeben, der häufig in Dokumenten
wie Versicherungspolicen oder Testamenten verwendet
wird. Wenn zum Beispiel ein rechtswissenschaftlicher
oder ein wirtschaftswissenschaftlicher Hochschulab-
schluß als Einstellungsvoraussetzung vorgesehen ist,
dann würden wir nicht damit rechnen, daß ein Bewer-
ber, der beide Abschlüsse nachweisen kann, zwangsläufig für die Stelle nicht in Frage käme – es sei denn,
»oder« wäre im ausschließenden Sinn gemeint gewesen.
Ein Blick auf Spalte 4 von Tafel II läßt erkennen, daß
wir uns entschlossen haben, die nicht-ausschließende
Disjunktion durch »∨« zu symbolisieren, denn die
zusammengesetzte Aussage ist wahr, wenn eine oder
beide Teilaussagen wahr sind, und nur dann falsch,
wenn beide Teilaussagen falsch sind. Zweckmäßigkeits-
erwägungen haben unsere Wahl hier bestimmt. Die
nicht-ausschließende Disjunktion ist eine nützliche logische Operation, und die ausschließende Disjunktion
kann auf einfache Weise durch andere von uns über-
nommene Symbole ausgedrückt werden, zum Beispiel
als die Negation eines Bikonditionals.

Das einem Hufeisen ähnlich sehende Symbol, das in
Spalte 5 definiert wird, ist bekannt als das Zeichen der
materialen Implikation; es soll Konditionalaussagen symbolisieren und kann ungefähr als »wenn . . ., dann . . .«
gelesen werden. Mit diesem Verknüpfungszeichen sind
einige Probleme verbunden, denn seine Bedeutung

weicht erheblich von der Bedeutung der Worte »wenn…, dann …« ab, so wie diese in den meisten Konditionalaussagen der Umgangssprache verwendet werden. Indem wir dieses Verknüpfungszeichen wahrheitsfunktional definieren, sind wir gezwungen, jedes Konditional mit einem wahren Antecedens und einem wahren Konsequens als wahr zu interpretieren – zum Beispiel »Wenn der Mars ein Planet ist, dann bestehen Diamanten aus Kohlenstoff«. Eine solche Aussage würde man für gewöhnlich nicht als ein vernünftiges Konditional ansehen, denn es scheint kein Zusammenhang zwischen der Wahrheit des Antecedens und der Wahrheit des Konsequens zu bestehen. In dieser Hinsicht unterscheidet es sich vollkommen von unserem Beispiel aus Abschnitt 6: »Wenn Newton ein Physiker war, dann war er ein Wissenschaftler«, das eine eindeutige Verbindung zwischen Antecedens und Konsequens zum Ausdruck bringt. Überdies müssen wir aufgrund der in der Wahrheitstafel gegebenen Bedeutung die beiden Aussagen »Wenn der Mars kein Planet ist, dann ist Kohle schwarz« und »Wenn der Mars kein Planet ist, dann ist Kohle weiß« als wahre materiale Konditionale interpretieren, und zwar einfach deshalb, weil beide ein falsches Antecedens besitzen. Aus der dritten und vierten Zeile von Tafel II ersieht man, daß *jedes* materiale Konditional mit einem falschen Antecedens wahr ist, wobei das Konsequens keine Rolle spielt. In gleicher Weise zeigt eine Untersuchung der ersten und dritten Zeile, daß *jedes* materiale Konditional mit einem wahren Konsequens unabhängig vom Antecedens wahr ist. Infolgedessen sind die Sätze »Wenn Katzen bellen, dann ist 2 plus 2 gleich 4« und »Wenn Beethoven ein Komponist

war, dann ist 2 plus 2 gleich 4« wahre materiale Konditionale, weil sie jeweils ein wahres Konsequens besitzen. Die Tatsache, daß ein materiales Konditional mit
einem falschen Antecedens zwangsläufig wahr ist, und
die Tatsache, daß ein materiales Konditional mit einem
wahren Konsequens ebenfalls zwangsläufig wahr ist,
bezeichnet man manchmal als *Paradoxa der materialen
Implikation*.

In Anbetracht der merkwürdigen Eigenschaften der
materialen Implikation, so wie sie in Tafel II definiert
ist, fragt man sich vielleicht, warum man nicht ganz und
gar auf sie verzichtet, da sie nun einmal für die Darstellung der Bedeutung von »Wenn ..., dann ...«-Aussa-
gen der Umgangssprache völlig unbrauchbar ist. Die
Antwort darauf ist, daß die durch das Hufeisen symbolisierte Operation eine grundlegende Eigenschaft hat, die
für alle Konditionalaussagen wesentlich ist: Das Konditional ist falsch, wenn es ein wahres Antecedens und ein
falsches Konsequens besitzt. Weil die materiale Implikation eine wahrheitsfunktionale Operation ist, kann
sie die Bedeutung der Verbindung zwischen Antecedens und Konsequens der gebräuchlicheren Konditionale nicht wiedergeben. Das »Wenn ..., dann ...« der
deutschen Umgangssprache ist eine stärkere Verknüpfung als die materiale Implikation. Trotzdem besitzt die
materiale Konditionalaussage gerade die Eigenschaft
des umgangssprachlichen Konditionals, die die Gültigkeit solcher grundlegenden deduktiven Argumentformen wie der Regel der Bejahung des Antecedens, der
Regel der Verneinung des Konsequens und des Dilemmas garantiert. Wir werden sogleich sehen, wie das
funktioniert. Es wird sich dann herausstellen, daß das

materiale Konditional tatsächlich das logisch Wesentliche der Konditionalaussage besitzt.

Das Zeichen der *materialen Äquivalenz*, der dreifache Querstrich, wird in Spalte 6 von Tafel II definiert. Es wird zur Bildung von Bikonditionalaussagen benutzt. Man kann es ungefähr als »genau dann, wenn« interpretieren. Die materiale Äquivalenz übernimmt einen Großteil der merkwürdigen Eigenschaften der materialen Implikation, denn sie kann einfach als eine Kombination von zwei materialen Implikationen verstanden werden: Wie wir unten sehen werden, hat »$p \equiv q$« dieselbe Bedeutung wie »$(p \supset q) \wedge (q \supset p)$«. Eine Bikonditionalaussage ist wahr, wenn beide Teilaussagen denselben Wahrheitswert besitzen, und falsch, wenn sie verschiedene Wahrheitswerte haben. Deshalb sind zwei beliebige wahre Aussagen äquivalent, genauso wie zwei beliebige falsche Aussagen, unabhängig von irgendeiner erkennbaren Verbindung zwischen den Bedeutungen dieser Sätze. Der Satz »Der Mars ist genau dann ein Planet, wenn die Ozeane Salz enthalten« ist ein wahres Bikonditional; genauso wie der Satz »Der Mond ist genau dann eine Lichtquelle, wenn Isaak Newton ein Deutscher war«.

Tafel III

p	q	$\neg p$	$\neg q$	$p \supset q$	$p \vee q$	$q \wedge \neg q$	$p \supset (q \wedge \neg q)$
W	W	F	F	W	W	F	F
W	F	F	W	F	W	F	F
F	W	W	F	W	W	F	W
F	F	W	W	W	F	F	W
1	2	3	4	5	6	7	8

Wir wollen nun untersuchen, wie man Wahrheitstafeln zur Feststellung der Gültigkeit von Argumentformen benutzen kann. Tafel III wurde aus den Tafeln I und II konstruiert. Die ersten beiden Spalten geben einfach die vier Kombinationen von **W** und **F** für die zwei Aussagen »*p*« und »*q*« wieder. Der Übersichtlichkeit halber führen wir sie immer in der gleichen Reihenfolge an. Die nächsten beiden Spalten geben die Zeichen für die Wahrheitswerte der Negationen von »*p*« und »*q*« an, indem sie die in den ersten beiden Spalten stehenden Eintragungen umkehren. Die Spalten 5 und 6 sind einfach aus Tafel II abgeschrieben. Spalte 7 ergibt sich aus der Verbindung der Spalten 2 und 4; da in keiner Zeile dieser Spalten gleichzeitig **W** steht, ergibt sich immer **F**. Spalte 8 ist ein Konditional mit Spalte 1 als Antecedens und Spalte 7 als Konsequens. Aus Spalte 5 von Tafel II (die mit Spalte 5 von Tafel III übereinstimmt) ersehen wir: Das Konditional ist falsch, wenn es ein wahres Antecedens und ein falsches Konsequens besitzt, und sonst wahr. Diese Tatsache haben wir benutzt, um zu den Zeichen in Spalte 8 zu gelangen.

»*p* ⊃ *q*« und »*p*« sind die Prämissen der Regel der Bejahung des Antecedens; ihre Wahrheitswerte sind in den Spalten 5 beziehungsweise 1 angegeben. Die erste Zeile ist die einzige Zeile, in der beide Prämissen den Wert **W** annehmen, und in derselben Zeile besitzt auch die Konklusion »*q*« den Wert **W**. Infolgedessen ist die Regel der Bejahung des Antecedens gültig, denn es gibt keine Wahrheitswerteverteilung, bei der die Prämissen wahr sind und die Konklusion falsch ist. Die Gültigkeit der Regel der Verneinung

des Konsequens kann man in derselben Weise leicht
nachweisen. Die Prämissen dieser Argumentform sind
»$p \supset q$« und »$\neg q$«; nur in der vierten Zeile besitzen
beide den Wert **W**. In dieser Zeile nimmt auch die
Konklusion »$\neg p$« den Wert **W** an. Wiederum ist es
unmöglich, daß die Prämissen wahr sind und die Konklusion falsch ist.

Die gleiche Methode kann man bei der Darstellung der
in Abschnitt 7 erwähnten Fehlschlüsse benutzen – das
sind *der Fehlschluß der Bejahung des Konsequens* und
der Fehlschluß der Verneinung des Antecedens. Die
Regel der Bejahung des Konsequens besitzt die Prämissen »$p \supset q$« und »q«; beide sind in der ersten und
dritten Zeile von Tafel III wahr, in der dritten Zeile hat
aber die Konklusion »p« den Wert **F**. Deshalb ist es, wie
wir in Abschnitt 7 sahen, möglich, ein Beispiel für die
Regelanwendung der Bejahung des Konsequens zu finden, in dem die Prämissen wahr sind und die Konklusion falsch ist. Die Regel der Verneinung des Antecedens besitzt die Prämissen »$p \supset q$« und »$\neg p$«; beide
sind in der dritten und vierten Zeile der Wahrheitstafel
wahr. Und noch einmal: In der dritten Zeile ist die
Konklusion »$\neg q$« falsch, was beweist, daß auch diese
Argumentform ungültig ist.

Eine andere einfache Argumentform, der *disjunktive
Syllogismus*, wird durch das folgende Argument veranschaulicht:

(b)   Entweder haben Sie Ihre Steuern bezahlt, oder Sie
      haben ein schlechtes Gewissen.
      Sie haben Ihre Steuern nicht bezahlt.
  ∴ Sie haben ein schlechtes Gewissen.

Es besitzt die Form

(c) $p \vee q$
      $\neg p$
    $\therefore q$

dessen Gültigkeit man mit Hilfe von Tafel III nachweisen kann. Die Zeichen für die Wahrheitswerte der Prämissen findet man in den Spalten 6 und 3. Nur in der dritten Zeile besitzen beide Prämissen den Wert **W**; auch die Konklusion nimmt in dieser Zeile den Wert **W** an. Man beachte, daß die ähnliche Form

(d) $p \vee q$
      p
    $\therefore \neg q$

ungültig ist. Dies erkennt man, wenn man sich die erste Zeile von Tafel III ansieht. Selbst wenn Sie Ihre Steuern bezahlt haben – um auf eine leichte Abwandlung von Beispiel (b) zurückzukommen –, folgt daraus nicht, daß Sie ein gutes Gewissen haben!

Spalte 8 kann man zur Beurteilung einer Form der Regel der Reductio ad absurdum benutzen, die wir in Abschnitt 8 untersucht haben. Es gibt hier nur die eine Prämisse »$p \supset (q \wedge \neg q)$«; sie besitzt in der dritten und vierten Zeile den Wert **W**. Auch die Konklusion »$\neg p$« nimmt in beiden Zeilen den Wert **W** an. Deshalb ist die Reductio ad absurdum eine gültige Argumentform.

Die Argumentformen, die wir bisher mit Hilfe der Wahrheitstafeln untersucht haben, besitzen nur zwei verschiedene Teilaussagen, »p« und »q«. Um mit Argumentformen mit mehr als zwei Teilaussagen fertig zu werden, müssen wir die Wahrheitstafeln auf einfache Weise erweitern. Man betrachte zum Beispiel das folgende Argument:

(e) Wenn Sie das Buch gelesen haben, dann kennen Sie die Handlung.
     Wenn Sie die Handlung kennen, dann wird Sie der Film langweilen.
     ∴ Wenn Sie das Buch gelesen haben, dann wird Sie der Film langweilen.

Dieses Argument besitzt die Form

(f) $p \supset q$
       $q \supset r$
     ∴ $p \supset r$

und ist unter dem Namen *hypothetischer Syllogismus* bekannt. Um dieses Argument auf seine Gültigkeit hin zu untersuchen, benötigen wir eine Wahrheitstafel, die genügend Zeilen besitzt, damit alle möglichen Kombinationen von **W** und **F** für die drei Aussagen untergebracht werden können; dazu sind acht Zeilen erforderlich.

Tafel IV

p	q	r	$p \supset q$	$q \supset r$	$p \supset r$
W	**W**	**W**	**W**	**W**	**W**
W	**W**	**F**	**W**	**F**	**F**
W	**F**	**W**	**F**	**W**	**W**
W	**F**	**F**	**F**	**W**	**F**
F	**W**	**W**	**W**	**W**	**W**
F	**W**	**F**	**W**	**F**	**W**
F	**F**	**W**	**W**	**W**	**W**
F	**F**	**F**	**W**	**W**	**W**
1	2	3	4	5	6

Die Spalten 1–3 enthalten alle möglichen Wahrheitswerteverteilungen für »*p*«, »*q*« und »*r*«. In den Spalten

4 und 5 sind die Wahrheitswerte für die zwei Prämissen und in Spalte 6 die Wahrheitswerte für die Konklusion aufgeführt. In der ersten, fünften, siebten und achten Zeile besitzen beide Prämissen den Wert **W**; auch die Konklusion nimmt in jeder dieser Zeilen den Wert **W** an. Deshalb ist diese Argumentform gültig.

Es ist wichtig, daß man sich völlig darüber im klaren ist, wie man zu den Eintragungen der Spalten 4–6 kommt. Ein Blick auf Spalte 5 von Tafel II, wo das Konditional definiert wird, zeigt uns, daß ein Konditional nur dann falsch ist, wenn es ein wahres Antecedens und ein falsches Konsequens besitzt. So sehen wir zum Beispiel, daß in Spalte 6 von Tafel IV »$p \supset r$« in der zweiten und vierten Zeile den Wert **F** annimmt; das sind gerade die Zeilen, in denen »p« den Wert **W** und »r« den Wert **F** erhält. In allen anderen Zeilen von Spalte 6 steht **W**. Die Spalten 4 und 5 sind auf analoge Weise konstruiert.

Die Methode der Wahrheitstafeln genügt theoretisch für die Analyse beliebiger Argumentformen, deren Gültigkeit nur von ihrer wahrheitsfunktionalen Struktur abhängt. Es ist ziemlich klar, wie man die Methode erweitern muß, damit sie auf Schemata anwendbar ist, die vier oder mehr verschiedene Teilaussagen enthalten. Man verteilt einfach die Wahrheitswerte **W** und **F** auf jede mögliche Weise auf alle Teilaussagen. Wenn ein Schema aus n verschiedenen Teilaussagen besteht, dann benötigt man für die Prüfung seiner Gültigkeit eine Wahrheitstafel mit 2^n Zeilen. Fügt man einen weiteren Buchstaben hinzu, verdoppelt sich der Umfang der Tafel, so daß die Methode schnell unhandlich werden kann. In Abschnitt 9 stellten wir als Schema (b)

die allgemeine Form eines Dilemmas dar; es enthält
vier verschiedene Teilaussagen. Zur Übung kann man
die 16zeilige Wahrheitstafel, die man für dessen Gültigkeitsnachweis benötigt, konstruieren.

11. Logische Äquivalenzen

Wir haben an wenigstens zwei Stellen behauptet, daß
zwei Aussageformen logisch äquivalent sind. Zum Beispiel sagten wir in Abschnitt 6, daß eine Konditionalaussage und ihre Kontraposition äquivalent sind; und
außerdem äußerten wir in Abschnitt 10 die Meinung,
daß ein materiales Bikonditional und eine Konjunktion
zweier Konditionalaussagen äquivalent sind. Wir wollen jetzt unsere Methode der Wahrheitstafeln benutzen,
um zu zeigen, wie solche Äquivalenzen nachgewiesen
werden können.

Dazu konstruieren wir die folgende Tafel:

Tafel V

p	q	$\neg p$	$\neg q$	$p \supset q$	$q \supset p$	$(p \supset q) \wedge (q \supset p)$	$p \equiv q$	$\neg q \supset \neg p$
W	W	F	F	W	W	W	W	W
W	F	F	W	F	W	F	F	F
F	W	W	F	W	F	F	F	W
F	F	W	W	W	W	W	W	W
1	2	3	4	5	6	7	8	9

Die Wahrheitswerte-Eintragungen wurden auf der Basis der Definitionen in den Tafeln I und II vorgenommen. So steht zum Beispiel in Spalte 6 in jeder Zeile ein

W, die dritte Zeile ausgenommen, in der das Antecedens »*q*« den Wert **W** und das Konsequens »*p*« den
Wert **F** annimmt. Spalte 7 stellt die Konjunktion der
Spalten 5 und 6 dar; in ihr erscheint ein **W** in jeder der
Zeilen, in denen sowohl in Spalte 5 als auch in Spalte 6
ein **W** steht, und in jeder anderen Zeile steht ein **F**.
Spalte 8 wiederholt einfach die Eintragung der Wahrheitswerte, wie sie in Tafel II als Definition der Bikon-
ditionalform angegeben wurde. Wir erwähnen besonders, daß die Wahrheitswerte-Eintragungen der Spalten
7 und 8 identisch sind.
Was bedeutet es, wenn zwei Aussageformen die gleiche
Wahrheitswerte-Eintragung besitzen? Es bedeutet, daß
sie als Wahrheitsfunktionen äquivalent sind. Jede Substitution für die Buchstaben »*p*«, »*q*«, »*r*« usw., die die
eine in eine wahre Aussage übergehen läßt, verwandelt
genauso die andere in eine wahre Aussage, und jede
Substitution, die die eine falsch werden läßt, läßt auch
die andere falsch werden. Das ist eine außerordentlich
wichtige Tatsache: Es bedeutet, daß wir äquivalente
Aussageformen an jeder Stelle in jedem Argument
füreinander austauschen und dabei sicher sein können,
daß wir dadurch die Gültigkeit des Arguments in keiner
Weise beeinflussen. Dafür gibt es eine einfache Erklärung. Aussagen, die aus äquivalenten Aussageformen
entstanden sind, müssen denselben Wahrheitswert
besitzen – es ist nicht möglich, die Wahrheitswerte so
auf die Teilaussagen zu verteilen, daß die einen wahr
und die anderen falsch werden. Da die Gültigkeit einer
Argumentform nur von der Tatsache abhängt, daß kein
Argument dieser Form wahre Prämissen und eine falsche Konklusion besitzt, kann die Ersetzung einer Aus-

sageform durch eine äquivalente Aussageform weder
eine gültige Argumentform in eine ungültige noch eine
ungültige in eine gültige Argumentform verwandeln.

Wir wollen dieses wichtige Prinzip durch ein einfaches
Beispiel veranschaulichen. Wir haben gezeigt, daß die
Regeln der Bejahung des Antecedens und der Verneinung des Konsequens gültige Argumentformen sind.
Indem wir die Äquivalenz zwischen einer Konditionalaussage und ihrer Kontraposition benutzen, können wir
nachweisen, daß die Gültigkeit der Regel der Verneinung des Konsequens unmittelbar aus der Gültigkeit
der Regel der Bejahung des Antecedens folgt. Da
»$p \supset q$« und »$\neg q \supset \neg p$« äquivalent sind, müssen die
zwei Argumentformen

(a) $p \supset q$ (b) $\neg q \supset \neg p$

     $\neg q$ $\neg q$

    $\therefore \neg p$ $\therefore \neg p$

entweder beide gültig oder beide ungültig sein. Andererseits ergibt sich Form (b), wenn wir »$\neg q$« für »p«
und »$\neg p$« für »q« in die Form

(c) $p \supset q$

     p

   $\therefore q$

einsetzen, die wir als Regel der Bejahung des Antecedens kennen und von der wir wissen, daß sie gültig ist.
Wir müssen uns völlig im klaren darüber sein, wie hier
argumentiert wird. Wenn wir sagen, daß die Regel der
Bejahung des Antecedens eine gültige Argumentform
ist, dann meinen wir damit, daß es unmöglich ist, für die
Buchstaben »p« und »q« in der Form (c) Aussagen
einzusetzen (wobei natürlich ein und dieselbe Aussage
für »p« an beiden Stellen, an denen es auftritt, einge-

setzt werden muß, und genauso muß ein und dieselbe
Aussage für »q« an beiden Stellen, an denen es auftritt,
eingesetzt werden), so daß ein Argument mit wahren
Prämissen und einer falschen Konklusion entsteht. Es
spielt dabei keine Rolle, ob die Aussagen einfach oder
komplex sind; insbesondere können die Aussagen, die
man für »p« und »q« einsetzt, beide negativ sein. Das
Folgende ist zum Beispiel eine einfache Neufassung des
Arguments (h) aus Abschnitt 7:

(d)   Wenn Cäsar die Krone nicht genommen hat, dann war
       er nicht herrschsüchtig.
       Er nahm die Krone nicht.
∴ Er war nicht herrschsüchtig.

Dieses Beispiel bringt die Form (c) zum Ausdruck, es
besitzt aber ebenfalls die Form (b). Tatsächlich besitzt
jedes Argument der Form (b) auch die Form (c) (aber
nicht umgekehrt – weiß jemand, warum?).
Wir haben uns auf verschiedene Weisen mit Argumentformen befaßt. Erstens haben wir *Aussagen* für die
Buchstaben in gültigen Argumentformen eingesetzt,
um zu zeigen, daß das *Argument*, das dadurch entsteht,
gültig ist. Mit der nötigen Vorsicht – vgl. Abschnitt 5 –
behaupten wir manchmal, daß Argumente ungültig
sind, wenn sie aus Einsetzungen in ungültigen Argumentformen entstehen. Zweitens haben wir Aussage-
formen für die Buchstaben in Argumentformen eingesetzt und auf diese Art gezeigt, daß weitere Argument-
formen gültig sind. Bei diesem Verfahren können wir
eine Aussageform von beliebigem Komplexitätsgrad für
einen vorgegebenen Buchstaben in der ursprünglichen
Argumentform einsetzen. So wiesen wir nach, daß die
Argumentform (b) gültig ist – durch die Einsetzung von

Aussageformen für Buchstaben in der Argumentform (c). Drittens haben wir eine Aussageform durch eine logisch äquivalente Aussageform ersetzt – dadurch bewiesen wir die Gültigkeit der Argumentform (a).

Die Gültigkeit des disjunktiven Syllogismus (Argumentform (c), Abschnitt 10) kann man mit derselben Methode beweisen, die wir gerade bezüglich der Regel der Verneinung des Konsequens benutzt haben. Man kann den Gültigkeitsnachweis führen, indem man eine Wahrheitstafel konstruiert und zeigt:

(e) »$p \vee q$« und »$\neg\, p \supset q$« sind äquivalent.

Wenn man diese Äquivalenz benutzt, um die erste Prämisse des disjunktiven Syllogismus zu ersetzen, entsteht eine Argumentform, die man durch eine geeignete Einsetzung aus der Regel der Bejahung des Antecedens (Argumentform (c) in diesem Abschnitt) gewinnen kann.

Die Äquivalenz (e) führt noch zu einem anderen interessanten Ergebnis. In Abschnitt 6 wiesen wir darauf hin, daß »setzt man voraus, daß nicht« dieselbe Bedeutung wie »wenn nicht« besitzt. Deshalb ist

(f) Wenn man die Englischprüfung nicht besteht, dann kann man das Examen nicht ablegen.

gleichbedeutend mit

(g) Setzt man voraus, daß man die Englischprüfung nicht besteht, dann kann man das Examen nicht ablegen.

Aufgrund der Äquivalenz (e) ist es jetzt verständlich, daß (g) dieselbe Bedeutung hat wie

(h) Entweder man besteht die Englischprüfung, oder man kann das Examen nicht ablegen.

Hierbei darf man nicht vergessen, daß das Wort »oder«

im nicht-ausschließenden Sinn verwendet wird. Deshalb bedeutet »setzt man voraus, daß nicht« genau dasselbe wie »oder« (im nicht-ausschließenden Sinn). Nicht viele, deren Muttersprache Deutsch ist, sind sich dessen bewußt.

Aussagen wie (f) und (g) werden häufig benutzt, um *notwendige Bedingungen* auszudrücken – in dem vorliegenden Fall soll das Bestehen der Englischprüfung eine notwendige Bedingung für das Ablegen des Examens sein. Die Behauptung, daß eine Bedingung für ein Ereignis notwendig ist, bedeutet, daß das Ereignis nicht eintreten wird, wenn die Bedingung nicht erfüllt ist. Wenn »p« eine notwendige Bedingung für »q« darstellt, dann können wir diesen Umstand durch den Ausdruck »$\neg p \supset \neg q$« symbolisieren, der, wie wir wissen, mit »$q \supset p$« äquivalent ist. In Abschnitt 6 bemerkten wir, daß »nur, wenn« konvers zu »wenn« ist; deshalb kann »$q \supset p$« als »nur, wenn p, dann q« wiedergegeben werden. Dies bedeutet nichts anderes, als daß »p« eine notwendige Bedingung für »q« ist – zum Beispiel: Nur, wenn man die Englischprüfung besteht, wird man das Examen ablegen.

Daß »p« eine *hinreichende Bedingung* für »q« darstellt, bedeutet einfach, daß »q« der Fall ist, wenn »p« der Fall ist – oder anders ausgedrückt: »$p \supset q$«.

(i)   Wenn man jemandem den Kopf abgeschlagen hat, dann wird er sterben.

Dies ist gleichbedeutend mit der Behauptung, daß seine Enthauptung eine hinreichende Bedingung für seinen Tod ist. Sie ist selbstverständlich keine notwendige Bedingung. Wenn seine Enthauptung eine notwendige Bedingung für seinen Tod wäre, dann könnten wir behaupten, daß er nur dann, wenn er geköpft wird, sterben wird, was offensichtlich nicht stimmt, da es noch viele andere Todesursachen gibt. Ferner ist, um zu unserem Beispiel einer notwendigen Bedingung zurückzukehren, das Bestehen der Englischprüfung keine hinreichende Bedingung für das Ablegen des Examens, weil man dazu noch Prüfungen in vielen anderen Fächern bestehen muß.

Am Anfang dieses Abschnitts wiesen wir darauf hin, daß das Bikonditional mit einer Konjunktion zweier Konditionale äquivalent ist, d. h.,

(j) »$p \equiv q$« und »$(p \supset q) \wedge (q \supset p)$« sind äquivalent,

wobei das erste Konditional lautet »Wenn p, dann q« und das zweite »Wenn q, dann p«. Zusammen haben sie den Inhalt »Wenn und nur wenn p, dann q« oder, wie man vielmehr sagt, »p genau dann, wenn q«. In der gerade eingeführten Terminologie besagt das erste Konditional, daß »p« eine hinreichende Bedingung für »q« ist, und das zweite, daß »p« eine notwendige Bedingung für »q« ist. Das Bikonditional stellt also fest, daß »p« eine *notwendige und hinreichende Bedingung* für »q« ist. Ohne Rest teilbar durch 2 zu sein ist zum Beispiel eine notwendige und hinreichende Bedingung dafür, daß eine Zahl gerade ist.

»p oder q« im ausschließenden Sinn von »oder« bedeutet, daß die eine oder die andere, aber nicht beide Aussagen wahr sind; symbolisch kann man das wie folgt ausdrücken:

(k) $(p \vee q) \wedge \neg (p \wedge q)$

was besagt: »p oder q« im nicht-ausschließenden Sinn von »oder« mit der zusätzlichen Einschränkung, daß

»*p*« und »*q*« nicht beide wahr sind. Dasselbe kann man mit der Formel

(l) $\neg (p \equiv q)$

ausdrücken, d. h. mit der Verneinung eines materialen Bikonditionals. Zur Übung sollte man eine Wahrheitstafel aufstellen, um die Äquivalenz von (k) und (l) zu beweisen.

12. Tautologien

Wir haben uns bisher hauptsächlich mit Argumenten beschäftigt. Es ist aber wichtig zu wissen, daß es bestimmte Aussageformen gibt, die logische Wahrheiten darstellen – Aussageformen, die durch jede Einsetzung in wahre Aussagen übergehen. Eine grundlegende Art von logischen Wahrheiten kann man mittels der Methode der Wahrheitstafeln feststellen; diese Aussageformen und die Aussagen, die sich durch Einsetzung aus ihnen ergeben, nennt man *Tautologien*. Man betrachte den berühmten *Satz vom ausgeschlossenen Dritten*, ein klassisches Beispiel für eine Tautologie:

(a) $p \vee \neg p$

Wir stellen eine zweizeilige Wahrheitstafel auf:

Tafel VI

p	$\neg p$	$p \vee \neg p$
W	F	W
F	W	W

Die Wahrheitswerte-Eintragung für diese Formel besteht nur aus **W**'s; folglich ist es unmöglich, der einfachen Teilaussage »*p*« einen Wahrheitswert zuzuschreiben, der die Formel falsch werden läßt. Welche Aussage wir auch immer für »*p*« einsetzen, die Aussageform »*p* ∨ ¬ *p*« wird in eine wahre Aussage übergehen. Deshalb ist die Aussage »Newton war ein Physiker, oder Newton war kein Physiker« notwendigerweise wahr, genau wie jede andere Aussage, die die Form des Satzes vom ausgeschlossenen Dritten besitzt.

Wir wollen noch eine Wahrheitstafel aufstellen, um ein paar andere Tautologien zu untersuchen:

Tafel VII

p	q	$p \supset q$	$q \supset (p \supset q)$	$\neg q \supset \neg p$	$(p \supset q) \equiv (\neg q \supset \neg p)$
W	**W**	**W**	**W**	**W**	**W**
W	**F**	**F**	**W**	**F**	**W**
F	**W**	**W**	**W**	**W**	**W**
F	**F**	**W**	**W**	**W**	**W**
1	2	3	4	5	6

$p \wedge (p \supset q)$	$[p \wedge (p \supset q)] \supset q$
W	**W**
F	**W**
F	**W**
F	**W**
7	8

In Spalte 4 haben wir ein weiteres Beispiel einer Tautologie; es stellt eine der sogenannten »Paradoxa der materialen Implikation« dar (vgl. S. 80). Es besagt im

wesentlichen, daß eine wahre Aussage »*q*« durch eine
beliebige Aussage »*p*« material impliziert wird.

In Abschnitt 11 bewiesen wir die Äquivalenz einer
Konditionalaussage und ihrer Kontraposition. In den
Spalten 3 und 5 von Tafel VII haben wir die überein-
stimmenden Wahrheitswerte dieser zwei Aussageformen
men noch einmal eingetragen; in Spalte 6 haben wir die
Wahrheitswerte des Bikonditionals dieser zwei Aussageformen errechnet, und wir sehen, daß es sich dabei
um eine Tautologie handelt. Dieses Beispiel veranschaulicht ein allgemeines Prinzip: *Zwei wahrheitsfunktionale Aussageformen sind genau dann logisch äquivalent, wenn das Bikonditional dieser Aussageformen eine
Tautologie ist.*

Spalte 8 enthält eine Tautologie, die in einer engen und
besonderen Beziehung zu der Argumentform der Bejahung des Antecedens steht. Diese Tautologie stellt ein
Konditional dar, dessen Antecedens gleich der Konjunktion der zwei Prämissen »*p*« und »*p* ⊃ *q*« der Regel
der Bejahung des Antecedens und dessen Konsequens
gleich der Konklusion »*q*« dieser Argumentform ist.
Auch diese Tautologie steht für ein allgemeines Prinzip:
*Eine wahrheitsfunktionale Argumentform ist genau dann
gültig, wenn eine bestimmte konditionale Aussageform
eine Tautologie ist: und zwar das Konditional, dessen
Antecedens die Konjunktion der Prämissen dieses Arguments und dessen Konsequens die Konklusion dieses
Arguments ist.*

Die Tautologien stellen eine grundlegende, wenn auch
ziemlich beschränkte Klasse von Aussagen (und Aussageformen) dar, deren Wahrheit man allein aufgrund
logischer Überlegungen nachweisen kann. Letzteres ist

eine unmittelbar verständliche Folge der Tatsache, daß die Wahrheitswerte-Eintragung einer Tautologie nur aus **W**'s besteht. In Abschnitt 31 werden wir das Wesen logischer Wahrheiten in allgemeinerer Form untersuchen.

13. Kategorische Aussagen

Nach der Erörterung wahrheitsfunktionaler Argumente, deren Gültigkeit nicht von der Struktur ihrer einfachen Teilaussagen (das sind die durch einzelne Buchstaben dargestellten Aussagen), sondern nur von der Art und Weise ihrer Verknüpfung abhängt, wollen wir uns jetzt der Untersuchung einer sehr wichtigen Gruppe von Argumenten zuwenden, deren Gültigkeit von der Struktur einfacher Aussagen bestimmt wird. Diese Argumente bezeichnet man als kategorische Syllogismen. Bevor wir sie im nächsten Abschnitt untersuchen, müssen wir zuerst erklären, was man unter einer »kategorischen Aussage« versteht. Es gibt vier Formen kategorischer Aussagen, jede Aussage einer dieser Formen ist eine kategorische Aussage. Jede Aussageform wurde traditionell durch einen der ersten vier Vokale bezeichnet; wir geben im folgenden für jede Aussageform ein Beispiel an.

(a) A: Alle Diamanten sind Edelsteine.

    E: Kein Diamant ist ein Edelstein.

    I: Einige Diamanten sind Edelsteine.

    O: Einige Diamanten sind keine Edelsteine.

Die Aussagen in der linken Spalte (A und I) sind *affirmativ*; diejenigen in der rechten Spalte (E und O) sind *negativ*. Die Aussagen in der ersten Zeile (A und E) sind *allgemein*; die in der zweiten Zeile (I und O) sind *partikular*. Die Aussageformen sehen folgendermaßen aus:

(b) A: Alle *F* sind *G*.   E: Kein *F* ist *G*.
        allgemein affirmativ   *allgemein negativ*
    I: Einige *F* sind *G*.   O: Einige *F* sind nicht *G*.
        partikular affirmativ   *partikular negativ*

Jede kategorische Aussage umfaßt zwei *Ausdrücke*, einen *Subjektausdruck* und einen *Prädikatausdruck*. In den Beispielen unter (a) ist »Diamant(en)« der Subjektausdruck und »Edelstein(e)« der Prädikatausdruck. In den Aussageformen (b) steht »*F*« für den Subjektausdruck und »*G*« für den Prädikatausdruck. Jeder der Ausdrücke steht für eine Menge von Dingen, zum Beispiel für die Menge der Diamanten oder die Menge der Edelsteine. Einzelne kategorische Aussagen ergeben sich aus den Aussageformen (b), wenn man Wörter oder Ausdrücke, die für Mengen von Dingen stehen, für »*F*« und »*G*« einsetzt. Der *Gehalt* einer kategorischen Aussage hängt von den in ihr vorkommenden Ausdrücken ab; die *Form* einer kategorischen Aussage bringt eine ganz bestimmte Beziehung zwischen den zwei Mengen zum Ausdruck, unabhängig davon, um welche Mengen es sich gerade handelt.

Da die deutsche Sprache mehrdeutig ist, müssen wir die Bedeutungen der kategorischen Aussagen näher bestimmen. Die Aussageform A bereitet die meisten Schwierigkeiten. Die Aussage »Alle Diamanten sind Edelsteine« impliziert sicherlich, daß es keine Diamanten gibt, die nicht auch Edelsteine sind; d. h., wenn irgend etwas ein Diamant ist, dann ist es ein Edelstein.

Man kann den Standpunkt vertreten, daß diese Aussage außerdem impliziert, daß es solche Dinge wie Diamanten gibt. Dies letztere folgt aber nicht immer aus A-Aussagen, auch nicht in der Umgangssprache. Die Aussage »Alle Deserteure werden erschossen« impliziert nicht, daß es Deserteure gibt oder geben wird; tatsächlich kann sie deswegen gemacht worden sein, um das Desertieren zu verhindern. Ihre ganze Bedeutung kommt in dem Satz »Wenn jemand desertiert, dann wird er erschossen« zum Ausdruck. Diese Aussage kann man als eine »allgemeine Konditionalaussage« bezeichnen. Das ist eine Konditionalaussage, von der behauptet wird, daß sie auf alles zutrifft.

Bei unserer Beschäftigung mit kategorischen Aussagen, so wie sie insbesondere in Syllogismen auftreten, werden wir für alle A-Aussagen diese Interpretation übernehmen. »Alle F sind G« wird aufgefaßt in der Bedeutung »Wenn etwas ein F ist, dann ist es ein G«. Infolgedessen soll die Aussage »Alle Diamanten sind Edelsteine« gleichbedeutend sein mit »Wenn etwas ein Diamant ist, dann ist es ein Edelstein«. Außerdem werden wir Konditionalaussagen als *materiale Konditionale* interpretieren (vgl. Abschnitt 10) und auf diese Weise Begriffe verwenden, die wir schon analysiert haben. Es ist aber unbedingt erforderlich, daß man eine wichtige Konsequenz der Verwendung der materialen Implikation beim Aufbau der A-Aussagen zur Kenntnis nimmt: *Eine A-Aussage impliziert nicht, daß ihr Subjektausdruck sich auf irgendwelche existierenden Dinge bezieht.* Der Satz »Alle F sind G« behauptet nicht, daß irgend etwas von der Art F existiert; aus »Alle Diamanten sind Edelsteine« folgt nicht, daß es überhaupt Diamanten gibt, obwohl wir wissen, daß es sie gibt. Eine A-Aussage schließt nicht die Behauptung mit ein, daß es etwas gibt, auf das der Subjektausdruck zutrifft; es ist möglich, daß A-Aussagen mit *leeren* Subjektausdrücken wahr sind – zum Beispiel »Alle Astronauten des 19. Jahrhunderts waren männlich«. In der Tat, wenn wir einmal über die Bedeutung der materialen Konditionalaussage nachdenken, erkennen wir, daß jede A-Aussage mit leerem Subjektausdruck wahr sein *muß*. Eine materiale Konditionalaussage ist wahr, wenn sie ein falsches Antecedens besitzt; da es im 19. Jahrhundert keine Astronauten gab, muß die Aussage »Wenn jemand ein Astronaut des 19. Jahrhunderts war, dann war er männlich« auf alles zutreffen, denn sie besitzt ein Antecedens, das auf nichts, auf das man es anwenden könnte, zutrifft. Wie wir gesagt haben, beziehen sich die Ausdrücke in kategorischen Aussagen auf Mengen. Eine Menge kann, braucht aber keine Elemente zu enthalten; es ist nicht sinnlos, sich auf Mengen ohne Elemente zu beziehen. Die Menge der Deserteure hat vielleicht keine Elemente, die Menge der Tausendmarkscheine in Ihrer Hosentasche hat wahrscheinlich keine Elemente, und die Menge der Astronauten des 19. Jahrhunderts hat mit Sicherheit keine Elemente. Der Subjektausdruck einer A-Aussage muß keine Elemente enthalten, und trotzdem kann diese Aussage wahr sein. Eine A-Aussage *impliziert nicht*, daß sich ihr Subjektausdruck auf eine nicht-leere Menge bezieht.

Mit der Interpretation der E-Aussagen gibt es keine besonderen Probleme. Sowohl hinsichtlich der I-Aussagen als auch der O-Aussagen müssen wir auf etwas aufmerksam machen. Das Wort »einige« soll in der

Bedeutung von »wenigstens ein« verstanden werden. Die Aussage »Einige Diamanten sind Edelsteine« wird interpretiert als »Wenigstens ein Diamant ist ein Edelstein«. Obwohl die I-Aussagen und die O-Aussagen im Plural stehen, darf dies nicht so verstanden werden, als ob sich ihre Subjektausdrücke auf eine Menge mit mehr als einem Element beziehen müßten.

So wie wir die vier Formen kategorischer Aussagen interpretiert haben, stehen sie in einer klar erkennbaren und wichtigen Relation zueinander. Eine A-Aussage steht in Widerspruch zu der O-Aussage mit denselben Subjekt- und Prädikatausdrücken; und eine E-Aussage steht in Widerspruch zu der I-Aussage mit denselben Subjekt- und Prädikatausdrücken. Die Aussage »Alle Diamanten sind Edelsteine« widerspricht der Aussage »Einige Diamanten sind keine Edelsteine«; und »Kein Diamant ist ein Edelstein« ist unvereinbar mit »Einige Diamanten sind Edelsteine«.[5]

5 Die vier Arten kategorischer Aussagen wurden traditionell in einem »Quadrat der Gegensätze« angeordnet, in dem sich die kontradiktorischen Paare A–O und E–I diagonal gegenüberstehen. Diese quadratische Aufstellung wurde zur Veranschaulichung einer Reihe anderer Relationen verwendet, die, neben der Relation des kontradiktorischen Gegensatzes, zwischen kategorischen Aussagen in ihrer traditionellen Interpretation bestanden. Weil bei moderner Interpretation nur die Relation des kontradiktorischen Gegensatzes bestehenbleibt, haben wir das Quadrat nicht wiedergegeben. Für eine Darstellung des traditionellen Quadrats vergleiche man Eaton, *General Logic*; für einen Vergleich zwischen der traditionellen und der modernen Darstellung siehe Copi, *Introduction to Logic* (mit einer umfassenden Bibliographie am Ende des Buches).
Einen weiteren Gegensatz zwischen den traditionellen und den modernen Interpretationen des Syllogismus findet man in Fußn. 6 S. 111.
Der Begriff einer kontradiktorischen oder selbstwidersprüchlichen Aussage wird in Abschnitt 31 erklärt; die Relation des kontradiktorischen

102 Zweites Kapitel: Deduktion

Wir haben vier bestimmte Formen kategorischer Aussagen vorgeführt. Es wäre nur natürlich anzunehmen, daß es viele andere Formen gibt, die mit den vier von uns angegebenen äquivalent sind. Wir befinden uns hier in einer ähnlichen Situation wie bei der Erörterung der Konditionalaussagen (Abschnitt 6); gerade weil eine A-Aussage eine allgemeine Konditionalaussage ist, gibt es zu den Varianten der Konditionalaussagen entsprechende Varianten der A-Aussagen. Um das Ausmaß der Varianten der A-Aussagen anzudeuten, können wir eine Liste der folgenden Äquivalente der Aussage »Alle Wale sind Säugetiere« aufstellen:

(c)   Jeder Wal ist ein Säugetier.
        Ein beliebiger Wal ist ein Säugetier.
        Wale sind Säugetiere.
        Wenn etwas ein Wal ist, dann ist es ein Säugetier.
        Ist etwas ein Wal, dann ist es ein Säugetier.
        Wenn etwas kein Säugetier ist, dann ist es kein Wal.
        Alle Nicht-Säugetiere sind Nicht-Wale.
        Etwas ist nur dann ein Wal, wenn es ein Säugetier ist.
        Nur Säugetiere sind Wale.
        Nichts ist gleich einem Wal, wenn es kein Säugetier ist.
        Es gibt keinen Wal, der kein Säugetier ist.

Auch E-Aussagen besitzen eine große Anzahl von Äquivalenten. Viele davon erkennt man, wenn man feststellt, daß eine E-Aussage in eine A-Aussage übersetzt werden kann. Zum Beispiel sind die Aussagen »Keine Spinne ist ein Insekt« und »Alle Spinnen sind Nicht-Insekten« äquivalent. Diese A-Aussage erlaubt

Gegensatzes zwischen zwei Aussagen wird in Abschnitt 32 behandelt, wo diese Relation sorgfältig von der Relation des konträren Gegensatzes zwischen Aussagen unterschieden wird.

dann all die verschiedenen Übersetzungen der A-Aussagen, die wir oben angegeben haben. Die Aussage »Keine Spinne ist ein Insekt« besitzt unter anderem folgende Äquivalente:

(d)   Alle Spinnen sind Nicht-Insekten.
      Alle Insekten sind Nicht-Spinnen.
      Kein Insekt ist eine Spinne.
      Nichts von dem, was zu den Insekten gehört, ist eine Spinne.
      Etwas ist keine Spinne, wenn es zu den Insekten gehört.
      Nur Nicht-Spinnen sind Insekten.
      Wenn etwas eine Spinne ist, dann ist es kein Insekt.
      Wenn etwas ein Insekt ist, dann ist es keine Spinne.

Die I-Aussagen und die O-Aussagen besitzen nicht so viele Varianten. Wir werden einige Beispiele angeben. Die I-Aussage »Einige Pflanzen sind eßbar« besitzt die folgenden Äquivalente:

(e)   Einige eßbare Dinge sind Pflanzen.
      Es gibt Pflanzen, die eßbar sind.
      Es gibt eßbare Pflanzen.
      Irgendwelche Pflanzen sind eßbar.
      Wenigstens eine Pflanzenart ist eßbar.

Die O-Aussage »Einige Philosophen sind keine Logiker« besitzt die folgenden Äquivalente:

(f)   Es gibt einen Philosophen, der kein Logiker ist.
      Nicht alle Philosophen sind Logiker.

Die oben angegebenen Listen äquivalenter Aussagen sind keinesfalls vollständig, sie sollten aber eine Vorstellung von den Varianten vermitteln, auf die man möglicherweise stößt. Man sollte diese Listen sorgfältig durchgehen und sich selbst davon überzeugen, daß die Aussagen, wie behauptet, äquivalent sind.

14. Kategorische Syllogismen

Die *kategorischen Syllogismen* (die wir der Bequemlichkeit halber einfach »Syllogismen« nennen) sind Argumente, die nur aus kategorischen Aussagen bestehen. Jeder Syllogismus besitzt zwei Prämissen und eine Konklusion. Obgleich jede kategorische Aussage zwei Ausdrücke enthält, einen Subjektausdruck und einen Prädikatausdruck, besitzt der gesamte Syllogismus nur drei verschiedene Ausdrücke. Einer dieser Ausdrücke tritt in jeder Prämisse einmal auf; man bezeichnet ihn als »Mittelausdruck«. Jeder der beiden anderen Ausdrücke kommt einmal in der Konklusion und einmal in einer Prämisse vor; sie werden »Endausdrücke« genannt. Das folgende, aus drei kategorischen Aussagen bestehende Argument ist ein Syllogismus:

(a)   Alle Hunde sind Säugetiere.
      Alle Säugetiere sind Tiere.
  ∴ Alle Hunde sind Tiere.

Das Wort »Säugetiere« kommt einmal in jeder Prämisse vor; es ist deshalb der Mittelausdruck. Das Wort »Hunde« tritt einmal in einer Prämisse und einmal in der Konklusion auf und ist somit ein Endausdruck. Das Wort »Tiere« kommt einmal in der Konklusion und einmal in einer Prämisse vor; auch das ist ein Endausdruck.

Es gibt viele Formen von Syllogismen – einige davon sind gültig, andere ungültig. Die Gültigkeit eines Syllogismus wird, wie bei jedem deduktiven Argument, nur von seiner Form bestimmt. Die Form eines Syllogismus hängt von zweierlei ab: erstens davon, zu welcher der vier Arten kategorischer Aussagen jede der Aussagen des Syllogismus gehört, und zweitens von den Positionen des Mittelausdrucks und der Endausdrücke.

In (a) sind beide Prämissen und die Konklusion A-Aussagen. Der Endausdruck »Hunde« ist der Subjektausdruck der ersten Prämisse und der Subjektausdruck der Konklusion. Der andere Endausdruck, »Tiere«, ist der Prädikatausdruck der zweiten Prämisse und der Prädikatausdruck der Konklusion. Der Mittelausdruck »Säugetiere« ist der Prädikatausdruck der ersten Prämisse und der Subjektausdruck der zweiten Prämisse. Schreiben wir »S« für den Endausdruck, der den Subjektausdruck der Konklusion bildet, »P« für den Endausdruck, der gleichzeitig der Prädikatausdruck der Konklusion ist, und »M« für den Mittelausdruck, dann können wir die Form von (a) auf eindeutige Weise wie folgt wiedergeben:

(b) $S A M$
     $M A P$
   $\therefore S A P$

Die Tatsache, daß jede der Aussagen des Arguments eine allgemein affirmative Aussage ist, wird durch das »A« in jeder Zeile ausgedrückt.

Es gibt drei einfache Regeln für die Überprüfung der Gültigkeit eines beliebigen Syllogismus. Zur Darstellung dieser Regeln müssen wir jedoch den Begriff der *Distribution* einführen. Ein bestimmter Ausdruck – zum Beispiel »Säugetiere« – kann in verschiedenen kategorischen Aussagen vorkommen und als Subjektausdruck oder als Prädikatausdruck auftreten. Er kann an dieser Stelle *distribuiert* oder *nicht-distribuiert* sein. Ob ein Ausdruck *an einer bestimmten Stelle* distribuiert ist oder nicht, hängt davon ab, in welcher Aussagenart er auf-

tritt und ob er der Subjektausdruck oder der Prädikatausdruck dieser Aussage ist. *Ein Ausdruck ist in einer*
kategorischen Aussage distribuiert, wenn diese Aussage
etwas über jedes einzelne Element der Menge aussagt, für
die der Ausdruck steht.

Die A-Aussage »Alle Wale sind Säugetiere« sagt etwas
über jeden Wal aus – nämlich daß er ein Säugetier ist –,
sie sagt aber nichts über jedes Säugetier aus. Deshalb ist
in einer A-Aussage der Subjektausdruck *distribuiert*
und der Prädikatausdruck *nicht-distribuiert.*

Man beachte, daß die A-Aussage etwas über die *Menge*
aussagt, auf die sich der Prädikatausdruck bezieht. Die
Aussage »Alle Wale sind Säugetiere« bringt zum Ausdruck, daß die Menge der Säugetiere die Menge der
Wale enthält. Es ist aber ein fundamentaler Unterschied, ob man etwas über eine Menge als solche oder
etwas über jedes einzelne Element dieser Menge aussagt. Eine Menge ist eine Zusammenfassung von
Objekten. Wenn wir über die Menge als solche etwas
sagen, dann sagen wir über die Menge als ganze etwas
aus [we are speaking *collectively*]. Wenn wir über die
Elemente einer Zusammenfassung als Individuen etwas
sagen, dann sagen wir über jedes einzelne Element der
Menge etwas aus [we are speaking *distributively*]. Einiges von dem, was auf eine Menge als ganze zutrifft,
trifft nicht auf ihre Elemente als Individuen zu, und
einiges von dem, was auf die Elemente einer Menge als
Individuen zutrifft, trifft nicht auf die Menge als ganze
zu. Zum Beispiel ist die Menge der Säugetiere endlich,
d. h., sie besitzt endlich viele Elemente. Es wäre aber
unsinnig, von dem Wal Moby Dick, einem Element der
Menge der Säugetiere, zu sagen, daß er endlich ist.

Genauso wäre es unsinnig zu sagen, daß jedes einzelne
Element der Menge der Säugetiere endlich ist.

Es gibt zwei Fehlschlüsse, die darauf beruhen, daß
Aussagen über eine Menge als ganze oder über jedes
einzelne Element dieser Menge nicht auseinandergehalten werden. Der *Fehlschluß der Teilung* besteht darin,
aus der Prämisse, daß eine bestimmte Menge als solche
eine bestimmte Eigenschaft besitzt, zu schließen, daß
jedes Element dieser Menge diese Eigenschaft besitzt.
Zum Beispiel:

(c)   Der Kongreß der Vereinigten Staaten ist eine bedeuten-
      de Organisation.
      ∴ Jeder Kongreßabgeordnete ist ein bedeutender Mensch.

Der umgekehrte Fehlschluß ist der *Fehlschluß der
Zusammensetzung*. Dieser Fehlschluß besteht darin, zu
schließen, daß eine Menge eine bestimmte Eigenschaft
besitzt, weil jedes Element der Menge diese Eigenschaft besitzt. Zum Beispiel:

(d)   Jedes Mitglied der Fußballmannschaft ist ein ausgezeich-
      neter Spieler.
      ∴ Die Fußballmannschaft ist ausgezeichnet.

Fehlt die Zusammenarbeit der Spieler, dann kann die
Prämisse von (d) durchaus wahr sein, selbst wenn die
Konklusion falsch ist.

Jede kategorische Aussage sagt etwas über jede der
Mengen aus, auf die sich ihre Ausdrücke beziehen, aber
das sind Aussagen über die Mengen als ganze. Darüber
hinaus kann eine kategorische Aussage über einige,
aber nicht notwendigerweise alle Elemente einer
Menge sprechen. Manchmal, aber nicht immer, sagt
eine kategorische Aussage etwas über jedes Element
irgendeiner Menge aus: in diesen Fällen ist der Aus-

druck, der sich auf diese Menge bezieht, distribuiert.
Betrachten wir wieder unsere A-Aussage. Sie sagt, daß
die Menge der Säugetiere die Menge der Wale enthält
und daß die Menge der Wale in der Menge der Säugetiere enthalten ist. Darüber hinaus besagt sie, daß jedes
Element der Menge der Wale ein Säugetier ist. Sie
macht keine Aussage über jedes Element der Menge
der Säugetiere.

In der E-Aussage »Keine Spinne ist ein Insekt« sind
beide Ausdrücke *distribuiert*. Sie besagt, daß jede
Spinne ein Nicht-Insekt ist und daß jedes Insekt eine
Nicht-Spinne ist. Außerdem wird in ihr behauptet, daß
die Menge der Spinnen und die Menge der Insekten
elementfremd sind.

In der I-Aussage »Einige Pflanzen sind eßbar« sind
beide Ausdrücke *nicht-distribuiert*. Sie ist weder eine
Aussage über jede Pflanze noch eine Aussage über
jedes eßbare Ding. Sie besagt nur, daß die Menge der
Pflanzen und die Menge der eßbaren Dinge gemeinsame Elemente besitzen.

Die O-Aussage »Einige Philosophen sind keine Logiker« sagt nichts über jeden Philosophen aus, folglich ist
ihr Subjektausdruck *nicht-distribuiert*. Es wird vielleicht
überraschen, aber sie sagt etwas über jeden Logiker
aus. Um das einzusehen, betrachte man die äquivalente Aussage »Es gibt wenigstens einen Philosophen,
der kein Logiker ist«. Diese Aussage teilt uns nicht mit,
wer genau dieser Philosoph ist, aber sie versichert uns,
daß es wenigstens einen gibt; wir wollen ihn »John
Doe« nennen. John Doe ist ein Philosoph, aber kein
Logiker. Man überzeugt sich leicht davon, daß unsere
O-Aussage gleichbedeutend ist mit »Jeder Logiker ist

mit John Doe nicht-identisch«. Man kann es auch folgendermaßen ausdrücken: Unsere O-Aussage besagt, daß sich jeder Logiker von den Philosophen unterscheidet, auf die man sich mit dieser Aussage bezieht. Deshalb ist der Prädikatausdruck einer O-Aussage *distribuiert*. Außerdem besagt die O-Aussage, daß die Menge der Philosophen nicht ganz in der Menge der Logiker enthalten ist.

Es ist tatsächlich nicht notwendig, den Begriff der Distribution zu *verstehen*, um Syllogismen auf ihre Gültigkeit hin zu untersuchen; man muß sich nur daran erinnern, welche Ausdrücke distribuiert sind und welche nicht. Darüber gibt die folgende Übersicht Auskunft:

(e) A: *allgemein affirmativ*
    Subjekt distribuiert
    Prädikat nicht-distribuiert

  E: *allgemein negativ*
    Subjekt distribuiert
    Prädikat distribuiert

  I: *partikular affirmativ*
    Subjekt nicht-distribuiert
    Prädikat nicht-distribuiert

  O: *partikular negativ*
    Subjekt nicht-distribuiert
    Prädikat distribuiert

Diese Ergebnisse können noch kürzer ausgedrückt werden. *Der Subjektausdruck einer allgemeinen Aussage ist distribuiert; der Prädikatausdruck einer negativen Aussage ist distribuiert. Alle anderen Ausdrücke sind nicht-distribuiert.* Die vier Buchstaben »ASNP« (die für ›Allgemein-Subjekt‹ und ›Negativ-Prädikat‹ stehen) kann man als eine Anleitung zur Bestimmung der Distribution der Ausdrücke auswendig lernen; eine Gedächtnisstütze wie »Alte Schuhe Niemals Poltern« mag dazu benutzt werden, sie sich einzuprägen.

Die drei Regeln für die Überprüfung der Gültigkeit von Syllogismen können jetzt angegeben werden. Für einen *gültigen Syllogismus* gilt:

I.   Der Mittelausdruck muß genau einmal distribuiert sein.

II. Kein Endausdruck darf nur einmal distribuiert sein.

III. Die Anzahl der negativen Prämissen muß gleich der Anzahl der negativen Konklusionen sein.

Diese Regeln sollte man auswendig lernen. *Jeder Syllogismus, der alle drei Regeln erfüllt, ist gültig. Jeder Syllogismus, der eine oder mehrere der Regeln verletzt, ist ungültig.* Die erste Regel besagt, daß der Mittelausdruck an einer Stelle distribuiert und an allen anderen Stellen nicht-distribuiert sein muß. Ein Syllogismus, in dem der Mittelausdruck an beiden Stellen distribuiert ist, ist genauso ungültig wie ein Syllogismus, in dem der Mittelausdruck an keiner Stelle distribuiert ist. Gemäß der zweiten Regel kann ein Syllogismus nicht gültig sein, wenn er einen Endausdruck enthält, der in den Prämissen, aber nicht in der Konklusion distribuiert ist, oder wenn er einen Endausdruck enthält, der in der Konklusion, aber nicht in den Prämissen distribuiert ist. Damit ein Syllogismus gültig ist, darf er keinen Endausdruck besitzen, der nur an einer Stelle distribuiert ist. Die dritte Regel umfaßt drei Fälle. Ein Syllogismus kann keine negativen Prämissen, eine negative Prämisse oder zwei negative Prämissen enthalten. Wenn ein Syllogismus ohne negative Prämissen gültig sein soll, dann darf er keine negative Konklusion besitzen; d. h., ein Syllogismus mit zwei affirmativen Prämissen muß eine affirmative Konklusion haben. Wenn ein Syllogismus eine negative und eine affirmative Prämisse hat, dann kann er nicht gültig sein, wenn die Konklusion nicht negativ ist. Ein Syllogismus mit zwei negativen Prämissen kann nicht gültig sein, denn ein Syllogismus besitzt *per definitionem* nur eine Konklusion, so daß die Anzahl der negativen Prämissen nicht gleich der Anzahl der negativen Konklusionen sein kann.[6]

Wir wollen jetzt die drei Regeln auf Argument (a) anwenden. Dazu schreiben wir die Argumentform (b) wie folgt neu, wobei wir die Indices »*d*« bzw. »*n*« zur Bezeichnung der distribuierten bzw. nicht-distribuierten Ausdrücke benutzen.

(f) $S_d \, A \, M_n$
  $M_d \, A \, P_n$
∴ $S_d \, A \, P_n$

Alle Aussagen sind A-Aussagen, d. h., entsprechend der Übersicht (e) sind die Subjektausdrücke distribuiert und die Prädikatausdrücke nicht-distribuiert.

Regel I ist erfüllt: Der Mittelausdruck ist in der zweiten Prämisse, aber nicht in der ersten distribuiert.

6 Diese Regeln geben die moderne Interpretation des kategorischen Syllogismus wieder. Diese Interpretation folgt aus der Entscheidung, A-Aussagen als *allgemeine Konditionalaussagen* zu konstruieren (Abschnitt 13). Damit sie mit der traditionellen (aristotelischen) Interpretation übereinstimmen, lassen sich die Regeln auf einfache Weise wie folgt abändern:

I. Der Mittelausdruck muß wenigstens einmal distribuiert sein.
II. Wenn ein Endausdruck in der Konklusion distribuiert ist, muß er auch in den Prämissen distribuiert sein.
III. Keine Änderung.

Beide Regelmengen gehen auf Regeln zurück, die James T. Culbertson in seinem Buch *Mathematics and Logic for Digital Devices*, Princeton, N. J.: D. Van Nostrand, 1958, S. 99, angegeben hat.

3

Regel II ist erfüllt: Der Endausdruck S ist an beiden Stellen distribuiert, der Endausdruck P ist an keiner Stelle distribuiert.

Regel III ist erfüllt: Es kommen keine negativen Prämissen und keine negativen Konklusionen vor.

Wir haben gezeigt, daß (a) ein gültiger Syllogismus ist. Im folgenden geben wir noch einige Syllogismen und ihre Formen an.

(g)   Alle Logiker sind Mathematiker. $P_d \, A \, M_n$
       Einige Philosophen sind keine Mathematiker. $S_n \, O \, M_d$
       ∴ Einige Philosophen sind keine Logiker.   ∴ $S_n \, O \, P_d$

Weil die A-Aussage allgemein ist, ist ihr Subjekt distribuiert; da sie affirmativ ist, ist ihr Prädikat nicht-distribuiert. Die O-Aussage ist partikular, also ist ihr Subjekt nicht-distribuiert; weil sie negativ ist, ist ihr Prädikat distribuiert.

Regel I ist erfüllt: Der Mittelausdruck ist in der zweiten, aber nicht in der ersten Prämisse distribuiert.

Regel II ist erfüllt: P ist an beiden Stellen distribuiert, während S an beiden Stellen nicht-distribuiert ist.

Regel III ist erfüllt: (g) besitzt eine negative Prämisse und eine negative Konklusion.

Da der Syllogismus gegen keine der drei Regeln verstößt, ist er gültig.

(h)   Alle Quäker sind Pazifisten. $M_d \, A \, P_n$
       Kein General ist ein Quäker. $S_d \, E \, M_d$
       ∴ Kein General ist Pazifist.   ∴ $S_d \, E \, P_d$

Zuerst sollte man sich davon überzeugen, daß die Distribution der Ausdrücke richtig angegeben wurde. Dann können die Regeln angewandt werden.

Regel I ist nicht erfüllt: Der Mittelausdruck ist an beiden Stellen distribuiert.

Dies beweist die Ungültigkeit von (h). Es ist nicht nötig, daß man noch die anderen Regeln anwendet. Zur weiteren Veranschaulichung werden wir es aber dennoch tun.

Regel II ist nicht erfüllt: P ist in der Konklusion, aber nicht in den Prämissen distribuiert.

Regel III ist erfüllt: Es gibt eine negative Prämisse und eine negative Konklusion.

(i) Alle grünen Pflanzen enthalten Chlorophyll. $S_d \, A \, M_n$
Einige der Dinge, die Chlorophyll enthalten, sind eßbar. $M_n \, I \, P_n$
∴ Einige grüne Pflanzen sind eßbar. $\therefore S_n \, I \, P_n$

Regel I ist nicht erfüllt: Der Mittelausdruck ist an keiner Stelle distribuiert.

Damit ist die Ungültigkeit von (i) bewiesen. Wir wenden aber wieder die restlichen Regeln an:

Regel II ist nicht erfüllt: S ist in den Prämissen, aber nicht in der Konklusion distribuiert.

Regel III ist erfüllt: Es gibt keine negativen Prämissen und keine negativen Konklusionen.

(j)   Einige Neurotiker sind nicht angepaßt. $S_n \, O \, M_d$
       Einige nicht angepaßte Personen sind $M_n \, O \, P_d$
       nicht ehrgeizig.
    ∴ Einige Neurotiker sind nicht ehrgeizig.   ∴ $S_n \, O \, P_d$

Regel I ist erfüllt: Der Mittelausdruck ist in der er-
                                  sten, aber nicht in der zweiten
                                  Prämisse distribuiert.
Regel II ist erfüllt: S ist an beiden Stellen nicht-di-
                                  stribuiert, während P an beiden
                                  Stellen distribuiert ist.
Regel III ist nicht erfüllt: Es gibt zwei negative Prämissen,
                                  aber nur eine negative Konklu-
                                  sion.

Folglich ist (j) ungültig. Mit ein wenig Übung sieht man
auf den ersten Blick, wenn die dritte Regel verletzt ist;
man braucht dann die anderen beiden Regeln nicht
mehr zu berücksichtigen.

Die Beispiele, die wir bisher zur Veranschaulichung der
Anwendung unserer Regeln benutzt haben, wurden in
der logischen Standardform angegeben. Es erübrigt
sich, darauf hinzuweisen, daß Argumente, die man in
alltäglichen Zusammenhängen antrifft, selten diese
Form aufweisen. Sei es, daß Prämissen fehlen, sei es,
daß die Reihenfolge der Aussagen nicht eingehalten
worden ist, wie wir bei der Untersuchung anderer Argu-
mentarten gesehen haben. Ferner können wir damit
rechnen, auf Varianten kategorischer Aussagen zu stoßen, wie die, die wir im vorhergehenden Abschnitt
besprochen haben. Deshalb werden wir gewöhnlich,
wenn wir uns mit syllogistischen Argumenten befassen,
diese zuerst in vollständige Syllogismen der Standard-

form übersetzen. Diese Umformung besteht aus drei Schritten:

1. Identifizierung der Prämissen und der Konklusion.
2. Übersetzung der Prämissen und der Konklusion in kategorische Aussagen.
3. Hinzufügung fehlender Prämissen (wenn welche gebraucht werden).

Danach können die Regeln angewandt werden, um die Syllogismen auf ihre Gültigkeit hin zu untersuchen.

Das Folgende ist ein Beispiel eines Arguments, auf das wir stoßen könnten.

(k) Nicht alle Diamanten sind Edelsteine – Industriediamanten sind als Schmuckstücke nicht verwendbar.

Dem Zusammenhang oder der Sprechweise könnte man entnehmen, daß die erste Aussage die Konklusion darstellt; was auf den Gedankenstrich folgt, wird zu ihrer Stützung vorgebracht. Die Konklusion kann man in die O-Aussage »Einige Diamanten sind keine Edelsteine« übersetzen. Auch die Prämisse kann man als O-Aussage wiedergeben: »Einige Diamanten (nämlich Industriediamanten) sind als Schmuckstücke nicht verwendbar«. Zur Vervollständigung des Syllogismus benötigen wir die Prämisse »Alle Edelsteine sind als Schmuckstücke verwendbar.«

(l) Alle Edelsteine sind als Schmuckstücke verwendbar. $P_d \, \text{A} \, M_n$

Einige Diamanten sind als Schmuckstücke nicht verwendbar. $S_n \, \text{O} \, M_d$

∴ Einige Diamanten sind keine Edelsteine. $\therefore S_n \, \text{O} \, P_d$

Beispiel (l) besitzt dieselbe Form wie Beispiel (g), von dessen Gültigkeit wir uns schon überzeugt haben.

(m)   Spinnen können keine Insekten sein, weil sie Achtfüßer
        sind.

Konklusion ist die E-Aussage »Keine Spinne ist ein
Insekt«. Die im Text vorkommende Prämisse ist die A-
Aussage »Alle Spinnen sind Achtfüßer«. Fügen wir die
fehlende Prämisse hinzu, ergibt sich:

(n)   Alle Spinnen sind Achtfüßer. S_d A M_n
        Kein Insekt ist ein Achtfüßer. P_d E M_d
   ∴ Keine Spinne ist ein Insekt.   ∴ S_d E P_d

Regel I ist erfüllt: Der Mittelausdruck ist in der zweiten,
                             aber nicht in der ersten Prämisse distri-
                             buiert.
Regel II ist erfüllt: Sowohl S als auch P sind an beiden
                             Stellen distribuiert.
Regel III ist erfüllt: Es gibt eine negative Prämisse und
                             eine negative Konklusion.

Folglich ist (n) gültig.

(o)   Viele Leute halten die abstrakte Malerei für wertlos,
        weil in ihr keine Abbilder von vertrauten Gegenständen
        dargestellt werden. Sie sind der Meinung, daß der ästhe-
        tische Wert eines Bildes proportional zum Grad seines
        Realismus ist. Dieses Prinzip ist vollkommen falsch. Wir
        müssen begreifen, daß der künstlerische Wert nicht von
        einer wirklichkeitsgetreuen Wiedergabe abhängt. Er ist
        vielmehr eine Angelegenheit von Strukturen und For-
        men. Nur reine Formstudien besitzen wahren künstleri-
        schen Wert – dies ist das fundamentale Prinzip. Es folgt,
        daß ein Bild keinen wahren künstlerischen Wert besitzt,
        wenn es nicht abstrakt ist; denn nichts, was keine reine
        Formstudie ist, ist abstrakt.

Aus dieser Textstelle gewinnen wir das folgende Argument:

(p)   Nur reine Formstudien besitzen wahren künstlerischen Wert.

Nichts, was keine reine Formstudie ist, ist abstrakt.

∴ Ein Bild besitzt keinen wahren künstlerischen Wert, wenn es nicht abstrakt ist.

Durch die Übersetzung in kategorische Aussagen erhalten wir den folgenden Syllogismus:

(q)   Alle Bilder von wahrem künstlerischen S_d A M_n
Wert sind reine Formstudien.

Alle abstrakten Bilder sind reine Form- P_d A M_n
studien.

∴ Alle Bilder von wahrem künstlerischen   ∴ S_d A P_n
Wert sind abstrakt.

Wir sehen mit einem Blick, daß dieser Syllogismus ungültig ist, weil er die Regeln I und II verletzt.

(r)   In seiner berühmten Abhandlung *Über die Freiheit* befaßt sich John Stuart Mill (1806–73) mit »der Natur und den Grenzen der Gewalt, die die Gesellschaft berechtigterweise gegenüber dem einzelnen ausüben darf«. Er versucht den allgemeinen Grundsatz aufzustellen, »daß der einzige Zweck, der die Menschen, individuell oder kollektiv, berechtigt, in die Handlungsfreiheit eines der ihren einzugreifen, im Selbstschutz besteht. [...] Der einzige Teil seines Verhaltens, für den ein Mensch der Gesellschaft verantwortlich ist, ist der, der andere berührt. In dem Teil, der nur ihn selbst berührt, ist seine Unabhängigkeit im rechtlichen Sinn absolut.« Mill stellt dann die Methode dar, mittels der er diesen Grundsatz aufstellen will. »Es ist angebracht, festzustellen, daß ich auf den Vorteil verzichte, der meiner Argumentation aus der Idee eines von allen Nützlichkeitserwägungen unabhängigen abstrakten Rechts erwachsen könnte. Ich betrachte die Nützlichkeit als das letzte Kriterium in allen ethischen Fragen; aber es muß eine Nützlichkeit im

weitesten Sinne sein, gegründet auf die dauernden Inter-
essen des Menschen als eines fortschreitenden Wesens.
Diese Interessen, so behaupte ich, rechtfertigen die Un-
terwerfung der individuellen Spontaneität unter äußere
Kontrolle nur hinsichtlich derjenigen Handlungen eines
Menschen, die die Interessen anderer Leute berühren.«
Der Grundsatz der Nützlichkeit wird von ihm in der
Abhandlung *Der Utilitarismus* erklärt und verteidigt.
Nach dem Grundsatz der Nützlichkeit sind Handlungen
richtig, insofern sie zum allgemeinen Wohl beitragen;
das heißt, nur die Handlungen, die das allgemeine Wohl
vermehren, sind richtig.

Wenn wir unter selbst-bezogenem Verhalten ein Verhalten verstehen, das nur die Interessen des Handeln-
den betrifft, dann entsteht der folgende Syllogismus:

(s)   Alle richtigen Handlungen sind Handlun- $P_d \, \text{A} \, M_n$
      gen, die das allgemeine Wohl vermeh-
      ren.
      Keine Handlung, die in selbst-bezogenes $S_d \, \text{E} \, M_d$
      Verhalten eingreift, ist eine Handlung,
      die das allgemeine Wohl vermehrt.
  ∴ Keine Handlung, die in selbst-bezogenes   ∴ $S_d \, \text{E} \, P_d$
      Verhalten eingreift, ist richtig.

Man sollte sich davon überzeugen, daß dieser Syllogismus die drei Regeln erfüllt und daher gültig ist. Es sei
darauf hingewiesen, daß sich ein ungültiger Syllogismus
ergeben hätte, wenn wir die Aussage »Alle Handlungen, die das allgemeine Wohl vermehren, sind richtig«
als erste Prämisse benutzt hätten. Der restliche Teil von
Mills Abhandlung *Über die Freiheit* ist der Aufgabe
gewidmet, die Wahrheit der zweiten Prämisse nachzuweisen.
Bevor wir diesen Abschnitt über Syllogismen beenden,

müssen wir uns noch mit einem weiteren Argumenttyp beschäftigen. Wir werden ihn den »Quasi-Syllogismus« nennen. Obwohl ein Quasi-Syllogismus genaugenommen gar kein Syllogismus ist, ist er einem Syllogismus doch sehr ähnlich und wird oft als solcher behandelt. Wir werden dagegen auf eine andere Weise vorgehen, die mir überzeugender zu sein scheint. Man betrachte das klassische Beispiel:

(t)   Alle Menschen sind sterblich.
       Sokrates ist ein Mensch.
    ∴ Sokrates ist sterblich.

Dieses Argument ist sicherlich gültig. In der angegebenen Darstellung ist es aber kein Syllogismus, weil weder die zweite Prämisse noch die Konklusion kategorische Aussagen sind. Der Ausdruck »Sokrates« bezeichnet keine Menge; es ist der Name eines Mannes und nicht die Bezeichnung irgendeiner Menge von Dingen. Es würde keinen Sinn ergeben zu sagen »Alle Sokrates sind sterblich« oder »Einige Sokrates sind sterblich«. Die zweite Prämisse und die Konklusion können zwar durch unnatürlich wirkende Umschreibungen in kategorische Aussagen verwandelt werden, wir werden das aber nicht tun. Wir gehen dagegen von der Tatsache aus, daß die erste Prämisse eine A-Aussage ist, die mit dem allgemeinen Konditional »Wenn etwas ein Mensch ist, dann ist es sterblich« äquivalent ist. Was auf alle Dinge zutrifft, trifft auch auf Sokrates zu. Aus der ersten Prämisse ziehen wir den Schluß »Wenn Sokrates ein Mensch ist, dann ist Sokrates sterblich«. Diese Aussage, zusammen mit der zweiten Prämisse von (t), läßt das folgende Argument entstehen:

(u)   Wenn Sokrates ein Mensch ist, dann ist Sokrates sterb-
       lich.
       Sokrates ist ein Mensch.
    ∴ Sokrates ist sterblich.

Dieses Argument ist ein Beispiel für eine Anwendung der Regel der Bejahung des Antecedens (Abschnitt 7).

Man betrachte ein weiteres Beispiel:

(v)   John Doe muß ein Kommunist sein, weil er die diploma-
       tische Anerkennung Kubas befürwortet.

Diesem Argument fehlt eine Prämisse. Es kann wie
folgt in einen Quasi-Syllogismus verwandelt werden:

(w)   Alle, die die diplomatische Anerkennung Kubas befür-
       worten, sind Kommunisten.
       John Doe befürwortet die diplomatische Anerkennung
       Kubas.
    ∴ John Doe ist ein Kommunist.

Man kann die Gültigkeit dieses Arguments mit derselben Methode nachweisen, die wir auf (t) angewendet
haben. Das Problem besteht darin, daß die von uns
angegebene Prämisse sicherlich falsch ist. Wenn wir
jedoch eine etwas plausiblere Prämisse formulieren,
dann wird das Argument ungültig:

(x)   Alle Kommunisten befürworten die diplomatische Aner-
       kennung Kubas.
       John Doe befürwortet die diplomatische Anerkennung
       Kubas.
    ∴ John Doe ist ein Kommunist.

Wenden wir darauf die von uns eingeführte Methode
an, erhalten wir ein Beispiel für den Fehlschluß der
Bejahung des Konsequens (Abschnitt 7):

(y)　　Wenn John Doe ein Kommunist ist, dann befürwortet
　　　　John Doe die diplomatische Anerkennung Kubas.
　　　　John Doe befürwortet die diplomatische Anerkennung
　　　　Kubas.
∴ John Doe ist ein Kommunist.

Das Beispiel (v) ist dem Beispiel (z) aus Abschnitt 7
sehr ähnlich, und wir hätten mit ihm in der gleichen
Weise verfahren können, indem wir gleich von einer
konditionalen Prämisse ausgegangen wären, anstatt
zuerst eine kategorische Prämisse einzuführen. Es hat
jedoch seinen guten Sinn, wenn man Argumente dieser
Art als Quasi-Syllogismen behandelt. Allgemein gesprochen, besteht der einzige Grund, eine konditionale
Aussage wie »Wenn John Doe die diplomatische Anerkennung Kubas befürwortet, dann ist John Doe ein
Kommunist« zu behaupten, in der Ableitung dieser
Aussage aus dem entsprechenden allgemeinen Konditional. Deshalb ist es von der Sache her begründet, (v)
in einen Quasi-Syllogismus zu verwandeln.

15. Venn-Diagramme und die Logik der Mengen

Obwohl die im letzten Abschnitt angegebenen Regeln
für die Überprüfung der Gültigkeit von Syllogismen
ziemlich einfach zu behalten und anzuwenden sind, so
haben sie vielleicht doch etwas von Zauberkunststück-
chen an sich. Sie funktionieren, man weiß aber nicht
genau, warum. In diesem Abschnitt führen wir die
Methode der Venn-Diagramme ein.[7] Sie zeichnet sich

---

7 So benannt nach dem im 19. Jahrhundert lebenden englischen Logiker John Venn.

durch eine große intuitive Klarheit aus (weswegen mancher diese Methode vielleicht den Regeln zur Überprüfung der Gültigkeit von Syllogismen vorziehen wird) und kann auch auf andere Arten von Argumenten, nicht nur auf kategorische Syllogismen angewendet werden.

Wie wir im letzten Abschnitt vermerkten, kann man die Subjekt- und Prädikatausdrücke kategorischer Aussagen als Ausdrücke verstehen, die sich auf Mengen beziehen. Die kategorische Aussage selbst kann man dann als eine Aussage über die Beziehung zwischen zwei Mengen auffassen. Bei dieser Interpretation besagt die A-Aussage »Alle Wale sind Säugetiere«, daß die Menge der Wale in der Menge der Säugetiere enthalten ist. In ähnlicher Weise besagt die E-Aussage »Keine Spinne ist ein Insekt«, daß die Menge der Spinnen und die Menge der Insekten elementfremd sind. Die I-Aussage »Einige Diamanten sind teuer« bringt zum Ausdruck, daß sich die Menge der Diamanten und die Menge der teuren Dinge überschneiden – d. h., daß die beiden Mengen wenigstens ein Element gemeinsam haben. Und schließlich drückt die O-Aussage »Einige Tiere sind keine Raubtiere« aus, daß die Menge der Tiere nicht vollständig in der Menge der Raubtiere enthalten ist – d. h., daß es wenigstens ein Tier gibt, das nicht zu der letztgenannten Menge gehört.

Alle diese Beziehungen können in einem Diagramm dargestellt werden. Wir beginnen mit einem Basis-Diagramm zweier sich überschneidender Kreise – einer für jede Menge –, die in einem Rechteck enthalten sind (Abb. 1).

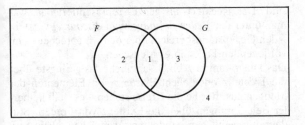

Abb. 1

Die Zahlzeichen wurden nur vorübergehend hinzugefügt, damit man sich auf einfache Weise auf die vier
verschiedenen Gebiete beziehen kann, sie sind aber
nicht Teil des Basis-Diagramms. Das Innere des linken
Kreises soll für die Menge F, das Innere des rechten
Kreises für die Menge G stehen. Der Bereich, in dem
sich die beiden Kreise überschneiden (Gebiet 1), steht
für die Dinge, die Elemente beider Mengen sind. Der
Teil des linken Kreises, der sich nicht mit dem rechten
Kreis überschneidet (Gebiet 2), steht für die Dinge, die
zur Menge F, aber nicht zur Menge G gehören. Und der
Sektor des rechten Kreises, der sich nicht mit dem
linken Kreis überschneidet (Gebiet 3), steht für die
Dinge, die Elemente der Menge G, aber nicht Elemente der Menge F sind. Wenn F die Menge der
Studenten und G die Menge der Frauen ist, dann vertritt Gebiet 1 die weiblichen Studenten, Gebiet 2 die
nicht-weiblichen Studenten und Gebiet 3 die weiblichen
Nicht-Studenten. Der restliche Teil des Rechtecks –
das, was zu keinem der beiden Kreise gehört (Gebiet 4)
– stellt die Dinge dar, die weder Studenten noch Frauen

sind. Das Rechteck als ganzes repräsentiert das, was
man unter der *Redewelt* [*universe of discourse*] versteht
– den Gegenstandsbereich, über den wir sprechen –, im
vorliegenden Fall sind es Menschen.

Das Diagramm in Abb. 1 sagt nicht das geringste über
die Existenz oder Nicht-Existenz von Elementen der
Mengen aus, für die die Kreise stehen – es stellt keinerlei Behauptungen über die Existenz von Frauen, Studenten, weiblichen Studenten, weiblichen Nicht-Studenten, nicht-weiblichen Studenten oder nicht-weiblichen Nicht-Studenten auf. Das Basis-Diagramm ist einfach ein normaler Ausgangspunkt, zu dem wir ergän-
zend Informationen über die Inklusion, Exklusion oder
Überschneidung von Mengen angeben können. Wenn
wir ausdrücken wollen, daß eine Menge keine Elemente
besitzt, dann tun wir das, indem wir das Gebiet des
Diagramms schraffieren, das diese Menge repräsentiert. Wenn wir also die Aussage »Alle Wale sind Säugetiere« in einem Diagramm darstellen wollen, schraffieren wir den Teil, der für die Dinge steht, die Wale,
aber keine Säugetiere sind (Abb. 2): das ist dann das
Standard-Diagramm einer A-Aussage.

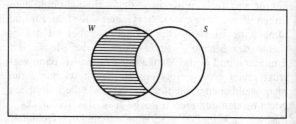

Abb. 2

Um die Aussage »Keine Spinne ist ein Insekt« darzustellen, schraffieren wir einfach das Gebiet, das für Dinge steht, die sowohl Spinnen als auch Insekten sind:

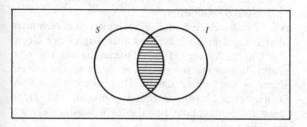

Abb. 3

Das ist das Standard-Diagramm einer E-Aussage. Man beachte, daß jedes Diagramm von ein und demselben Basis-Diagramm herrührt und zusätzliche Informationen darüber enthält, ob das eine oder andere Gebiet für eine leere Menge steht.[8] Daraus folgt nicht, daß die nicht-schraffierten Gebiete nichtleere Mengen darstellen; das Diagramm ist diesbezüglich in keiner Weise festgelegt. Folglich entspricht diese Art von Diagram-

8 Bei der Konstruktion des Diagramms einer A-Aussage beginnen wir *nicht* damit, den Kreis für den Subjektausdruck in den Kreis für den Prädikatausdruck zu zeichnen. Ebenso beginnen wir bei der Konstruktion des Diagramms einer E-Aussage *nicht* damit, zwei voneinander völlig getrennte Kreise zu zeichnen, die sich an keiner Stelle überschneiden. Wir fangen vielmehr immer mit dem gleichen Basis-Diagramm an und stellen Inklusionen und Exklusionen durch geeignete Schraffierungen dar. Dadurch, daß wir immer wieder von dem Basis-Diagramm ausgehen, wird die Überprüfung der Syllogismen genauer und einfacher gemacht.

men unserer Interpretation der A-Aussage als einem
allgemeinen (materialen) Konditional. Das Diagramm
enthält nichts, was zu dem Schluß berechtigt, daß die
Subjektmenge Elemente besitzt; es ist bezüglich dieser
Frage vollkommen offen.

Als Hinweis darauf, daß ein Gebiet eine nichtleere
Menge repräsentiert, kennzeichnen wir es mit einem
»*x*«. Um die Aussage »Einige Diamanten sind teuer« in
einem Diagramm darzustellen, zeichnen wir deshalb ein
Kreuz in das Gebiet, das für Dinge steht, die sowohl
Diamanten als auch teuer sind (Abb. 4), und stellen
damit die Behauptung auf, daß es wenigstens ein solches Ding gibt:

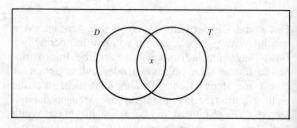

Abb. 4

Das ist das Standard-Diagramm einer I-Aussage.

Für die diagrammatische Darstellung der Aussage
»Einige Tiere sind keine Raubtiere« tragen wir unser
Kreuz in den Kreis ein, der für Tiere steht, aber in den
Teil, der außerhalb des Kreises liegt, der für Raubtiere
steht:

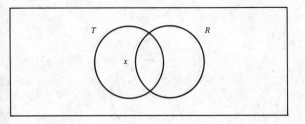

Abb. 5

Das ist das Standard-Diagramm einer O-Aussage. Wir besitzen jetzt Standard-Diagramme für jede Art kategorischer Aussagen.

Der kategorische Syllogismus ist ein Argument, das aus drei kategorischen Aussagen mit drei verschiedenen Ausdrücken besteht – dem Mittelausdruck »M« und den zwei Endausdrücken »S« und »P«. Für die Analyse der Syllogismen konstruieren wir ein Basis-Diagramm, das drei sich überschneidende Kreise enthält (Abb. 6). Ihre Anordnung ermöglicht es uns, jede denkbare Beziehung der Inklusion, Exklusion oder der Überschneidung zwischen den drei Mengen, für die sie stehen, darzustellen (wobei wieder vorübergehend Zahlzeichen hinzugefügt wurden, zur Bezugnahme auf die verschiedenen Gebiete).

Die drei Kreise wurden so gezeichnet, daß acht verschiedene Gebiete entstehen; dabei ist es sehr wichtig, daß sie immer in dieser Weise dargestellt werden. Es ist ein schnell gemachter, aber folgenschwerer Fehler, die Kreise so zu zeichnen, daß Gebiet 5 fehlt.

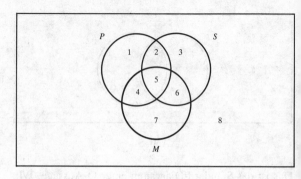

Abb. 6

Das aus drei Kreisen bestehende Basis-Diagramm (Abb. 6) sagt genausowenig wie sein aus zwei Kreisen bestehendes Gegenstück darüber etwas aus, ob irgendeine der in ihm dargestellten Mengen Elemente besitzt oder nicht. Es stellt die Grundform dar, in der wir Behauptungen über die Beziehungen zwischen den im Syllogismus erwähnten drei Mengen ausdrücken können. Und genau das machen wir, wenn wir einen Syllogismus auf seine Gültigkeit hin untersuchen. Der Syllogismus ist ein Argument mit zwei Prämissen. Wir beginnen damit, das, was durch diese Prämissen ausgesagt wird, diagrammatisch darzustellen. Danach überprüfen wir, ob der Gehalt der Konklusion dabei im Diagramm zum Ausdruck gebracht wurde. Die logische Grundlage für dieses allgemeine Verfahren besteht in dem zweiten charakteristischen Merkmal einer gültigen Deduktion (Abschnitt 4):

Der Informations- oder Tatsachengehalt der Konklusion

war schon vollständig, wenigstens implizit, in den Prämissen enthalten.

Zur Veranschaulichung wollen wir wieder Beispiel (n) aus Abschnitt 14 aufgreifen:

(a) Alle Spinnen sind Achtfüßer.   *S A M*
      Kein Insekt ist ein Achtfüßer.   *P E M*
   ∴ Keine Spinne ist ein Insekt.   ∴ *S E P*

Bei der Methode der Venn-Diagramme brauchen wir uns um die Distribution der Ausdrücke nicht zu kümmern, weil in den Diagrammen von selbst darauf geachtet wird. Wir beginnen damit, die erste Prämisse in einem Diagramm darzustellen (Abb. 7). Da diese Prämisse eine Beziehung zwischen den Mengen *S* und *M* feststellt, brauchen wir nur die zwei Kreise, die für diese Mengen stehen, zu berücksichtigen und können den Kreis für *P* außer acht lassen. Weil in dieser Prämisse behauptet wird, daß alle *S M* sind, schraffieren wir den

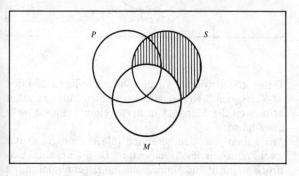

Abb. 7

Teil des S-Kreises, der außerhalb des M-Kreises liegt
(das sind die Gebiete 2 und 3 des Basis-Diagramms
[Abb. 6]).
Als nächstes stellen wir den Gehalt der zweiten Prämisse dar (Abb. 8). Da diese Prämisse besagt, daß kein
P ein M ist, schraffieren wir den Teil des P-Kreises und
des M-Kreises, in dem sich die beiden Kreise überschneiden (das sind die Gebiete 4 und 5 des Basis-
Diagramms [Abb. 6]).

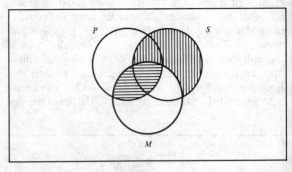

Abb. 8

Dabei konzentrieren wir uns auf den P-Kreis und den
M-Kreis, den S-Kreis lassen wir für den Moment außer
acht, weil die Menge S in der zweiten Prämisse nicht
erwähnt wird.
Wir haben jetzt den gesamten Informationsgehalt der
zwei Prämissen des Arguments im Diagramm zum Ausdruck gebracht und können nun das Ergebnis daraufhin
untersuchen, ob die Konklusion im Diagramm darge-

stellt worden ist. Die Konklusion besagt, daß kein *S* ein *P* ist – d. h., sie besagt, daß das Gebiet, in dem sich der *S*-Kreis und der *P*-Kreis überschneiden (das sind die Gebiete 2 und 5 des Basis-Diagramms), eine leere Menge repräsentiert. Und wie wir sehen, ist dieses Gebiet in Abb. 8 tatsächlich schraffiert. Indem wir die zwei Prämissen in einem Diagramm ausgedrückt haben, haben wir gleichzeitig die Konklusion diagrammatisch dargestellt; infolgedessen ist der Syllogismus gültig.

Niemand sollte sich dadurch irritieren lassen, daß noch andere Gebiete außer den Sektoren 2 und 5 schraffiert sind. In der Konklusion wird behauptet, daß das Gebiet, in dem sich die zwei Mengen *S* und *P* überschneiden, eine leere Menge repräsentiert, und dies kommt dadurch zum Ausdruck, daß die Sektoren 2 und 5 schraffiert sind. In der Konklusion wird absolut nichts über die Mengen ausgesagt, für die die anderen Gebiete, insbesondere die Gebiete 3 und 4, stehen, die beim Zeichnen des Diagramms für die Prämissen schraffiert wurden. Sie spielen keine Rolle. Man schaue sich das aus zwei Kreisen bestehende Standard-Diagramm einer E-Aussage noch einmal an (Abb. 3): der Sektor, in dem sich die Kreise überschneiden, ist schraffiert, die restlichen Gebiete sind aber nicht markiert. Weil in der E-Aussage nichts über sie ausgesagt wird, hat die Tatsache, daß sie in unserem aus drei Kreisen bestehenden Diagramm teilweise schraffiert sind, keinen Einfluß auf die Gültigkeit des Arguments.

Das vorhergehende Beispiel besaß zwei allgemeine Prämissen; wir wollen jetzt ein Beispiel mit einer partikularen Prämisse untersuchen (Beispiel (g) aus Abschnitt 14):

(b)   Alle Logiker sind Mathematiker.   *P A M*
  Einige Philosophen sind keine Mathematiker.   *S O M*
∴ Einige Philosophen sind keine Logiker.   ∴ *S O P*

Wir gehen wie immer von dem Basis-Diagramm
(Abb. 6) aus, in dem wir zuerst die Prämissen darstellen. Da die erste Prämisse besagt, daß alle *P M* sind,
schraffieren wir den Teil des *P*-Kreises, der außerhalb
des *M*-Kreises liegt, wobei wir den *S*-Kreis außer acht
lassen. Danach kommen wir zur diagrammatischen
Darstellung der zweiten Prämisse, in der ausgedrückt
ist, daß einige *S* nicht *M* sind. Hier müssen wir ein »*x*«
an einer Stelle eintragen, die innerhalb des *S*-Kreises,
aber außerhalb des *M*-Kreises liegt. Dieses Kreuz
gehört in das Gebiet 3 des Basis-Diagramms. Selbstverständlich dürfen wir das »*x*« nicht in ein schraffiertes
Gebiet einzeichnen; eine Schraffierung kennzeichnet
ein Gebiet, das für eine leere Menge steht, wohingegen
das Setzen eines Kreuzes in ein Gebiet bedeutet, daß
letzteres eine nichtleere Menge repräsentiert. Die
Behauptung, daß ein und dasselbe Gebiet sowohl für
eine leere als auch für eine nichtleere Menge steht, ist
eindeutig widersprüchlich. Folglich darf man das Kreuz
nicht in Gebiet 2 eintragen. Natürlich darf man das
Kreuz nicht in die Gebiete 5 oder 6 einzeichnen, da wir
ja ausdrücken wollen, daß einige *S* keine *M* sind, diese
Gebiete aber innerhalb des *M*-Kreises liegen.
Nachdem wir die Schraffierung für die erste Prämisse
ausgeführt und das »*x*« für die zweite Prämisse eingetragen haben, untersuchen wir das Diagramm daraufhin,
ob es die gewünschte Konklusion liefert. Wir richten
unsere Aufmerksamkeit auf den *S*-Kreis und auf den *P*-
Kreis und sehen, daß ein Kreuz in einem Sektor des *S*-

Kreises steht, der außerhalb des *P*-Kreises liegt. Das Diagramm bringt zum Ausdruck, daß einige *S* nicht *P* sind, und beweist damit, daß die Konklusion aus den Prämissen logisch folgt.

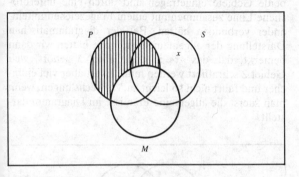

Abb. 9

Beim Aufschreiben eines Syllogismus kommt es im Hinblick auf seine Gültigkeit offensichtlich nicht darauf an, welche Prämisse zuerst hingeschrieben wird. Aus Gründen der Bequemlichkeit ist es allerdings manchmal nicht unwichtig, welche Prämisse als erste diagrammatisch dargestellt wird. Besitzt ein Syllogismus sowohl eine partikulare als auch eine allgemeine Prämisse, dann ist es immer ratsam, zuerst die allgemeine Prämisse im Diagramm auszudrücken. Man kehre zu Beispiel (b) zurück und überlege sich, was geschehen wäre, wenn wir versucht hätten, zuerst die partikulare Prämisse diagrammatisch darzustellen. Da keines der Gebiete schraffiert gewesen wäre, hätten wir nicht

gewußt, ob wir das Kreuz in Gebiet 2 oder in Gebiet 3
eintragen sollen.

Wir hätten dieses Problem durch die Benutzung eines
»gleitenden *x*« angehen können – indem wir ein »*x*« in
beide Gebiete eingetragen und durch eine unterbro-
chene Linie zusammen mit einem Fragezeichen miteinander verbunden hätten. Bei der diagrammatischen
Darstellung der allgemeinen Prämisse hätten wir dann
bemerkt, daß das »*x*« in das Gebiet 3 gehört, weil
Gebiet 2 schraffiert werden muß. Es ist aber viel einfacher und führt nicht so leicht zu Verwechslungen, wenn
man zuerst die allgemeine Prämisse im Diagramm darstellt.

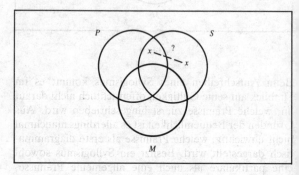

Abb. 10

Jemand stellt möglicherweise die Frage, was man tun
soll, wenn beide Prämissen partikular sind. Man kann
beide Prämissen diagrammatisch darstellen, indem man
die Methode des »gleitenden *x*« benutzt, man wird aber

immer herausbekommen, daß der Syllogismus ungültig ist. Ohne eine allgemeine Prämisse, wegen der einige Bereiche schraffiert werden müssen, weswegen man dann gezwungen ist, das »*x*« in ein ganz bestimmtes Gebiet einzutragen, kann es keine gültige Konklusion geben. Es ist eine Tatsache: *Kein Syllogismus mit zwei partikularen Prämissen kann gültig sein.*[9] Der einfachste Weg, mit solchen Syllogismen fertig zu werden, besteht darin, sich an diese Tatsache zu erinnern.Wenn jemand aber trotzdem diese Prämissen in einem Diagramm darstellt, wird er ebenfalls zum richtigen Ergebnis kommen.

Die zwei vorhergehenden Beispiele sind gültige Syllogismen gewesen; wir wollen jetzt einige ungültige untersuchen.

(c)   Alle Hippies rauchen Marihuana. $M\ A\ P$
        Kein Vorstandsvorsitzender ist ein Hippie. $S\ E\ M$
∴ Kein Vorstandsvorsitzender raucht   ∴ $S\ E\ P$
        Marihuana.

Ausgehend vom Basis-Diagramm, schraffieren wir den ganzen Teil des *M*-Kreises, der außerhalb des *P*-Kreises liegt; damit ist die erste Prämisse erledigt. Wegen der zweiten Prämisse schraffieren wir dann den gesamten Bereich, in dem sich der *S*-Kreis und der *M*-Kreis überschneiden. Es spielt dabei keine Rolle, daß Gebiet 6 zweimal schraffiert wurde, wegen jeder Prämisse einmal, denn dadurch wird nur noch einmal bekräftigt, daß dieser Teil für eine leere Menge steht. Wenn wir allerdings die Beziehung zwischen dem *S*-Kreis und dem *P*-Kreis untersuchen, sehen wir, daß der Bereich, in dem

9 Diese Regel kann man aus den Regeln I–III aus Abschnitt 14 ableiten.

sie sich überschneiden, nicht vollkommen schraffiert ist; deshalb ist die Konklusion »Kein *S* ist ein *P*« keine gültige Ableitung.

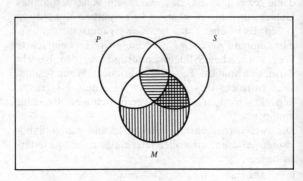

Abb. 11

Hier ist ein anderes Beispiel:

(d) Einige unproduktive Leute sind   *M I S*
     Intellektuelle.
     Alle Snobs sind unproduktiv.   *P A M*
   ∴ Einige Intellektuelle sind Snobs.   ∴ *S I P*

Obwohl die allgemeine Prämisse an der zweiten Stelle steht, stellen wir sie gemäß unserer früheren Bemerkung zuerst im Diagramm dar, indem wir den Teil des *P*-Kreises schraffieren, der außerhalb des *M*-Kreises liegt. Danach versuchen wir, ein Kreuz in den Bereich einzutragen, in dem sich der *S*-Kreis und der *M*-Kreis überschneiden. Dabei stellen wir aber fest, daß es zwei Gebiete gibt, in die es eingezeichnet werden könnte (nämlich die Gebiete 5 und 6 des Basis-Diagramms). In diesem Fall verwenden wir das »gleitende x« als Ausdruck unseres Zweifels. Bei dem Versuch, dem Diagramm die Konklusion zu entnehmen, stellen wir fest, daß unser »x« in den Bereich, der dem S-Kreis und dem P-Kreis gemeinsam ist, gehören könnte; es kann aber auch in dem Teil des S-Kreises liegen, der sich nicht mit dem P-Kreis überschneidet. Deshalb ist es möglicherweise wahr, daß einige S P sind, es muß aber nicht so sein; die Konklusion ist keine notwendige Folge der Prämissen, folglich kann das Argument wegen des ersten charakteristischen Merkmals gültiger deduktiver Argumente nicht gültig sein.

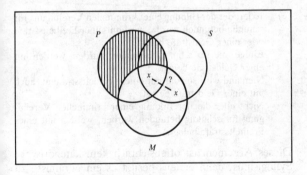

Abb. 12

Wir haben jetzt zwei verschiedene Methoden vorgeführt, mit denen man Syllogismen auf ihre Gültigkeit hin überprüfen kann. Welche ist die bessere? Die Antwort darauf ist eine Sache des individuellen

Geschmacks. Hat man die Methode der Venn-Diagramme einmal verstanden, dann besitzt diese eine
große intuitive Plausibilität, wohingegen die angegebenen Regeln eher willkürlich erscheinen. Persönlich
ziehe ich trotzdem die Regeln vor, weil es einfacher ist,
drei einfache Regeln im Kopf, als Bleistift und Papier
(um Diagramme zu zeichnen) in der Tasche zu
haben.

Bevor wir jedoch den Abschnitt über Diagramme
abschließen, sollten wir auf die zu Beginn erwähnte
Tatsache zu sprechen kommen, daß die Methode der
Venn-Diagramme auch auf nicht-syllogistische Argumente angewendet werden kann. Man betrachte das
folgende Beispiel:

(e)   Jeder, der der Bildung einer kriminellen Vereinigung für
       schuldig befunden wurde, wird mit einer Freiheitsstrafe
       oder einer Geldstrafe belegt.
       Einige, die für schuldig befunden wurden, werden mit
       einer Geldstrafe belegt.
       Niemand wird sowohl mit einer Freiheitsstrafe als auch
       mit einer Geldstrafe belegt.
   ∴ Nicht alle, die der Bildung einer kriminellen Vereini-
       gung für schuldig befunden wurden, werden mit einer
       Freiheitsstrafe belegt.

Dieses Argument ist offensichtlich kein kategorischer
Syllogismus, denn erstens besitzt es eine Prämisse zu
viel, und zweitens ist die erste Prämisse keine kategorische Aussage. Trotzdem ermöglicht die Methode der
Venn-Diagramme eine einfache Überprüfung seiner
Gültigkeit. Da drei Mengen vorkommen – die Menge
der wegen Bildung einer kriminellen Vereinigung Ver-
urteilten, die Menge derjenigen, die mit einer Freiheits-

strafe belegt wurden, und die Menge derjenigen, die mit einer Geldstrafe belegt wurden –, gehen wir von dem aus drei Kreisen bestehenden Basis-Diagramm aus. Um die erste Prämisse diagrammatisch darzustellen, schraffieren wir den Teil des *K*-Kreises, der sowohl

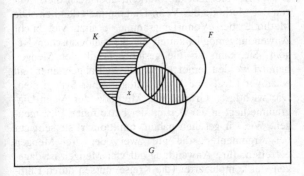

Abb. 13

außerhalb des *F*-Kreises als auch außerhalb des *G*-Kreises liegt. Alle drei Kreise sind hier betroffen, denn sie werden alle in der ersten Prämisse erwähnt. Einem früheren Hinweis folgend, überspringen wir die zweite (partikulare) Prämisse und machen mit der dritten (allgemeinen) Prämisse weiter. In Übereinstimmung mit der dritten Prämisse schraffieren wir das Gebiet, in dem sich der *F*-Kreis und der *G*-Kreis überschneiden. Danach tragen wir wegen der zweiten Prämisse ein »*x*« in das Gebiet ein, das sowohl zum *G*-Kreis als auch zum *K*-Kreis gehört und nicht schraffiert ist. Schließlich stellen wir beim Überprüfen des Diagramms fest, daß es

die Konklusion, daß einige, die der Bildung einer kriminellen Vereinigung für schuldig befunden wurden, nicht
mit einer Freiheitsstrafe belegt werden, bestätigt. Diese
Konklusion und die Aussage, die als Konklusion von
(e) angegeben wurde, sind äquivalent.

Dieses Beispiel läßt die Stärken, aber auch die Grenzen der Methode der Venn-Diagramme erkennen. Die
Methode der Venn-Diagramme besitzt viel mehr
Anwendungsmöglichkeiten als die syllogistischen Regeln. Sie kann für die gesamte Logik der Mengen
benutzt werden, einer Logik, die viel allgemeiner und
wichtiger ist als die Logik kategorischer Syllogismen.
Die wichtigste Grenze der Methode der Venn-Diagramme liegt in der Anzahl der betroffenen Basismen-
gen. Wie wir gesehen haben, funktioniert sie sehr gut
bei Argumenten, die nur zwei oder drei Mengen
betreffen. Ihre Anwendung auf vier Mengen ist dagegen viel komplizierter (die Kreise müssen durch Ellip-
sen ersetzt werden), und bei fünf oder mehr Mengen
ist sie tatsächlich nicht mehr praktizierbar. Dadurch
verliert sie aber nicht ihren Status eines außerordentlich nützlichen Bestandteils aus dem Werkzeugkasten
des Logikers.

16. Die Logik der Relationen

Bei der Untersuchung der kategorischen Syllogismen
und der einfachen Logik der Mengen hatten wir es mit
Aussagen über Dinge und deren Eigenschaften zu tun –
zum Beispiel »Alles, was die Eigenschaft *F* hat, hat
auch die Eigenschaft *G*« oder »Wenigstens ein Ding

besitzt sowohl die Eigenschaft *F* als auch die Eigenschaft *G*«. Es ist belanglos, daß wir häufig von den Mengen *F* und *G* anstatt von den Eigenschaften *F* und *G* sprachen, denn jede dieser Eigenschaften bestimmt eine Menge, nämlich die Menge der Dinge, die diese Eigenschaft besitzen – zum Beispiel legt die Eigenschaft *intelligent* die Menge der intelligenten Dinge fest. Auf dieser Stufe der Logik brauchen wir uns nicht ernsthaft mit der Frage zu beschäftigen, ob tatsächlich jede Eigenschaft eine Menge bestimmt.

Dinge haben nicht nur Eigenschaften; sie stehen auch in Relationen zueinander. In unserer Sprache gibt es viele Relationsausdrücke: »John *liebt* Jane«, »Dieser Wagen ist *teurer als* jener«, »Der Erste Weltkrieg *fand vor* dem Zweiten Weltkrieg *statt*« usw. Relationen sind nicht einfach Verbindungen von Eigenschaften. Jack kann kleiner als Jim sein, obwohl keiner von beiden klein ist – sie könnten beide Baskettballspieler sein, die über zwei Meter groß sind. Vielleicht sind sowohl John als auch Jane verheiratet, aber ob sie *miteinander* verheiratet sind, das ist die entscheidende Frage, wenn sie sich zusammen in einem Motel eintragen wollen. Da Relationen bei so vielen wichtigen Überlegungen eine Rolle spielen, ist es vernünftig, wenn wir kurz auf ihre Logik eingehen.

Obwohl die vorhergehenden Beispiele nur Relationen zwischen zwei Dingen – sogenannte zweistellige Relationen – enthalten, bestehen andere Relationen zwischen einer größeren Anzahl von Objekten. Zum Beispiel bezieht sich das Wort »zwischen« in »*Arizona* liegt zwischen *Kalifornien* und *New Mexico*« auf eine Relation zwischen drei Dingen – eine sogenannte dreistellige

Relation – genauso wie das Wort »schenkte« in »*Bill schenkte Thelma einen Verlobungsring*«. In der Aussage »*Bob verkaufte seinen Wagen an Hal für dreihundert Dollar*« kommt eine vierstellige Relation vor. Grundsätzlich können fünfstellige, sechsstellige usw. Relationen auftreten. Nachdem wir aber die Existenz solcher komplizierteren Relationen zugestanden haben, beschränken wir uns im folgenden auf zweistellige Relationen.

Die Beschreibung einiger wichtiger Eigenschaften zweistelliger Relationen ist zwar nicht besonders schwierig, nichtsdestoweniger wird die Einführung von ein paar Symbolen von Nutzen sein. Wenn wir ausdrücken wollen, daß eine Relation R zwischen den Dingen a und b besteht, schreiben wir einfach »aRb«. Wenn zum Beispiel »a« für Harry, »b« für Peter und »R« für die Relation *Vater von* steht, dann ist »aRb« gleichbedeutend mit »Harry ist der Vater von Peter«.

Die *Konverse* einer Relation R ist eine Relation $\breve{R}$, die immer dann zwischen den Dingen b und a (*in dieser Reihenfolge*) besteht, wenn a und b (*in dieser Reihenfolge*) in der Relation R zueinander stehen – d. h., »$b\breve{R}a$« ist immer dann wahr, wenn »aRb« wahr ist. So ist zum Beispiel *kleiner als* die konverse Relation zu *größer als*, *Elternteil von* ist die konverse Relation zu *Kind von*, und *wird geliebt von* ist die konverse Relation zu *liebt*. Aber *Vater von* ist nicht die konverse Relation zu *Sohn von*; wissen Sie warum?

Einige Relationen sind *symmetrisch* – d. h., wenn die Relation zwischen zwei Dingen a und b besteht, dann besteht sie auch zwischen b und a. Die Relation *Geschwister von* ist symmetrisch: Wenn Bill ein

Geschwister von Jean ist, dann muß Jean ein Geschwister von Bill sein. Andere bekannte Beispiele symmetrischer Relationen sind *zur gleichen Zeit* (»Jim legte seine Prüfung zur gleichen Zeit wie Dick ab«), *ist gleich* (»Die Anzahl der Männer in der Logikvorlesung ist gleich der Anzahl der Frauen«) und *verheiratet mit* (»John ist verheiratet mit Jane«). Eine symmetrische Relation ist mit ihrer konversen Relation identisch. Die Relation *Vater von* ist *asymmetrisch*: Wenn Harry der Vater von Peter ist, dann kann Peter nicht der Vater von Harry sein. Die Relation *Bruder von* hat keine dieser Eigenschaften: Wenn Scott der Bruder von Kim ist, dann ist Kim vielleicht der Bruder von Scott oder auch nicht (das hängt davon ab, ob Kim ein Junge oder ein Mädchen ist). Solche Relationen nennt man *nicht-symmetrisch*. *Liebt* ist leider eine *nicht-symmetrische* Relation.

Indem wir die Buchstaben »x«, »y«, »z« als Variablen verwenden, die für irgendwelche Dinge stehen können, und die wahrheitsfunktionalen Verknüpfungszeichen aus vorhergehenden Abschnitten übernehmen, können wir die folgenden Definitionen angeben:

(a) R ist eine *symmetrische* Relation, wenn $xRy \supset yRx$.
   R ist eine *asymmetrische* Relation, wenn
   $xRy \supset \neg (yRx)$.
   R ist eine *nicht-symmetrische* Relation, wenn sie weder symmetrisch noch asymmetrisch ist.

Eine Relation nennt man *reflexiv*, wenn die Dinge in dieser Relation immer zu sich selbst stehen; zum Beispiel ist jede Zahl mit sich selbst *identisch*, jedes Dreieck ist mit sich selbst *kongruent*, und jedermann ist *so intelligent wie* er selbst. Eine Relation, in der niemals ein Ding zu sich selbst steht, ist *irreflexiv*; zum Beispiel ist *größer als* eine irreflexive Relation, weil keine Zahl größer als sie selbst sein kann. Relationen, die weder reflexiv noch irreflexiv sind, werden als *nicht-reflexiv* bezeichnet. *Liebt* ist eine nicht-reflexive Relation, da einige Menschen sich selbst lieben, andere aber nicht. Auch diese Begriffe kann man formal definieren:

(b) R ist eine *reflexive* Relation, wenn xRx.
       R ist eine *irreflexive* Relation, wenn $\neg (xRx)$.
       R ist eine *nicht-reflexive* Relation, wenn sie weder reflexiv noch irreflexiv ist.

Es läßt sich leicht nachweisen, daß eine asymmetrische Relation nicht reflexiv sein kann. Denn angenommen, die Relation R ist asymmetrisch, d. h.

$$xRy \supset \neg (yRx)$$

Dann gilt, da das Vorhergehende auf jedes y zutrifft (und das schließt alles ein, wofür »x« stehen kann),

$$xRx \supset \neg (xRx)$$

Dies ist aber eine Reductio ad absurdum (Abschnitt 8), denn die Annahme, daß die Relation R reflexiv ist, führt zu der Konklusion, daß sie es nicht ist.

Eine andere wichtige Eigenschaft bestimmter Relationen ist die *Transitivität*. Man betrachte zum Beispiel die Relation *älter als*. Wenn Tante Agathe älter als Tante Mathilde ist, und wenn Tante Mathilde älter als Cousine Nellie ist, dann muß Tante Agathe älter als Cousine Nellie sein. Eine Relation ist transitiv, vorausgesetzt es gilt, wie für die Relation *älter als*, daß, wenn sie zwischen einem Ding und einem anderen und ebenfalls zwischen diesem anderen und einem dritten Ding besteht, dann immer auch das erste und das dritte Ding in dieser Relation zueinander stehen. (Ich habe absichtlich·diese Definition angegeben, ohne dabei die Variablen »x«, »y«, »z« zu verwenden, um deutlich zu machen, wie schwerfällig und gewunden die Formulierungen dann werden; im folgenden werden wir die verständlicheren Formeln benutzen, die Variablen und andere Symbole enthalten.)

Die Relation *Vater von* ist *intransitiv*: Wenn x der Vater von y und y der Vater von z ist, dann kann x nicht der Vater von z sein. Die Relation *Freund von* ist *nicht-transitiv*: Wenn x ein Freund von y und y ein Freund von z ist, dann kann x ein Freund von z sein, er braucht es aber nicht zu sein. Auch die Relation *Bruder von* ist nicht-transitiv: Wenn Jack ein Bruder von Jim und Jim ein Bruder von Joe ist, dann ist Jack ein Bruder von Joe; aber, obwohl Jack ein Bruder von Jim und Jim ein Bruder von Jack ist, folgt daraus nicht, daß Jack ein Bruder von sich selbst ist.

Wir können diese Begriffe formal definieren:

(c) R ist eine *transitive* Relation, wenn $(xRy \land yRz) \supset xRz$.
    R ist eine *intransitive* Relation, wenn $(xRy \land yRz) \supset \neg(xRz)$.
    R ist eine *nicht-transitive* Relation, wenn sie weder transitiv noch intransitiv ist.

Der Transitivitätsbegriff wird bei der Definition von zwei außerordentlich wichtigen Arten von Relationen verwendet. Ordnungsrelationen wie *größer als*, *früher als* und *intelligenter als* sind transitiv und asymmetrisch – wie wir oben bemerkten, müssen sie auch irreflexiv sein. Wenn überdies je zwei verschiedene Elemente x und y in der Relation xRy oder in der Relation yRx zueinander stehen, dann ist die transitive und asymme-

trische Relation R eine einfache Ordnung in der Menge
der Elemente, die sie zueinander in Beziehung setzt,
vergleichbar der Ordnung *größer als* in der Menge der
natürlichen Zahlen.

Relationen der zweiten Art – sogenannte *Äquivalenzre-*
lationen – sind transitiv und symmetrisch (und reflexiv,
wie wir hinzufügen müssen, um triviale Ausnahmen
auszuschließen). Die Relation der Kongruenz zwischen
Dreiecken, die wir aus der elementaren Geometrie her
kennen, ist eine Äquivalenzrelation. Jedes Dreieck *abc*
steht in der Kongruenzrelation zu sich selbst; wenn das
Dreieck *abc* in der Kongruenzrelation zu dem Dreieck
def steht, dann steht *def* in der Kongruenzrelation zu
abc; und wenn das Dreieck *abc* in der Kongruenzrelation zu dem Dreieck *def* und das Dreieck *def* in der
Kongruenzrelation zu dem Dreieck *ghi* steht, dann steht
abc in der Kongruenzrelation zu *ghi*. Eine Äquivalenzrelation zerlegt eine Menge in eine Menge von element-
fremden Äquivalenzklassen. Alle Dreiecke, die in der
Kongruenzrelation zueinander stehen, bilden eine
Äquivalenzklasse und sind in bezug auf die Kongruenzrelation äquivalent, während die Dreiecke, die nicht in
der Kongruenzrelation zueinander stehen, zu verschiedenen Äquivalenzklassen gehören. Alle Dreiecke, die
zu einer dieser (vermittels der Kongruenzrelation definierten) Äquivalenzklassen gehören, stimmen in Größe
und Gestalt überein.

Ein anderes bekanntes Beispiel einer Äquivalenzrelation – die diesmal Mengen zueinander in Beziehung
setzt – ist die Relation *die gleiche Anzahl von Elementen*
besitzen. In bezug auf diese Relation sind alle Mengen,
die zwei Elemente haben, äquivalent – ein Paar Schuhe,

ein Pferdegespann, ein Ehepaar, ein Zwillingspaar –, und diese sind alle nicht äquivalent mit Mengen von drei, vier oder mehr Elementen. Man sollte sich nicht dadurch verwirren lassen, daß diese Äquivalenzklassen Mengen von Mengen sind. Gegen solche Mengen ist nichts einzuwenden, und es ist manchmal sehr nützlich, auf sie zu sprechen zu kommen.

Wenn wir den Ausdruck »Geschwister« so definieren, daß jemand ein Geschwister von sich selbst ist, dann wird die Relation *Geschwister von* zu einer Äquivalenzrelation – nämlich zur Relation *dieselben Eltern haben*. Eine bestimmte Äquivalenzklasse, bezogen auf diese Relation, ist dann einfach eine Anzahl von Kindern, die gemeinsame Eltern haben.

Ordnungsrelationen und Äquivalenzrelationen können nutzbringend zu einem Ausgangspunkt für quantitative Meßverfahren miteinander verbunden werden. Zur Messung des Gewichts, zum Beispiel, könnten wir eine Balkenwaage als Grundmeßgerät wählen. Die Äquivalenzrelation *dasselbe Gewicht besitzen* besteht dann zwischen Dingen, die sich genau die Waage halten; diese Relation bestimmt Äquivalenzklassen von Dingen, die gleich schwer sind. Als nächstes führen wir eine Ordnungsrelation *schwerer als* ein, die zwischen zwei Dingen besteht, wenn das eine sinkt und das andere steigt, nachdem man sie auf die gegenüberliegenden Waagschalen gelegt hat. Obwohl diese Ordnungsrelation keine Totalordnung aller Dinge ist, mit denen wir es zu tun haben – sie besteht nicht zwischen Dingen, die gleich schwer sind –, ist sie doch eine einfache Ordnung der vermittels der ersten Relation bestimmten Äquivalenzklassen. Sind diese beiden Relationen einmal einge-

führt worden, müssen wir nur noch ein bestimmtes Ding
als maßgebende Gewichtseinheit wählen, damit sich
eine vollständige numerische Meßskala ergibt.

Man macht sich leicht falsche Vorstellungen über die
Transitivität von Relationen. Angenommen, jemand
sieht einen Farbklecks und stellt einen anderen, hinsichtlich der Farbe von diesem ununterscheidbaren
Klecks her. Man nehme weiterhin an, daß dieser
jemand einen dritten Klecks herstellt, der der Farbe
nach von dem zweiten nicht zu unterscheiden ist. Man
könnte versucht sein anzunehmen, daß der dritte Farbklecks in bezug auf seine Farbe von dem ersten ununter-
scheidbar ist. Leider zeigt die Erfahrung, daß die Relation der Übereinstimmung in der wahrgenommenen
Farbe keine transitive Relation ist – Farbprobe Nr. 1
kann mit Farbprobe Nr. 2 übereinstimmen, und Farbprobe Nr. 2 kann mit Farbprobe Nr. 3 übereinstimmen,
und trotzdem braucht Farbprobe Nr. 1 nicht mit Farbprobe Nr. 3 übereinzustimmen. Wenn man drei Farb-
kleckse herstellt, muß man sich vergewissern, daß die
drei Farbproben paarweise übereinstimmen – d. h.,
man darf die Transitivität der Übereinstimmung in der
wahrgenommenen Farbe nicht voraussetzen, wenn man
erkennbare Farbabweichungen ausschließen will. Es
gibt viele solcher Beispiele von auf die Wahrnehmung
bezogene Ununterscheidbarkeitsrelationen, die sich als
nicht-transitiv herausstellen und deshalb keine wirklichen Äquivalenzrelationen sind. In der Tat, in unserem
Beispiel der Gewichtsübereinstimmung mußten wir von
einer *idealen* Balkenwaage ausgehen, die vollkommen
zwischen Dingen ungleichen Gewichts unterscheidet.
Mit jeder *realen* Balkenwaage ständen wir dem gleichen

Problem gegenüber, dem wir bei der Farbübereinstimmung begegneten.

Ein anderer wichtiger Bereich, in dem die Transitivität manchmal aufgehoben ist, ist die Sphäre der individuellen Entscheidung und Präferenz. Man kann leicht auf die Idee kommen, die Präferenzrelation für eine transitive Ordnungsbeziehung zu halten – d. h. anzunehmen, daß jemand, der x dem y und y dem z vorzieht, mit Sicherheit x den Vorzug vor z gibt. Diese Annahme ist aber nicht immer richtig. Vor die Wahl gestellt, ein bestimmtes Buch zu bekommen oder eine Oper zu besuchen, könnte sich John für den Opernbesuch entscheiden. Darf er überdies zwischen einem Opernbesuch und einem Abendessen in einem ausgezeichneten Restaurant wählen, dann entscheidet er sich vielleicht für das köstliche Mahl. Es ist aber möglich, daß dieselbe Person, wenn sie vor der Wahl steht, entweder ein Buch zu bekommen oder das Abendessen zu genießen, sich für das Buch entscheidet. Damit soll aber nicht gesagt sein, daß es vernünftig ist, sich von nicht-transitiven Präferenzordnungen leiten zu lassen, sondern nur, daß es vorkommen kann.

Man beachte, daß John möglicherweise unangenehme Folgen zu gewärtigen hat, wenn er auf einen skrupellosen Geschäftemacher trifft, der die Nicht-Transitivität seiner Präferenzen kennt. Angenommen, John besitzt ein Buch und ich eine Karte für die Oper, die John lieber haben würde; tatsächlich sei er bereit, mir das Buch und zusätzlich einen Dollar für die Karte zu geben. (Wenn er die Karte wirklich dem Buch vorzieht, dann wird er etwas bezahlen, um das eine für das andere einzutauschen.) Man nehme weiterhin an, daß

ich einen Essensgutschein habe, für den der Besitzer ein
ausgezeichnetes Abendessen bekommt, und daß John
den Essensgutschein der Opernkarte vorziehen würde.
Er sei wirklich bereit, mir die Opernkarte und zusätzlich einen Dollar für den Essensgutschein zu geben.
Und dann lasse ich ihn zwischen dem Buch (das ich ihm
vorher abgehandelt habe) und dem Essensgutschein
wählen, und entsprechend der Nicht-Transitivität seiner
Präferenzen gibt er mir für das Buch den Essensgutschein und zusätzlich einen Dollar. Das Ergebnis ist,
daß John sein Buch wieder hat und ich wie zu Beginn
die Karte für die Oper und den Essensgutschein besitze,
aber um drei Dollar reicher bin als zuvor. Es ist nicht
sehr wahrscheinlich, daß sich irgend jemand auf eine so
durchsichtige Weise hereinlegen lassen würde, andererseits haben manche Leute nicht-transitive Präferenzordnungen, und unser ausgedachter Tauschhandel zeigt,
daß sie mit der Vernunft nicht zu vereinbaren sind.

17. Die Quantoren: Der Fehlschluß bezüglich der Ausdrücke »jeder« und »alle«

Als wir in Abschnitt 13 A-Aussagen untersuchten, sagten wir, daß die Aussage »Alle Wale sind Säugetiere«
gleichbedeutend ist mit der Aussage »Wenn etwas ein
Wal ist, dann ist es ein Säugetier«. Wenn wir gewollt
hätten, hätten wir als nächstes die letzte Aussage
analysieren können als »Für jedes Ding x gilt, wenn x
ein Wal ist, dann ist x ein Säugetier«, wobei der Buchstabe »x« bei der Formulierung unserer allgemeinen
materialen Konditionalaussage als eine Variable be-

nutzt wird. Die Verwendung der logischen Standard-
sprache hätte es uns dann erlaubt, die Wendung »für
jedes Ding *x* gilt« mit dem sogenannten *Allquantor*
»(*x*)« abzukürzen. Indem wir »*x* ist ein Wal« mit »*Wx*«
und »*x* ist ein Säugetier« mit »*Sx*« abkürzen und außerdem das Hufeisen-Symbol als Zeichen für die materiale
Implikation verwenden, können wir die A-Aussage folgendermaßen symbolisieren:

(a) $(x) [Wx \supset Sx]$

Und die E-Aussage »Keine Spinne ist ein Insekt« können wir dann wie folgt in die symbolische Sprache
übersetzen:

(b) $(x) [Sx \supset \neg Ix]$

Wir haben aber bei der Untersuchung der kategorischen Syllogismen nicht das gesamte Symbolsystem eingeführt, denn an dieser Stelle hätten wir dadurch nicht
viel gewonnen. Die deutsche Umgangssprache und
einige wenige Abkürzungen taten es auch.

Im letzten Abschnitt stellten wir fest, daß die Einführung der Variablen »*x*«, »*y*«, »*z*« im Grunde genommen
unerläßlich war, insbesondere deshalb, damit man die
verschiedenen Entitäten, die in Relationen zueinander
stehen, nicht aus den Augen verliert. Infolgedessen
benutzten wir unsere wahrheitsfunktionalen Verknüpfungszeichen und einige Variablen, um solche Begriffe
wie Reflexivität, Symmetrie und Transitivität zu definieren. Hätten wir außerdem noch Allquantoren verwendet, dann hätten wir die Transitivität in der folgenden Weise definieren können:

(c)   Relation *R* ist transitiv = $_{df}$
      $(x) (y) (z) [xRy \land yRz \supset xRz]$.

Es ist nützlich, einen anderen Quantor, den *Existenz-quantor*, einzuführen, der direkt zur Symbolisierung von I-Aussagen benutzt werden kann. Unter Verwendung von unmittelbar verständlichen Abkürzungen kann man die Aussage »Einige Diamanten sind teuer« schreiben als

(d) $(\exists x)\, [Dx \wedge Tx]$

wobei der Existenzquantor »$(\exists x)$« übersetzt werden kann als »Es gibt wenigstens ein Ding x, so daß« oder als »Für ein Ding x gilt«. Die O-Aussage »Einige Tiere sind keine Raubtiere« kann man auf ähnliche Weise symbolisieren:

(e) $(\exists x)\, [Tx \wedge \neg Rx]$

Wir verfügen jetzt über einfache symbolische Darstellungen für jede Art kategorischer Aussagen.

Wir stellten in Abschnitt 13 fest, daß A-Aussagen und O-Aussagen in Widerspruch zueinander stehen. Folglich sind eine O-Aussage und die Negation der entsprechenden A-Aussage äquivalent; d. h., »Einige Tiere sind keine Raubtiere« ist äquivalent mit »Nicht alle Tiere sind Raubtiere«. Deshalb müssen

(f) $\neg\,(x)\, [Tx \supset Rx]$

und (e) äquivalent sein. Man kann eine Wahrheitstafel aufstellen, um die Äquivalenz von »$Tx \wedge \neg Rx$« und »$\neg\,(Tx \supset Rx)$« nachzuweisen; gleichzeitig zeigt man damit, daß sowohl (e) als auch (f) äquivalent sind mit

(g) $(\exists x)\,\neg\, [Tx \supset Rx]$

Man sieht also, daß das Symbol »$\neg\,(x)$« dieselbe Bedeutung hat wie »$(\exists x)\neg$«; ein ähnliches Argument, das von der Äquivalenz einer A-Aussage und der Negation der entsprechenden O-Aussage ausgeht, beweist, daß »$\neg\,(\exists x)$« und »$(x)\neg$« gleichbedeutend sind.

Der Formalismus der Quantoren ist aber für die Analyse der kategorischen Syllogismen und der einfachen
Logik der Mengen nicht zweckmäßig, weil hier bei der
Formulierung eines beliebigen Arguments nur eine
Variable benötigt wird. Erst wenn wir zur Logik der
Relationen übergehen, wird die Verwendung der Quantoren wirklich sinnvoll, denn in diesem Zusammenhang
müssen wir mehrere Variablen im Auge behalten. Das
kann man mit einigen sehr einfachen Relationsaussagen
veranschaulichen.

(h) (x) (y) xLy Jeder liebt jeden.
(i) $(\exists x)$ $(\exists y)$ xLy Jemand liebt jemanden.

Diese beiden Aussagen sind ziemlich eindeutig, es wird
aber etwas komplizierter, wenn in einer Aussage
sowohl Allquantoren als auch Existenzquantoren vorkommen. Man betrachte die folgenden Aussagen:

(j) $(\exists x)$ (y) xLy Jemand liebt jeden.
(k) (y) $(\exists x)$ xLy Jeder wird von irgendwem geliebt.

Sie unterscheiden sich voneinander in der Reihenfolge
der zwei Quantoren und haben grundverschiedene
Bedeutungen. Nach (j) gibt es ein bestimmtes Individuum, das (wie möglicherweise Albert Schweitzer) alle
Menschen (einschließlich sich selbst, nebenbei gesagt)
liebt. Im Gegensatz dazu besagt die Aussage (k), daß es
für jeden Menschen den einen oder anderen gibt, der
ihn liebt (seine Mutter vielleicht), aber verschiedene
Menschen können von verschiedenen Individuen geliebt werden. In keinem Fall folgt aus (k), daß irgendein
einzelner Mensch alle Menschen liebt.
Ähnliche Bemerkungen treffen auf die folgenden Aussagen zu:

(l) $(\exists y) (x) xLy$ Jemand wird von jedem geliebt.
(m) $(x) (\exists y) xLy$ Jeder liebt irgendwen.

Die Aussage (l) behauptet, daß es einen Menschen gibt, der von allen Menschen geliebt wird, wohingegen (m) nur besagt, daß jeder Mensch den einen oder anderen liebt, ohne daß dadurch impliziert wird, daß irgendeinem ganz bestimmten Individuum die Zuneigung aller zuteil wird.

Jede der Aussagen (h) bis (m) unterscheidet sich in der Bedeutung von jeder anderen Aussage aus dieser Gruppe. Die Aussagen (j) bis (m) veranschaulichen einen sehr wichtigen Punkt: *In Aussagen, die eine Mischung aus Existenz- und Allquantoren enthalten, ist die Reihenfolge der Quantoren für die Bedeutung der Aussagen wesentlich.* Beachtet man dieses Prinzip nicht, kann es zu einem ziemlich verbreiteten Fehlschluß kommen, den man am besten als den Fehlschluß bezüglich der Ausdrücke »*jeder*« [*every*] und »*alle*« [*all*] bezeichnet.

Die symbolisierte Aussage (l) könnte man mit »Jemand wird von *allen* Menschen geliebt« in ein einigermaßen gutes Deutsch übersetzen, während man (m) mit »*Jeder* Mensch liebt irgendwen« wiedergeben könnte. Offensichtlich folgt (l) nicht logisch aus (m), denn (m) besagt nicht, daß ein und dasselbe Individuum von jedermann geliebt wird, während es das gerade ist, was in (l) behauptet wird. Für gewöhnlich ist es ein Fehlschluß, aus »jeder« auf »alle« zu schließen. Wenn wir über konkrete Dinge reden, dann ist es wenig wahrscheinlich, daß es zu diesem Fehlschluß kommt. Wir neigen nicht dazu, aus der Tatsache, daß jedes Mitglied des Sportklubs einen Sportwagen fährt, zu schließen, daß sie alle denselben fahren. Wir wollen das fehlerhafte Argument explizit darstellen.

(n) Jedes Mitglied des Sportklubs fährt einen Sportwagen.

∴ Es gibt einen Sportwagen, den alle Mitglieder des Sportklubs fahren.

Die Prämisse behauptet, daß eine bestimmte Relation, nämlich die Relation *fahren*, zwischen den Elementen zweier Mengen besteht: der Menge der Leute, die zum Sportklub gehören, und der Menge der Sportwagen. Sie besagt, daß jedes Element der ersten Menge in dieser Relation zu irgendeinem Element aus der zweiten Menge steht. Die Konklusion sagt aus, daß dieselbe Relation zwischen Elementen derselben beiden Mengen besteht. Sie besagt, daß alle Elemente der ersten Menge in dieser Relation zu *einem* ganz bestimmten Element der zweiten Menge stehen. Die Argumentform kann man wie folgt wiedergeben:

(o) Für jedes F gibt es ein G, zu dem es in der Relation R steht.

∴ Es gibt ein G, zu dem alle F in der Relation R stehen.[10]

Diese Argumentform wird in Abb. 14 diagrammatisch dargestellt.

Die x sind die einzelnen Elemente der Menge F, und die y sind die einzelnen Elemente der Menge G. Eine Linie, die ein x und ein y miteinander verbindet, stellt die Relation R dar, die zwischen dem Element von F und dem Element von G besteht. Man beachte, daß in der Prämisse weder behauptet wird, daß jedes Element von G in Beziehung zu einem Element von F steht, noch

10 In den Beispielen, die von der Liebe-Relation handeln, würden sowohl F als auch G für die Menge der Menschen stehen.

die Möglichkeit ausgeschlossen wird, daß ein bestimmtes Element von *G* zu mehr als einem Element von *F* in Beziehung steht. Es ist klar, daß die Argumentform (o) ungültig ist; das Diagramm der Prämisse kann die Wirklichkeit richtig darstellen, ohne daß das zugleich auch auf das Diagramm der Konklusion zutreffen müßte.

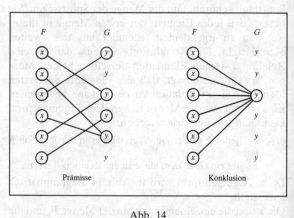

Abb. 14

Man betrachte den dritten Beweis für das Dasein Gottes, den Thomas von Aquin gegeben hat.

(p)   Der dritte Weg zur Erkenntnis Gottes geht vom Möglichen und vom Notwendigen aus und sieht so aus: Wir finden unter den Dingen solche, deren Existenz wie deren Nichtexistenz gleichermaßen möglich ist, da sie irgendwann entstehen und wieder vergehen. Für alle diese Dinge ist es unmöglich, immer zu existieren: *Etwas, dessen Nichtexistenz möglich ist, existiert auch zu irgendeiner Zeit nicht. Wenn es aber auf schlechthin alles zutreffen sollte, daß seine Nichtexistenz möglich ist, dann muß es eine Zeit gegeben haben, zu der tatsächlich nichts existierte.* Wenn das aber der Fall wäre, dann würde auch heute nichts existieren; denn etwas, das nicht existiert, beginnt nur zu existieren durch etwas anderes, das existiert. Wenn also irgendwann nichts existierte, dann konnte auch nichts zu existieren beginnen, und es würde zu keiner Zeit etwas existieren. Das aber ist offenkundig falsch. Deshalb sind nicht alle Dinge in ihrer Existenz bloß möglich; es muß irgend etwas geben, dessen Existenz notwendig ist.[11]

Das ist ein ausgezeichnetes Beispiel einer Reductio ad absurdum. Wir sind aber nicht an dem ganzen Argument interessiert, sondern nur an dem kursiv gedruckten Teil der Hilfsdeduktion. Dieser kann folgendermaßen wiedergegeben werden:

(q) Für jedes Ding gibt es einen Zeitpunkt, zu dem es nicht existiert.

∴ Es gibt einen Zeitpunkt, zu dem jedes Ding nicht existiert.

Offensichtlich besitzt (q) die Form (o). Bei den zwei Mengen handelt es sich um die Menge der Dinge und die Menge der Zeitpunkte. Die Relation ist die Relation *nicht existieren*, die zwischen einem Ding und einem Zeitpunkt besteht.

---

11 Thomas von Aquin, *Summa Theologica*, Erstes Buch [Frage 2, Artikel 3; dt. in: Norbert Hoerster (Hrsg.), *Glaube und Vernunft. Texte zur Religionsphilosophie*, München: Deutscher Taschenbuch Verlag, 1979 (dtv 4338), S. 26 (Übers. von Norbert Hoerster). Die kursiven Hervorhebungen stammen von W. C. Salmon.].

Manchmal kommt es in philosophischen Argumenten, mit denen man die Existenz einer zugrunde liegenden Substanz beweisen will, zu dem gleichen Fehlschluß. Die Substanz wird manchmal als etwas aufgefaßt, das bei allen Veränderungen identisch bleibt. Für die Existenz einer in dieser Weise vorgestellten Substanz argumentiert man wie folgt:

(r)   Veränderung ist ein relativer Begriff. Es muß notwendigerweise bei jeder Veränderung etwas geben, das sich nicht verändert; sonst dürften wir nicht davon sprechen, daß sich ein Ding verändert, weil wir es einfach mit zwei vollkommen verschiedenen Dingen zu tun hätten. Wenn zum Beispiel aus einem Kind ein Erwachsener wird, dann verändert es sich zwar in vielerlei Hinsicht, trotzdem muß es etwas geben, das konstant ist und sich nicht verändert, denn sonst gäbe es keinen Grund, in dem Kind und dem Erwachsenen *ein und dieselbe* Person zu sehen. Die Welt ist zu allen Zeiten voller Veränderung. *Weil jede Veränderung etwas Konstantes und Gleichbleibendes voraussetzt, muß es etwas geben, das sich bei allem Wandel nicht verändert.* Und das ist die Substanz.

Am Anfang dieser Passage wird die Begründung für die Prämisse des kursiv gedruckten Arguments gegeben. Das Argument kann man folgendermaßen wiedergeben:

(s)   Für jede Veränderung gibt es etwas, das bei dieser Veränderung konstant bleibt.

∴ Es gibt etwas (die Substanz), das (die) bei aller Veränderung konstant bleibt.

Auch dieses Argument hat die Form (o). In diesem Fall haben wir es mit der Menge der Veränderungen, der Menge der Dinge und der Relation *konstant bleiben bei* zu tun.

18. Deduktive Logik

Die moderne deduktive Logik wird oftmals als »symbolische Logik« oder »mathematische Logik« bezeichnet, weil sie Symbole verwendet, die denen in der Mathematik sehr ähnlich sind. Bei unserer Untersuchung grundlegender Argumenttypen hat sich die Einführung einiger spezieller Zeichen als nützlich erwiesen. Das von uns verwendete Zeichensystem ist ziemlich verbreitet, obgleich auch andere in Gebrauch sind. Einige Autoren benutzen »&« und nicht »∧« als Symbol für die Konjunktion; manchmal wird ein Pfeil (»→«) anstatt eines Hufeisens (»⊃«) als Zeichen für die materiale Implikation und ein Doppelpfeil (»↔«) anstatt eines dreifachen Querstrichs (»≡«) für die materiale Äquivalenz verwendet. Solche Unterschiede sind unbedeutend und stellen kein Problem dar.[12]

---

12 Eine sehr viel grundlegendere Abweichung findet man in der sogenannten polnischen Schreibweise. In diesem System schreibt man »*Np*« für »¬*p*«, »*Kpq*« für »*p* ∧ *q*«, »*Apq*« für »*p* ∨ *q*«, »*Cpq*« für »*p* ⊃ *q*« und »*Epq*« für »*p* ≡ *q*«. Die Formel »[*p* ∧ (*p* ⊃ *q*)] ⊃ *q*« zum Beispiel würde man schreiben »*CKpCpqq*«; wir beginnen mit dem innersten Konditional und notieren »*Cpq*«, dies verknüpfen wir mit »*p*«: »*KpCpq*«, und schließlich machen wir diese Formel zum Antecedens des Hauptkonditionals, indem wir die Endformel »*CKpCpqq*« aufschreiben. Diese Schreibweise hat den Vorteil, daß man sie auf jeder normalen Schreibmaschine ohne irgendwelche Sonderzeichen tippen kann. Außerdem braucht man keinerlei runde oder eckige Klammern, um die Zusammengehörigkeit von Teilen der Formeln zum Ausdruck zu bringen. Die Schreibweise jedoch, die wir übernommen haben, ist die am weitesten verbreitete und zeigt (mir) die logische Struktur der Formeln am deutlichsten (obwohl dies nichts anderes als eine Folge meiner früheren Ausbildung in der nicht-polnischen Schreibweise sein mag).

Jeder, der auch nur elementare Kenntnisse in Algebra
besitzt, weiß den Wert dieses besonderen Zeichensy-
stems zu würdigen. Setzt man die Verwendung von
Buchstaben als Variablen und einige wenige Opera-
tionssymbole voraus, lassen sich relativ komplizierte
»Problemgeschichten« in einfach zu handhabende Glei-
chungen übersetzen, die man durch Anwendung
bestimmter, genau angegebener Operationsregeln lösen
kann. Probleme der deduktiven Logik kann man auf
ähnliche Weise angehen – und genauso wie in der
elementaren Algebra stellen wir auch hier fest, daß der
schwierigste Teil in der Übersetzung des Problems aus
der deutschen Alltagssprache in die Sprache der symbo-
lischen Logik besteht. Aus diesem Grund haben wir uns
bei der Darstellung der verschiedenen Möglichkeiten,
eine bestimmte Aussagenart (z. B. die Konditionalaussage) in der Umgangssprache zu formulieren, große
Mühe gegeben.

Ein Vorteil von besonderen Symbolen besteht in der
Kürze des Ausdrucks; »$\exists(x)$« ist viel kürzer als »Es gibt
wenigstens ein Ding x, so daß . . .«. Ein weiterer Vorteil
liegt in der Genauigkeit. Es ist zum Beispiel außerordentlich wichtig, daß man zwischen dem ausschließenden und dem nicht-ausschließenden Sinn des Wortes
»oder« unterscheidet. Wichtig ist auch, daß man sowohl
die logische Verwandtschaft als auch die psychologische
Verschiedenheit der Wörter »und« und »aber« beachtet. Ebenso müssen wir die wahrheitsfunktionale
Bedeutung von »und« von seiner temporalen Bedeutung »und dann« unterscheiden. Die Wörter der deutschen Umgangssprache sind mehrdeutig; für die
Zwecke der Logik benötigen wir aber eine unzweideu-

tige Sprache. Ein noch wichtigerer Vorteil der symboli-
schen Sprache besteht in ihrer Deutlichkeit. Wir entwik-
keln nämlich nicht bloß eine Kurzschrift, auch bemühen
wir uns nicht nur, die Alltagssprache präziser zu machen.
Wir versuchen vielmehr darüber hinaus die logische
Struktur von Aussagen und Argumenten aufzudecken.
Es ist zum Beispiel wichtig, daß man weiß, daß A-
Aussagen als allgemeine materiale Konditionale dargestellt werden können, selbst wenn eine solche Darstellung
weder kürzer noch präziser ist als alternative Formulierungen. Als wir die wahrheitsfunktionale, materiale
Implikation definierten, haben wir uns ganz bewußt von
dem »wenn ..., dann ...« der Umgangssprache entfernt,
um zu einer Operation zu kommen, die den logischen
Kern einer Konditionalaussage zum Ausdruck bringt.
Der bei weitem größte Nutzen des Symbolsystems liegt
in der Tatsache begründet, daß es mit einer relativ
kleinen Anzahl von exakt definierten Symbolen aus-
kommt, auf die man einige wenige einfache und präzis
definierte Regeln anwenden kann. Die Regel der Bejahung des Antecedens ist dafür ein sehr gutes Beispiel;
danach darf man eine Aussage einer bestimmten Form
(nämlich das Konsequens eines Konditionals) behaupten, wenn einem schon andere Aussagen anderer Formen (nämlich sowohl das Konditional selbst als auch
dessen Antecedens) als Prämissen zur Verfügung stehen. Es gibt noch andere Regeln, wie die Substitution
oder die Generalisierung, die wir aber nicht im einzelnen erörtern werden. Wenn sich jemand über ein voll
entwickeltes logisches System informieren will, dann
sollte er die Literaturhinweise am Ende des Buches zu
Rate ziehen.

Das Symbolsystem, das wir eingeführt haben, kommt
einem vollständigen logischen Basissystem erstaunlich
nahe. Wir möchten vielleicht außer Individuenvariablen
noch Eigennamen haben. Wahrscheinlich hätten wir
auch gern die logische Identität, um ausdrücken zu
können, daß zwei Individuen voneinander verschieden
sind, indem wir ihre Identität verneinen. Und außerdem brauchen wir Relationsausdrücke für dreistellige,
vierstellige usw. Relationen. Aber eine solche Erweiterung ist gering im Vergleich zu dem, über was wir
bereits verfügen. Mit logischen Systemen dieser elementaren Art – der sogenannten *Prädikatenlogik erster
Stufe [first-order logic]* – kann man Argumente von
erstaunlicher Komplexität analysieren und bewerten,
die weit über die Beispiele hinausgehen, die wir in den
vorhergehenden Abschnitten untersucht haben.

Drittes Kapitel

Induktion

Induktive Argumente besitzen im Gegensatz zu deduktiven Argumenten Konklusionen, deren Gehalt über den Gehalt ihrer Prämissen weit hinausgeht. Genau diese Eigenschaft macht induktive Argumente zur Stützung umfassender Gebiete unseres Wissens unentbehrlich. Gleichzeitig läßt diese Eigenschaft außerordentlich schwierige philosophische Probleme hinsichtlich der Analyse des Begriffs der induktiven Stützung entstehen. Trotz dieser Schwierigkeiten können wir einige wichtige Formen induktiver Argumente und einige verbreitete induktive Fehlschlüsse anführen und näher untersuchen.

19. Induktive Korrektheit

Der eigentliche Zweck von Argumenten, seien sie nun induktiv oder deduktiv, besteht darin, wahre Konklusionen unter Zugrundelegung von wahren Prämissen aufzustellen. Wir wollen, daß unsere Argumente wahre Konklusionen haben, wenn sie wahre Prämissen besitzen. Wie wir gesehen haben, besitzen gültige deduktive Argumente notwendigerweise diese Eigenschaft. Induktive Argumente haben daneben noch eine andere Funktion. Sie werden aufgestellt, um Konklusionen zu begründen, deren Gehalt den Gehalt der Prämissen übersteigt. Deshalb können induktive Argumente den

Notwendigkeitscharakter deduktiver Argumente nicht
besitzen. Im Gegensatz zu einem deduktiven Argument
kann ein logisch korrektes induktives Argument wahre
Prämissen und eine falsche Konklusion haben. Trotzdem, wenn wir auch nicht garantieren können, daß die
Konklusion eines korrekten induktiven Arguments
wahr ist, wenn die Prämissen wahr sind, stützen doch
die Prämissen eines solchen Arguments die Konklusion
oder verleihen ihr ein gewisses Gewicht. Mit anderen
Worten: Wie wir in Abschnitt 4 gesagt haben, muß die
Konklusion eines gültigen deduktiven Arguments wahr
sein, wenn die Prämissen wahr sind; wenn hingegen die
Prämissen eines korrekten induktiven Arguments wahr
sind, dann ist alles, was wir sagen können, daß die
Konklusion wahrscheinlich wahr ist.

Wie wir ebenfalls in Abschnitt 4 zeigten, sind deduktive
Argumente entweder gültig oder ungültig; es gibt keine
Grade einer teilweisen Gültigkeit. Wir werden den
Ausdruck »gültig« nur auf deduktive Argumente
anwenden; und zur Beurteilung induktiver Argumente
werden wir auch weiterhin den Ausdruck »korrekt«
verwenden. Es gibt bestimmte Fehler, die induktive
Argumente entweder vollständig oder aber praktisch
wertlos machen. Wir werden diese Fehler als »induktive
Fehlschlüsse« bezeichnen. In einem fehlerhaften induktiven Argument stützen die Prämissen die Konklusion
nicht. Auf der anderen Seite gibt es bei korrekten
induktiven Argumenten Grade der Bestätigung oder
der Stützung. Die Prämissen eines korrekten induktiven
Arguments können die Konklusion sehr wahrscheinlich, ziemlich wahrscheinlich oder einigermaßen wahrscheinlich machen. Folglich bilden die Prämissen eines

korrekten induktiven Arguments, wenn sie wahr sind, mehr oder weniger gewichtige Gründe dafür, die Konklusion für wahr zu halten.

Es gibt noch einen anderen Unterschied zwischen induktiven und deduktiven Argumenten, der mit den Unterschieden eng zusammenhängt, die wir schon erwähnt haben. Einem gültigen deduktiven Argument können wir so viele Prämissen hinzufügen, wie wir wollen, ohne daß dadurch dessen Gültigkeit beeinträchtigt wird. Das ist eine einleuchtende Tatsache. Das Ausgangsargument besitzt die Eigenschaft, daß, wenn seine Prämissen wahr sind, seine Konklusion wahr sein muß; dies bleibt so, unabhängig davon, wie viele Prämissen man auch hinzufügt, vorausgesetzt, daß von den ursprünglichen Prämissen keine gestrichen werden. Im Gegensatz dazu kann der Grad, in dem die Prämissen eines induktiven Arguments die Konklusion stützen, durch neue Erfahrungen in der Form zusätzlicher Prämissen erhöht oder vermindert werden. Weil die Konklusion eines induktiven Arguments falsch sein kann, obwohl die Prämissen wahr sind, können uns zusätzliche relevante Erfahrungsdaten in den Stand setzen, zuverlässiger zu bestimmen, ob die Konklusion tatsächlich wahr oder falsch ist. Es ist daher ein allgemeines Merkmal induktiver Argumente, das deduktiven Argumenten vollkommen fehlt, daß zusätzliche Erfahrungsdaten für den Grad, in dem die Konklusion gestützt wird, relevant sein können. Neue Erfahrungen können also, wenn es um induktive Argumente geht, von entscheidender Bedeutung sein.

In den folgenden Abschnitten dieses Kapitels werden wir verschiedene korrekte Typen induktiver Argumente und verschiedene Fehlschlüsse untersuchen. Bevor wir mit dieser Untersuchung beginnen, müssen wir aber noch ein grundlegendes Problem in bezug auf die induktive Korrektheit erwähnen. Der Philosoph David Hume wies in *A Treatise of Human Nature* (1739–49) und in *An Enquiry Concerning Human Understanding* (1748) auf erhebliche Schwierigkeiten hin, die entstehen, wenn man versucht, die Korrektheit induktiver Argumente zu beweisen. Auch heute gibt es noch beträchtliche Meinungsverschiedenheiten über dieses Problem – das man gewöhnlich als »das Problem der Rechtfertigung der Induktion« bezeichnet. Die Experten vertreten sehr verschiedene Ansichten über das Wesen der induktiven Korrektheit, darüber, ob Humes Problem überhaupt ein echtes Problem ist, und über die Methoden, mit denen man zeigen kann, daß ein bestimmter Typ eines induktiven Arguments korrekt ist.[1] Trotz dieser Kontroversen gibt es eine weitgehende Übereinstimmung darüber, welche Typen induktiver Argumente korrekt sind. Wir werden auf das Problem der Rechtfertigung der Induktion nicht eingehen, sondern vielmehr versuchen, einige der Typen induktiver Argumente zu charakterisieren, über die man sich ziemlich einig ist.

---

1 Für eine systematische und elementare Erörterung dieser und anderer Probleme, die die Grundlagen der induktiven Logik betreffen, vgl. mein Buch *The Foundations of Scientific Inference*.

20. Enumerative Induktion

Die bei weitem einfachste Form eines induktiven Arguments ist die *enumerative Induktion*. In Argumenten dieses Typs wird eine Konklusion über *alle* Elemente einer Menge unter Zugrundelegung von Prämissen aufgestellt, die sich auf die *untersuchten* Elemente dieser Menge beziehen.

(a)   Angenommen, wir haben einen Behälter mit Kaffeebohnen. Nachdem wir sie gemischt haben, entnehmen wir eine Stichprobe von Kaffeebohnen, wobei wir Teile dieser Stichprobe an verschiedenen Stellen des Behälters herausnehmen. Die Untersuchung ergibt, daß alle Bohnen der Stichprobe der Güteklasse A angehören. Daraus schließen wir, daß alle Bohnen des Behälters von der Güteklasse A sind.

Dieses Argument kann man folgendermaßen darstellen:

(b)   Alle Bohnen der Stichprobe sind von der Güteklasse A.
∴ Alle Bohnen des Behälters sind von der Güteklasse A.

Die Prämisse informiert über die untersuchten Elemente der Menge der Kaffeebohnen des Behälters; die Konklusion ist eine Aussage über alle Elemente dieser Menge. Sie ist eine Verallgemeinerung, die sich auf die Untersuchung der Stichprobe stützt.

Es ist nicht notwendig, daß die Konklusion einer enumerativen Induktion von der Form »Alle *F* sind *G*« ist. Häufig wird in der Konklusion ausgesagt, daß ein bestimmter Prozentsatz der *F* *G* sind. Beispielsweise:

(c)   Angenommen, wir haben einen weiteren Behälter mit Kaffeebohnen, und wir nehmen wie in (a) eine Stichprobe davon heraus. Die Untersuchung ergibt, daß 75 Prozent der Bohnen dieser Stichprobe der Güteklasse A angehören. Daraus ziehen wir den Schluß, daß 75 Prozent aller Bohnen des Behälters von der Güteklasse A sind.

Dieses Argument ähnelt dem Argument (b).

(d)   75 Prozent der Bohnen der Stichprobe sind von der Güteklasse A.

∴ 75 Prozent der Bohnen des Behälters sind von der Güteklasse A.

Beide Argumente, (b) und (d), besitzen dieselbe Form. Da »alle« »100 Prozent« bedeutet, kann man die Form beider Argumente folgendermaßen wiedergeben:

(e) Z Prozent der untersuchten Elemente von F sind G.

∴ Z Prozent der F sind G.

Das ist die allgemeine Form der enumerativen Induktion. Wenn die Konklusion von der Form »100 Prozent der F sind G« (d. h. »Alle F sind G«) oder der Form »0 Prozent der F sind G« (d. h. »Keine F sind G«) ist, dann handelt es sich um eine *generelle Verallgemeinerung*. Wenn Z ein von 0 oder 100 verschiedener Prozentsatz ist, dann ist die Konklusion eine *statistische Verallgemeinerung*.

Hier sind einige weitere Beispiele für die enumerative Induktion.

(f)   Ein staatliches Meinungsforschungsinstitut befragt in den Vereinigten Staaten fünftausend Leute, um herauszufinden, ob sie die Aufnahme diplomatischer Beziehungen mit Kuba für ratsam halten. 72 Prozent der Befragten sprechen sich dagegen aus. Das Meinungsforschungsinstitut zieht den Schluß, daß (ungefähr) 72 Prozent der Bevölkerung der Vereinigten Staaten gegen die Aufnahme solcher Beziehungen sind.

(g)   In einer bestimmten Fabrik gibt es eine Maschine, die

Büchsenöffner herstellt. Ein Kontrolleur prüft ein Zehntel aller von dieser Maschine produzierten Büchsenöffner. Er stellt fest, daß 2 Prozent der Büchsenöffner seiner Stichprobe schadhaft sind. Die Geschäftsleitung kommt aufgrund dieser Information zu dem Schluß, daß (ungefähr) 2 Prozent der Büchsenöffner, die von dieser Maschine hergestellt werden, Mängel aufweisen.

(h) Ein großer Teil unseres täglichen normalen Lernens aus der Erfahrung besteht im Ziehen von Schlüssen der enumerativen Induktion. Alle beobachteten Feuer sind heiß gewesen; wir schließen, daß alle Feuer heiß sind. Jedesmal, wenn man durstig gewesen war und Wasser getrunken hatte, löschte man dadurch seinen Durst; auch in Zukunft wird das Trinken von Wasser den Durst stillen. Jede Zitrone hat bisher einen sauren Geschmack gehabt; auch in Zukunft werden Zitronen sauer schmecken.

Es ist offensichtlich, daß die enumerative Induktion leicht aus wahren Prämissen zu falschen Konklusionen führen kann. Damit muß man rechnen, denn darin besteht ein Charakteristikum aller induktiven Argumente. Uns bleibt nur übrig zu versuchen, induktive Argumente so zu konstruieren, daß das Risiko, aus wahren Prämissen zu falschen Konklusionen zu kommen, so klein wie möglich gehalten wird. Es gibt insbesondere zwei bestimmte Möglichkeiten, das Irrtumsrisiko in Verbindung mit der enumerativen Induktion zu mindern; d. h., es müssen vor allem zwei induktive Fehlschlüsse vermieden werden. Auf diese werden wir in den nächsten beiden Abschnitten zu sprechen kommen.

21. Unzureichende Statistik

Der *Fehlschluß der unzureichenden Statistik* besteht darin, daß man induktiv verallgemeinert, noch ehe man genügend Daten gesammelt hat, um diese Verallgemeinerung zu rechtfertigen. Man könnte ihn auch als den »Fehler des voreiligen Schlusses« bezeichnen.

(a) Angenommen, in den Beispielen (a) und (c) des vorhergehenden Abschnitts hätten die jeweiligen Stichproben aus nur vier Kaffeebohnen bestanden. Das wäre sicherlich eine unzureichende Ausgangsbasis für eine zuverlässige Verallgemeinerung gewesen. Auf der anderen Seite würde eine Stichprobe aus mehreren Tausend Bohnen groß genug für eine sehr viel glaubwürdigere Verallgemeinerung sein.

(b) Von einem staatlichen Meinungsforschungsinstitut, das nur zehn Leute befragte, könnte man schwerlich behaupten, daß es über genügend Erfahrungsdaten verfügt, um irgendeinen Schluß über die allgemeine Einstellung der Nation zu rechtfertigen.

(c) Jemand, der es ablehnt, ein Auto einer bestimmten Marke zu kaufen, nur weil er einen Bekannten hat, der einen »Montagswagen« besaß, ist wahrscheinlich auf der Basis außerordentlich dürftiger Erfahrungsdaten zu einer Verallgemeinerung über die Häufigkeit, mit der der fragliche Hersteller schadhafte Autos produziert, gekommen.

(d) Menschen, die empfänglich sind für Vorurteile gegenüber rassischen, religiösen oder nationalen Minderheiten, neigen zu radikalen Verallgemeinerungen über die Mitglieder einer bestimmten Gruppe aufgrund der Beobachtung von zwei oder drei Einzelfällen.

Es ist leicht zu sehen, daß die vorhergehenden Beispiele nur zu typisch sind für die Fehler, die alltäglich von ganz verschiedenen Leuten gemacht werden. Der Fehlschluß der unzureichenden Statistik ist tatsächlich weit verbreitet.

Es wäre sehr praktisch, wenn wir eine ganz bestimmte Zahl festlegen und sagen könnten, daß wir immer dann über genügend Daten verfügen, wenn die Anzahl der untersuchten Fälle diese Zahl übersteigt. Leider ist dies nicht möglich. Die Anzahl der Fälle, die eine zureichende Statistik bilden, verändert sich mit den Umständen, von einem Untersuchungsgebiet zum anderen. Manchmal mögen zwei oder drei Fälle genügen; ein anderesmal sind Millionen erforderlich. Wie viele Fälle ausreichen, kann nur die Erfahrung in dem besonderen, in Frage stehenden Forschungsgebiet lehren.

Noch ein anderer Umstand hat Einfluß auf die Frage, wie viele Fälle benötigt werden. Jede Anzahl von Fällen stellt einen *gewissen* Anhaltspunkt dar; die Frage ist, ob wir über ausreichende Informationen verfügen, um einen Schluß zu ziehen. Dies hängt zum Teil davon ab, welchen Grad der Verläßlichkeit wir anstreben. Wenn nicht viel auf dem Spiel steht – wenn es kaum etwas macht, ob wir uns irren –, dann sind wir vielleicht bereit, aufgrund von relativ wenigen Daten zu verallgemeinern. Wenn aber der Einsatz hoch ist, dann verlangen wir sehr viel mehr Informationen.

22. Voreingenommene Statistik

Man braucht nicht nur eine ausreichende Anzahl von Fällen, sondern man muß diese auch so auswählen, daß die Verläßlichkeit des Ergebnisses nicht verringert wird. Soll man sich auf induktive Verallgemeinerungen verlassen können, dann müssen sie auf repräsentativen Stichproben aufbauen. Leider können wir nie sicher sein, daß unsere Stichproben auch wirklich repräsentativ sind, wir können aber unser möglichstes tun, um nicht-repräsentative zu vermeiden. Der *Fehlschluß der voreingenommenen Statistik* besteht darin, daß man eine induktive Verallgemeinerung auf eine Stichprobe stützt, die bekanntermaßen nicht-repräsentativ ist oder von der man Grund hat anzunehmen, daß sie nicht-repräsentativ sein könnte.

(a) In Beispiel (a) aus Abschnitt 20 war es wichtig, daß wir die Kaffeebohnen des Behälters mischten, bevor wir unsere Stichprobe daraus entnahmen; sonst hätte die Gefahr bestanden, zu einer nicht-repräsentativen Stichprobe zu kommen. Es ist durchaus möglich, daß irgend jemand den Behälter fast ganz mit Bohnen von niederer Qualität gefüllt und nur eine schmale Schicht von sehr guten Bohnen obenauf gelegt hat. Dadurch, daß wir den Inhalt des Behälters gründlich durchmischen, wenden wir die Gefahr ab, daß wir eine nicht-repräsentative Stichprobe aus dem oben genannten oder einem ähnlichen Grund erhalten.

(b) Viele Leute zweifeln an der Fähigkeit der Meteorologen, richtige Vorhersagen zu machen. Möglicherweise beklagt sich der Meteorologe zu Recht, wenn er sagt: »Wenn ich richtig vorhersage, dann erinnert sich niemand daran, wenn ich mich aber irre, dann vergißt das kein Mensch.«

(c)   Rassische, religiöse oder nationale Vorurteile werden oft auf voreingenommene Statistiken gestützt. Zuerst schreibt man einer zahlenmäßig unterlegenen Gruppe eine unerwünschte Eigenschaft zu. Dann werden alle Fälle, in denen ein Mitglied der Gruppe diese Eigenschaft offensichtlich besitzt, sorgfältig zur Kenntnis genommen und im Gedächtnis behalten, während man die Fälle, in denen ein Mitglied der Gruppe die unerwünschte Eigenschaft nicht besitzt, vollkommen unbeachtet läßt.

(d)   Francis Bacon (1561–1626) gibt in der folgenden Textstelle ein bemerkenswertes Beispiel einer voreingenommenen Statistik:

»Hat der menschliche Verstand einmal eine Meinung angenommen (sei es, weil es die herrschende ist, sei es, daß sie ihm sonstwie angenehm ist), dann interpretiert er alle anderen Dinge so, daß sie diese Meinung stützen und mit ihr übereinstimmen. Und wenn auch die Anzahl und die Bedeutung der Fälle, die gegen sie sprechen, größer sind, so werden diese doch von ihm entweder vernachlässigt und unterschätzt oder aber dadurch, daß er irgendeine Unterscheidung trifft, abgetan und zurückgewiesen; und dies alles deswegen, damit durch diese konsequente, aber schädliche Festlegung die Autorität seiner früheren Schlußfolgerungen unangetastet bleiben kann. *Und deshalb war es eine gute Antwort, die einer gegeben hatte, als man ihm ein in einer Kirche aufgehängtes Gemälde zeigte, das Menschen darstellte, deren Gelübde sich dadurch ausgezahlt hatte, daß sie einen Schiffbruch überlebten, und man von ihm hören wollte, ob er nicht jetzt die Macht der Götter anerkenne. ›Ja‹, entgegnete er, ›wo ist aber das Bild derjenigen, die, nachdem sie ihre Gelübde abgelegt haben, ertrunken sind?‹* Und so verhält es sich mit allen Formen des Aberglaubens, ob sich dieser nun auf Astrologie, Träume, Omen, göttliche Strafen oder dergleichen bezieht; und die Menschen, die

sich an solchen Nichtigkeiten erfreuen, notieren die
Ereignisse, die sie bestätigen, wenn man aber ihre Erwartun-
gen nicht erfüllt werden, was viel öfter geschieht, dann
kümmern sie sich nicht darum und gehen darüber
hinweg.«[2]

(e)   1936 führte der *Literary Digest* vor der Wahl eine Umfrage durch, um den Ausgang der Wahl zwischen Roosevelt und Landon vorherzusagen. Dabei wurden ungefähr
zehn Millionen Stimmzettel versandt, von denen über
zwei und ein viertel Millionen zurückkamen. Man kann
gegen die Umfrage des *Literary Digest* nicht den Vor-
wurf des Fehlschlusses der unzureichenden Statistik erheben, denn die Menge der Rücksendungen bildete eine
ungewöhnlich große Stichprobe. Trotzdem waren die
Ergebnisse katastrophal. Die Umfrage prophezeite einen Sieg für Landon und sagte nur 80 Prozent der
Stimmen, die Roosevelt tatsächlich erhielt, voraus. Kurz
darauf gingen das Magazin und seine Umfrage, die
ungefähr eine halbe Million gekostet hatte, ein. Es gab
zwei Hauptgründe für die Voreingenommenheit. Erstens wurden die Namen der Leute, die befragt werden
sollten, hauptsächlich aus Telefonbüchern und aus Kar-
teien über die zugelassenen Kraftfahrzeuge entnommen.
Andere Untersuchungen zeigten, daß zwar 59 Prozent
der Telefonbesitzer und 56 Prozent der Leute, die einen
Wagen besaßen, aber nur 18 Prozent von denen, die
irgendeine Art von Unterstützung bezogen, für Landon
waren. Zweitens gibt es eine Voreingenommenheit in
der Gruppe der Leute, die freiwillig Fragebögen, die
man ihnen per Post zugesandt hat, zurückschicken. Diese Voreingenommenheit spiegelt wahrscheinlich die
Verschiedenheit der ökonomischen Klassen wider, die
hier vor allem wirksam wurde. Selbst in den Fällen, in

2 Francis Bacon, *Novum Organum*, Aphorismus 46; kursive Hervorhebungen von mir.

denen der *Literary Digest* Wählerverzeichnisse benutzte, wiesen die Rücksendungen eine starke Voreingenommenheit für Landon auf.[3]

Der Fehlschluß der voreingenommenen Statistik tritt dann in seiner krassesten Form auf, wenn man die Augen vor bestimmten Arten von Tatsachen einfach verschließt. Für gewöhnlich handelt es sich dabei um Tatsachen, die gegen eine Überzeugung, die man hat, sprechen. Die Beispiele (b) und (c) veranschaulichen den Fehlschluß in dieser primitiven Form. In anderen Fällen, insbesondere in Beispiel (e), liegt die Sache nicht so einfach. Es gibt jedoch ein Verfahren, das ganz allgemein dazu bestimmt ist, das Risiko, eine nicht-repräsentative Stichprobe zu erhalten, zu vermindern. Die untersuchten Fälle sollten sich so umfassend wie möglich voneinander unterscheiden, immer vorausgesetzt, daß es sich um relevante Fälle handelt. Wenn wir zu einer Konklusion der Form »Z Prozent der F sind G« kommen wollen, dann müssen alle unsere Fälle, wenn sie relevant sein sollen, Elemente von F sein. Ein Versuch, eine voreingenommene Stichprobe zu vermeiden, besteht dann darin, daß man möglichst verschiedenartige Elemente von F untersucht. Wenn wir außerdem herausbekommen können, zu welchem Prozentsatz alle Elemente von F den verschiedenen Arten angehören, dann können wir dafür sorgen, daß unsere Stichprobe die Zusammensetzung der gesamten Menge widerspiegelt. Genau das versuchen viele staatliche Meinungsforschungsinstitute zu tun.

3 Vgl. Mildred Parten, *Surveys, Polls, and Samples*, New York: Harper & Row, 1950, S. 24 f. und S. 392 f.

(f) Um den Ausgang einer Wahl vorherzusagen, wird ein
     staatliches Meinungsforschungsinstitut eine bestimmte
     Anzahl von Wählern aus ländlichen Gebieten und eine
     bestimmte Anzahl von Wählern aus städtischen Gebie-
     ten, eine bestimmte Anzahl aus der gehobenen Bevölke-
     rungsschicht, aus dem Mittelstand und aus der unteren
     Bevölkerungsschicht, eine bestimmte Anzahl von Wäh-
     lern aus den verschiedenen Teilen des Landes usw.
     befragen. Auf diese Weise kommt man zu ganz verschie-
     denen Fällen, und überdies reflektiert die Mannigfaltig-
     keit in der Stichprobe die Prozentsätze in der Zusam-
     mensetzung der gesamten wahlberechtigten Bevölke-
     rung.

Wir haben die Fehlschlüsse der unzureichenden Statistik und der voreingenommenen Statistik als Fehler
erörtert, die man in Verbindung mit der enumerativen
Induktion vermeiden sollte. Im wesentlichen können
die gleichen Fehlschlüsse bei jedem Typ eines induktiven Arguments auftreten. Es ist immer möglich, daß
man eine induktive Konklusion auf der Grundlage von
zu wenigen Erfahrungsdaten akzeptiert, und es ist
immer möglich, daß die induktiven Erfahrungsdaten
voreingenommen sind. Wir müssen deshalb auf diese
Fehlerquellen bei allen Arten von induktiven Argumenten achten.

23. Der statistische Syllogismus

Es kommt häufig vor, daß die Konklusion eines Arguments in einem anderen Argument als Prämisse benutzt
wird. In Beispiel (a) aus Abschnitt 20 zogen wir vermittels einer enumerativen Induktion den Schluß, daß alle

Kaffeebohnen eines bestimmten Behälters von der Güteklasse A sind. Indem wir diese Konklusion als eine Prämisse eines *Quasi-Syllogismus* (Abschnitt 14) verwenden, können wir schließen, daß die nächste Kaffeebohne, die wir aus dem Behälter nehmen, von der Güteklasse A sein wird.

(a) Alle Bohnen des Behälters sind von der Güteklasse A.
     Die nächste Bohne, die wir aus dem Behälter nehmen, ist eine Bohne des Behälters.
∴ Die nächste Bohne, die wir aus dem Behälter nehmen, ist von der Güteklasse A.

In diesem Beispiel ist die Konklusion der vorhergehenden enumerativen Induktion eine generelle Verallgemeinerung. Wenn aber die Konklusion der vorhergehenden Induktion eine statistische Verallgemeinerung ist, dann können wir offenbar nicht ein *deduktives* Argument desselben Typs konstruieren. In diesem Fall können wir ein Argument eines Typs aufstellen, den man (wegen seiner Ähnlichkeit mit kategorischen Syllogismen) als »statistischen Syllogismus« bezeichnet. In Beispiel (c) aus Abschnitt 20 zogen wir vermittels einer enumerativen Induktion den Schluß, daß 75 Prozent der Kaffeebohnen eines bestimmten Behälters von der Güteklasse A sind. Wir können diese Konklusion als eine Prämisse verwenden und das folgende Argument aufstellen:

(b) 75 Prozent der Bohnen des Behälters sind von der Güteklasse A.
     Die nächste Bohne, die wir aus dem Behälter nehmen, ist eine Bohne des Behälters.
∴ Die nächste Bohne, die wir aus dem Behälter nehmen, ist von der Güteklasse A.

Offensichtlich könnte die Konklusion von Argument (b) falsch sein, selbst wenn die Prämissen wahr sind. Trotzdem, wenn die erste Prämisse wahr ist und wir für alle Bohnen des Behälters Argumente desselben Typs benutzen, werden wir in 75 Prozent der Fälle eine wahre Konklusion erhalten und nur in 25 Prozent eine falsche Konklusion. Wenn wir im Gegensatz dazu aus diesen Prämissen schließen sollten, daß die nächste Bohne, die wir herausnehmen, nicht von der Güteklasse A ist, würden wir in 75 Prozent der Fälle falsche Konklusionen erhalten und nur in 25 Prozent wahre Konklusionen. Es ist deshalb ohne Zweifel besser, zu schließen, daß die nächste Bohne von der Güteklasse A sein wird, als zu schließen, daß sie nicht von der Güteklasse A sein wird. (Selbst wenn wir nicht behaupten wollen, daß die nächste Bohne von der Güteklasse A sein wird, so hätten wir doch Grund genug, bereit zu sein, ungefähr drei zu eins darauf zu wetten.)

Die Form des statistischen Syllogismus kann man wie folgt darstellen:

(c) Z Prozent der F sind G.

   x ist F.

∴ x ist G.

Die Stärke eines statistischen Syllogismus hängt von dem Wert von Z ab. Wenn Z nahe bei 100 liegt, haben wir es mit einem sehr starken Argument zu tun; d. h., die Prämissen stützen die Konklusion in hohem Maße. Wenn Z gleich 50 ist, dann stellen die Prämissen keine Stützung für die Konklusion dar, denn dieselben Prämissen würden die Konklusion »x ist nicht G« genauso stützen. Wenn Z kleiner als 50 ist, dann stützen die Prämissen die Konklusion nicht; sie stützen dann viel-

mehr die Konklusion »x ist nicht G«. Ist Z beinahe
gleich Null, dann stellen die Prämissen eine starke
Stützung für die Konklusion »x ist nicht G« dar.

Die erste Prämisse eines statistischen Syllogismus kann
einen ganz bestimmten numerischen Wert für Z angeben, in vielen Fällen wird es sich aber nicht um eine so
exakte Aussage handeln. Auch die folgenden Aussageformen können als erste Prämissen in einem statistischen Syllogismus fungieren:

(d)   Beinahe alle F sind G.
       Die überwiegende Mehrzahl der F sind G.
       Die meisten F sind G.
       Ein hoher Prozentsatz der F sind G.
       Die Wahrscheinlichkeit ist groß, daß ein F ein G ist.

Jemand ist möglicherweise nicht damit einverstanden,
daß in Argumenten wie (b) die Konklusion ohne Einschränkung aufgestellt wird, und meint vielleicht, daß
die Konklusion folgendermaßen interpretiert werden
sollte: »Die nächste Bohne, die wir aus dem Behälter
nehmen, ist *wahrscheinlich* von der Güteklasse A«. Um
mit diesem Problem fertig zu werden, betrachte man
wieder Argument (a), das weniger formal wie folgt
wiedergegeben werden kann:

(e)   Da alle Bohnen des Behälters von der Güteklasse A
       sind, *muß* die nächste Bohne, die wir aus dem Behälter
       nehmen, von der Güteklasse A *sein*.

Selbstverständlich steckt keine Notwendigkeit in der
bloßen Tatsache, daß die nächste Bohne von der Güteklasse A ist. Wie wir früher bemerkten, dient eine
Verbform wie »muß sein« dazu, darauf hinzuweisen,
daß eine Aussage die Konklusion eines deduktiven
Arguments ist. Die Notwendigkeit, auf die sie hinweist,

besteht in folgendem: *Wenn* die Prämissen wahr sind, dann *muß* die Konklusion wahr sein. Die Konklusion des deduktiven Arguments ist »Die nächste Bohne, die wir aus dem Behälter nehmen, *ist* von der Güteklasse A« und nicht »Die nächste Bohne, die wir aus dem Behälter nehmen, *muß* von der Güteklasse A *sein*«. Die Worte »muß sein« bringen eine bestimmte Beziehung zwischen den Prämissen und der Konklusion zum Ausdruck; sie sind aber nicht selbst Teil der Konklusion. Genauso könnte man Argument (b) umgangssprachlich folgendermaßen ausdrücken:

(f)   Da 75 Prozent der Bohnen des Behälters von der Güteklasse A sind, ist die nächste Bohne, die wir aus dem Behälter nehmen, *wahrscheinlich* von der Güteklasse A.

In diesem Fall weist der Ausdruck »wahrscheinlich« darauf hin, daß wir es mit der Konklusion eines *induktiven* Arguments zu tun haben. So wie die Worte »muß sein« in (e) einen deduktiven Zusammenhang zwischen Prämissen und Konklusion behaupten, so deutet das Wort »wahrscheinlich« in (f) auf einen induktiven Zusammenhang zwischen Prämissen und Konklusion hin. Die Worte »muß sein« sind selbst genausowenig Teil der Konklusion wie das Wort »wahrscheinlich«.

Diesen Punkt kann man noch weiter verdeutlichen. Man betrachte den folgenden statistischen Syllogismus:

(g)   Die überwiegende Mehrzahl der fünfunddreißig Jahre alten Amerikaner wird in den folgenden drei Jahren am Leben bleiben.
       Henry Smith ist ein fünfunddreißig Jahre alter Amerikaner.
    ∴ Henry Smith wird in den folgenden drei Jahren am Leben bleiben.

Aber angenommen, Henry Smith leidet an Lungenkrebs in einem fortgeschrittenen Stadium. Dann können wir ebensogut den folgenden statistischen Syllogismus aufstellen:

(h)　Die überwiegende Mehrzahl der Menschen mit Lungenkrebs in einem fortgeschrittenen Stadium wird in den
folgenden drei Jahren nicht am Leben bleiben.
Henry Smith leidet an Lungenkrebs in einem fortgeschrittenen Stadium.
∴ Henry Smith wird in den folgenden drei Jahren nicht am
Leben bleiben.

Die Prämissen von (g) und (h) können alle wahr sein;
sie sind miteinander nicht unvereinbar. Die Konklusionen von (g) und (h) widersprechen sich aber. Dies kann
allerdings nur bei induktiven Argumenten vorkommen.
Wenn zwei gültige deduktive Argumente vereinbare
Prämissen besitzen, dann können sie keine unvereinbaren Konklusionen haben. Die Situation wird nicht
dadurch merklich verbessert, daß man die Konklusionen von (g) und (h) mit der Einschränkung »wahrscheinlich« versieht. Es bleibt widersprüchlich, zu
behaupten, daß Henry Smith in den folgenden drei
Jahren wahrscheinlich am Leben bleiben und wahrscheinlich nicht am Leben bleiben wird.
Welches der zwei Argumente (g) und (h) sollen wir
akzeptieren? Beide Argumente besitzen sowohl eine
korrekte induktive Form als auch wahre Prämissen. Wir
können aber nicht beide Konklusionen annehmen,
denn das hieße, einen Widerspruch zu akzeptieren. Das
Problem ist, daß weder in (g) noch in (h), für sich
gesehen, alle relevanten Erfahrungsdaten in bezug auf
das Überleben von Henry Smith berücksichtigt werden.

Sowohl die Prämissen von (g) als auch die Prämissen von (h) bringen nur einen Teil unserer Erfahrungsdaten zum Ausdruck. Es genügt aber für die Konstruktion eines neuen Arguments nicht, die Prämissen von (g) und (h) einfach zusammenzufassen:

(i)   Die überwiegende Mehrzahl der fünfunddreißig Jahre alten Amerikaner wird in den folgenden drei Jahren am Leben bleiben.
       Die überwiegende Mehrzahl der Menschen mit Lungenkrebs in einem fortgeschrittenen Stadium wird in den folgenden drei Jahren nicht am Leben bleiben.
       Henry Smith ist ein fünfunddreißig Jahre alter Amerikaner mit Lungenkrebs in einem fortgeschrittenen Stadium.
    ∴ ?

Aus den Prämissen von (i) können wir, was das Überleben von Henry Smith angeht, keinerlei Konklusion ableiten, nicht einmal induktiv. Denn alles, was wir aus den ersten beiden Prämissen von (i) entweder deduktiv oder induktiv schließen können, ist, daß die fünfunddreißig Jahre alten Amerikaner, was den Lungenkrebs betrifft, möglicherweise zu einer außergewöhnlichen Klasse von Menschen gehören. Die überwiegende Mehrzahl von ihnen überlebt vielleicht Lungenkrebs, oder die Überlebensrate liegt vielleicht bei ungefähr 50 Prozent. Eine Konklusion läßt sich jedenfalls nicht ableiten. Wir besitzen jedoch tatsächlich noch weitere Erfahrungsdaten. Wir wissen, daß die fünfunddreißig Jahre alten Amerikaner nicht so außergewöhnlich sind; die überwiegende Mehrzahl der fünfunddreißig Jahre alten Amerikaner mit Lungenkrebs in einem fortgeschrittenen Stadium bleibt in den folgenden drei Jahren

nicht am Leben. Wir können deshalb folgenden statistischen Syllogismus aufstellen:

(j)   Die überwiegende Mehrzahl der fünfunddreißig Jahre
      alten Amerikaner mit Lungenkrebs in einem fortge-
      schrittenen Stadium bleibt in den folgenden drei Jahren
      nicht am Leben.
      Henry Smith ist ein fünfunddreißig Jahre alter Amerika-
      ner mit Lungenkrebs in einem fortgeschrittenen Sta-
      dium.
   ∴ Henry Smith wird in den folgenden drei Jahren nicht am
      Leben bleiben.

Wenn wir annehmen, daß die Prämissen von (j) alle
relevanten Erfahrungsdaten, die wir besitzen, wiedergeben, dann können wir die Konklusion von (j) akzeptieren.

Wir können jetzt das ganze Gewicht der Bemerkung
aus Abschnitt 19 ermessen, daß nämlich zusätzliche
Erfahrungen für induktive Argumente in einer Weise
relevant sind, wie sie es für deduktive Argumente nicht
sind. Die Konklusion eines deduktiven Arguments ist
akzeptabel, wenn (1) die Prämissen wahr sind und (2)
das Argument eine korrekte Form aufweist. Diese beiden Bedingungen reichen aber nicht aus, um die Konklusion eines induktiven Arguments annehmbar zu
machen; dazu braucht man eine weitere Bedingung.
Die Konklusion eines induktiven Arguments ist akzeptabel, wenn (1) die Prämissen wahr sind, (2) das Argument eine korrekte Form besitzt und (3) die Prämissen
des Arguments sämtliche relevanten Erfahrungen wiedergeben. Diese letzte Bedingung bezeichnet man als
»die Forderung des Gesamtdatums«. Induktive Argumente, die die Bedingung (3) nicht erfüllen, fallen unter
den *Fehlschluß des unvollständigen Erfahrungsdatums*.

24. Das Argument aus der Autorität

Wenn man versucht, eine Konklusion zu begründen, dann verfährt man häufig so, daß man eine bestimmte Person, Institution oder Schrift anführt, die diese Konklusion behauptet. Das *Argument aus der Autorität* [*argument from authority*] besitzt die Form

(a) x behauptet, daß p.
   $\therefore p$.

So wie sie hier angegeben ist, ist diese Argumentform sicherlich ungültig. Trotzdem gibt es berechtigte Berufungen auf Autorität, genauso wie es unberechtigte gibt. Nur ein notorischer Besserwisser kann annehmen, daß es niemals erlaubt ist, sich auf Autorität zu berufen, denn bei der Aneignung und Anwendung von Wissen kann man nicht darauf verzichten, sich in angemessener Weise einer Autorität zu bedienen. Wenn wir jede Berufung auf Autorität ablehnen würden, dann müßten wir zum Beispiel behaupten, daß niemand jemals Grund hat, das Urteil eines erfahrenen Arztes über eine Krankheit zu akzeptieren. Man müßte vielmehr versuchen, selbst ein erfahrener Arzt zu werden, würde aber dabei der unlösbaren Aufgabe gegenüberstehen, sich niemals auf die Ergebnisse anderer Experten verlassen zu dürfen. Anstatt die Berufung auf Autorität vollkommen abzulehnen, müssen wir versuchen, die berechtigten von den unberechtigten Berufungen auf Autorität zu unterscheiden.

Es ist eine Tatsache, daß wir uns des öfteren berechtigterweise einer Autorität bedienen. Wir ziehen Lehrbücher, Enzyklopädien und Experten auf den verschiedensten Gebieten zu Rate. In diesen Fällen wird die

Berufung dadurch gerechtfertigt, daß wir tatsächlich wissen, daß die Autorität vertrauenswürdig ist und über den betreffenden Gegenstand genau Bescheid weiß. Wir haben oft gute Gründe anzunehmen, daß die Autorität recht hat. Und schließlich – das ist der entscheidende Punkt – wissen wir, daß der Experte sein Urteil auf Tatsachen gründet, die, wenn nötig, von jeder kompetenten Person überprüft und verifiziert werden können. Unter diesen Bedingungen werden wir sagen, daß die Autorität *verläßlich* ist. Die Berufung auf eine verläßliche Autorität ist legitim, denn die Aussage einer verläßlichen Autorität ist ein guter Grund, die jeweilige Konklusion für wahr zu halten. Die folgende Argumentform ist korrekt:

(b) x ist bezüglich p eine verläßliche Autorität.

x behauptet, daß p.

∴ p.

Diese Argumentform ist nicht deduktiv gültig, denn es ist möglich, daß die Prämissen wahr sind und die Konklusion falsch ist. Auch verläßliche Autoritäten irren sich manchmal. Die Argumentform ist aber induktiv korrekt, denn sie ist ein Spezialfall des statistischen Syllogismus. Sie kann wie folgt umgeschrieben werden:

(c)   Die überwiegende Mehrzahl der Aussagen, die x über den Gegenstand S macht, sind wahr.

p ist eine von x gemachte Aussage über den Gegenstand S.

∴ p ist wahr.

Es gibt mehrere Möglichkeiten, das Argument aus der Autorität falsch anzuwenden.

1. *Die Autorität kann falsch zitiert oder mißverstanden*

werden. Hier handelt es sich nicht um einen logischen Fehlschluß, sondern um ein Argument mit einer falschen Prämisse; genauer: die zweite Prämisse von (b) ist falsch.

(d) Manchmal beruft man sich auf die Autorität von Einstein, um die Theorie zu stützen, daß es unabhängig von einer bestimmten Kultur nichts Richtiges oder Falsches gibt. Es wird behauptet, Einstein habe bewiesen, daß alles relativ sei. Tatsächlich stellte Einstein eine wichtige physikalische Theorie der Relativität auf, seine Theorie macht aber keinerlei Aussagen über Kulturen oder moralische Normen. Diese Anführung von Einstein als einer Autorität ist ein klarer Fall einer Mißdeutung von Aussagen einer Autorität.

Wenn ein Verfasser eine Autorität zitiert, dann ist es ein allgemein anerkanntes Verfahren, die Quelle anzugeben, damit der Leser, wenn er es wünscht, die Richtigkeit der Wiedergabe überprüfen kann.

2. *Die Autorität kann in nichts anderem als Prestige oder Popularität bestehen*, ohne daß ihr eine bestimmte Kompetenz auf irgendeinem Wissensgebiet zukommt.

(e) Die Aussagen von bekannten Filmschauspielern und Sportlern werden benutzt, um für irgendeine Hafergrütze zu werben.

Mit einer solchen Werbung will man die Anziehungskraft und das Prestige dieser Leute auf das Produkt, für das man wirbt, übertragen. Hierbei wird nicht auf Tatsachen irgendwelcher Art Bezug genommen, sondern direkt das Gefühl angesprochen. Es ist natürlich wichtig, daß man Appelle an das Gefühl von logischen Argumenten unterscheidet. Wenn ein Sportler Behauptungen über den überdurchschnittlichen Nährwert einer

Hafergrütze aufstellt, dann kann man nicht ernsthaft von uns erwarten, daß wir in ihm einen Experten sehen. Insofern hier irgendein Argument vorkommen soll, ist es fehlerhaft, denn es ist von der Form (a) und nicht von der Form (b). Und genauso, wenn man sich auf eine Autorität beruft, um eine Konklusion zu begründen (anstatt für ein Produkt zu werben), dann ist das möglicherweise nichts weiter als ein Versuch, das Prestige der Autorität auf die Konklusion zu übertragen.

(f) Wie der Vorstandsvorsitzende der Vereinigten Konsolidierten in einer kürzlich gehaltenen Rede sagte, ist das Vierte Strafrechtsreformgesetz weit davon entfernt, ein Schutz unserer Freiheit zu sein, es bedroht vielmehr gerade die rechtlichen und politischen Institutionen, die uns unsere Freiheiten garantieren.*

Ein Industriemagnat wie der Vorstandsvorsitzende der Vereinigten Konsolidierten genießt großes Ansehen, man kann aber schwerlich von ihm erwarten, daß er aufgrund seiner Position ein Experte für Rechtswissenschaft und politische Theorie ist. Persönliches Ansehen auf eine Konklusion zu übertragen ist nicht dasselbe wie Gründe dafür anzugeben, daß sie wahr ist. Dieser Mißbrauch des Arguments aus der Autorität ist offensichtlich ein Appell an das Gefühl.

3. *Ein Experte kann über etwas urteilen, das nicht in seinen speziellen Kompetenzbereich fällt.* Dieser Mißbrauch ist dem vorhergehenden sehr ähnlich. Die erste Prämisse, die man in (b) benötigt, ist »x ist bezüglich p eine verläßliche Autorität«. Statt dessen wird eine

---

* Es handelt sich hierbei um ein gegenüber dem englischen Original leicht abgewandeltes, den deutschen Verhältnissen angepaßtes Beispiel. [Anm. d. Übers.]

andere Prämisse vorgebracht, nämlich »x ist auf einem bestimmten Gebiet eine verläßliche Autorität« (wobei keinerlei Bezug zu p bestehen muß).

(g)   Einstein ist ein hervorragender Sachverständiger in bestimmten Bereichen der Physik, er muß aber deshalb nicht auf einem anderen Gebiet ein zuverlässiger Experte sein. Er äußerte sich mehrfach über Probleme der Sozialethik, seine Autorität als Physiker ist aber auf diese Aussagen nicht übertragbar.

Auch hier haben wir es mit einer Übertragung von Ansehen zu tun. Das große Ansehen, das Einstein als Physiker genießt, wird mit seinen Aussagen über eine Vielzahl anderer Gegenstände verbunden.

4. *Autoritäten können Meinungen äußern über Dinge, bezüglich deren sie unmöglich über irgendwelche Erfahrungsdaten verfügen können.* Wir haben oben darauf hingewiesen, daß eine der Bedingungen einer verläßlichen Autorität darin besteht, daß ihr Urteil sich auf Tatsachen gründet. Wenn p eine Aussage ist, für die x keine Erfahrungsdaten haben kann, dann kann x bezüglich p keine verläßliche Autorität sein. Dies ist besonders wichtig im Zusammenhang mit den Äußerungen von angeblichen Autoritäten über Probleme der Religion und der Moral.

(h)   Autoritäten der Moral und der Religion haben oft behauptet, daß bestimmte Praktiken, wie die Sodomie, dem Willen Gottes widersprechen. Die Frage ist berechtigt, wie es möglich sein soll, daß diese oder irgendwelche anderen Personen wissen, was Gott will. Es genügt nicht zu entgegnen, daß sich diese Behauptung auf eine andere Autorität stützt, wie zum Beispiel eine heilige Schrift, einen Kirchenvater oder ein kirchliches Dogma. Denn die gleiche Frage läßt sich in bezug auf diese letztgenannten Autoritäten stellen.

Auch in diesem Fall ist die Gefahr groß, daß die Berufung auf Autorität eher in einem Appell an das Gefühl besteht, anstatt daß man sich auf irgendeine Art von Tatsachen beruft.

5. *Autoritäten, die,* soweit wir wissen, *gleichermaßen kompetent sind, können unterschiedlicher Meinung sein.* In solchen Fällen gibt es keinen Grund, dem einen eher als dem anderen Glauben zu schenken, aber die Leute neigen dazu, sich für die Autorität zu entscheiden, die ihnen die Antwort gibt, die sie hören wollen. Nimmt man das Urteil von Autoritäten, die entgegengesetzter Meinung sind, nicht zur Kenntnis, dann ist das ein Fall einer Voreingenommenheit gegenüber den Erfahrungsdaten. Wenn Autoritäten unterschiedlicher Meinung sind, dann tut man gut daran, die Tatsachen zu überprüfen, auf die die Autoritäten angeblich ihre Urteile gegründet haben.

Eine spezielle Form des Arguments aus der Autorität, das »Argument aus der Übereinstimmung« [»argument from consensus«], verdient besondere Erwähnung. In Argumenten dieses Typs wird eine große Gruppe von Menschen, anstatt eines einzigen Individuums, als Autorität angesehen. Manchmal ist es die Menschheit als ganze, manchmal eine begrenztere Gruppe. In beiden Fällen wird die Tatsache, daß eine große Anzahl von Menschen einer bestimmten Konklusion zustimmt, als Zeichen ihrer Wahrheit angesehen. Das, was wir allgemein über Argumente aus der Autorität gesagt haben, gilt auch für Argumente aus der Übereinstimmung.

(i)   Es kann kein Perpetuum mobile geben; kompetente Physiker stimmen in diesem Punkt völlig miteinander überein.

Dieses Argument kann man wie folgt wiedergeben:

(j)   Die Gemeinschaft der kompetenten Physiker bildet hin-
       sichtlich der Möglichkeit eines Perpetuum mobile eine
       verläßliche Autorität.
       Die Gemeinschaft der kompetenten Physiker ist über-
       einstimmend der Meinung, daß ein Perpetuum mobile
       unmöglich ist.
       ∴ Ein Perpetuum mobile ist unmöglich.

Das Argument aus der Übereinstimmung ist in den
wenigsten Fällen so vernünftig wie (j). Häufiger handelt
es sich dabei um einen offensichtlichen Appell an das
Gefühl.

(k)   Jeder gerecht denkende Amerikaner weiß, daß die na-
       tionale Souveränität gegen die Eingriffe internationaler
       Organisationen wie der Vereinten Nationen geschützt
       werden muß.

Die Überredungskraft dieses Arguments, wenn es diesen Namen überhaupt verdient, besteht in der Unter-
stellung, daß jemand, der die Vereinten Nationen
unterstützt, kein gerecht denkender Amerikaner ist.
Dahinter steht der deutliche Appell an das Gefühl, daß
man zu den gerecht denkenden Amerikanern gehören
sollte.

Das klassische Beispiel für ein Argument aus der Übereinstimmung ist ein Argument für die Existenz
Gottes.

(l)   Überall und zu allen Zeiten, in jeder Kultur und Zivilisa-
       tion haben die Menschen an die Existenz irgendeiner
       Gottheit geglaubt. Deshalb muß es ein übernatürliches
       Wesen geben.

In diesem Zusammenhang müssen zwei Fragen gestellt
werden. Erstens: Gibt es irgendeinen Grund, die

Menschheit als ganze für eine theologische Autorität zu halten, selbst wenn es die angebliche Übereinstimmung geben sollte? Zweitens: Aufgrund welcher Erfahrungsdaten ist die Menschheit als ganze zu der Konklusion gekommen, daß Gott existiert? Wie wir gesehen haben, muß eine verläßliche Autorität ihr Urteil auf Tatsachen gründen. Daher kann das Argument aus der Übereinstimmung nicht der einzige Grund für den Glauben an die Existenz Gottes sein, denn andernfalls würde es logisch inkorrekt sein.

Zusammenfassend kann man sagen, daß Argumente der Form (b) korrekt und Argumente der Form (a) fehlerhaft sind. Unberechtigte Berufungen auf Autorität stützen sich gewöhnlich auf das Gefühl und nicht auf Tatsachen.

25. Das Argument gegen den Mann

Das *Argument gegen den Mann*[4] [argument against the man] ist ein Argumenttyp, nach dem man schließt, daß eine Aussage falsch ist, weil sie von einer bestimmten Person gemacht worden ist. Es steht in einem engen Zusammenhang mit dem Argument aus der Autorität, im Gegensatz zu diesem ist es aber negativ und nicht positiv. Im Argument aus der Autorität wird die Tatsa-

4 Das Argument gegen den Mann steht in einem engen Zusammenhang, ist aber nicht identisch mit dem traditionellen *Argumentum ad hominem*. Diese Abweichung von der Tradition findet ihre Begründung in der Symmetrie zwischen dem Argument aus der Autorität und dem Argument gegen den Mann sowie in der Tatsache, daß das Argument gegen den Mann auf einen statistischen Syllogismus zurückführbar ist.

che, daß eine bestimmte Person *p* behauptet, als Beweis
dafür angesehen, daß *p* wahr ist. Im Argument gegen
den Mann wird die Tatsache, daß eine bestimmte Person *p* behauptet, als Beweis dafür angesehen, daß *p*
falsch ist.

Die Analyse des Arguments aus der Autorität zeigte
uns, daß es in eine induktiv korrekte Form umgewan-
delt werden kann, nämlich in einen Spezialfall des
statistischen Syllogismus. Dazu war es notwendig, eine
Prämisse der Form »*x* ist bezüglich *p* eine verläßliche
Autorität« hinzuzufügen. Wir haben dann die charakteristischen Eigenschaften einer verläßlichen Autorität
untersucht. Mit dem Argument gegen den Mann kann
man in ähnlicher Weise verfahren. Zu diesem Zweck
brauchen wir eine entsprechende Prämisse, in der der
Begriff einer *verläßlichen Anti-Autorität* vorkommt.
Eine verläßliche Anti-Autorität bezüglich eines
bestimmten Gegenstands ist eine Person, die beinahe
immer falsche Aussagen über diesen Gegenstand
macht. Wir erhalten die folgende, induktiv korrekte
Argumentform:

(a)   *x* ist bezüglich *p* eine verläßliche Anti-Autorität.
       x behauptet, daß *p*.
       ∴ Nicht-*p* (d. h., *p* ist falsch).

Genauso wie das Argument aus der Autorität ist auch
dies ein Spezialfall des statistischen Syllogismus. Es
kann folgendermaßen umgeschrieben werden:

(b)   Die überwiegende Mehrzahl der von *x* über den Gegen-
       stand *S* gemachten Aussagen sind falsch.
       p ist eine von *x* über den Gegenstand *S* gemachte Aus-
       sage.
       ∴ *p* ist falsch.

Es muß betont werden, daß eine verläßliche Anti-Autorität nicht einfach jemand ist, der keine verläßliche Autorität ist. Man kann zwar nicht damit rechnen, daß eine Person, die keine verläßliche Autorität ist, die meiste Zeit recht hat. Das ist aber etwas ganz anderes, als wenn sie fortwährend unrecht hat. Eine unzuverlässige Autorität ist eine Person, auf die man sich in keiner Weise verlassen kann. Wenn sie eine Aussage macht, dann kann man daraus weder deren Wahrheit noch deren Falschheit ableiten.

Schema (a) ist, wie wir gesagt haben, induktiv korrekt, ob ihm aber irgendeine Nützlichkeit zukommt, hängt davon ab, ob es überhaupt verläßliche Anti-Autoritäten gibt. Es würde unbrauchbar sein, wenn die erste Prämisse niemals erfüllt wäre. Wenn es auch nicht viele Fälle gibt, in denen wir mit Sicherheit sagen können, daß eine bestimmte Person eine verläßliche Anti-Autorität ist, so scheint es doch wenigstens eine Art von verläßlichen Anti-Autoritäten zu geben, nämlich die *Sonderlinge der Wissenschaft*.[5] Sie können durch verschiedene charakteristische Merkmale identifiziert werden.

1. Sie mißbilligen gewöhnlich die gesamte etablierte Wissenschaft oder einen Zweig derselben vollkommen.
2. Sie kennen normalerweise die Wissenschaft nicht, die sie mißbilligen.
3. Ihnen sind gewöhnlich die wissenschaftlichen Kommunikationsmittel verschlossen. Ihre Theorien werden selten in wissenschaftlichen Zeitschriften veröffentlicht oder vor wissenschaftlichen Gesellschaften vorgetragen.

5 Für interessante Untersuchungen über viele Sonderlinge der Wissenschaft vgl. Martin Gardner, *Fads and Fallacies in the Name of Science*, New York: Dover Publications, 1957.

4. Sie interpretieren die Ablehnung ihrer Ansichten durch die Wissenschaftler als Folge der Voreingenommenheit und der Engstirnigkeit des wissenschaftlichen Establishments.
5. Ihre Opposition gegenüber der etablierten Wissenschaft rührt normalerweise von einem wirklichen oder eingebildeten Konflikt zwischen der Wissenschaft und irgendeiner außerwissenschaftlichen – religiösen, politischen oder moralischen – Lehre her.

Eine »wissenschaftliche« Theorie, die von einer Person vertreten wird, auf die die eben angeführten Merkmale zutreffen, ist aller Wahrscheinlichkeit nach falsch.

Bedeutende wissenschaftliche Neuerer schlagen zwar auch Theorien vor, die äußerst ungewöhnlich sind, und stoßen damit auf den energischen Widerstand von seiten der Mehrheit der Wissenschaftler ihrer Zeit. Trotzdem sind sie unseren Kriterien nach keine Sonderlinge. So sind zum Beispiel die im hohen Maße originellen wissenschaftlichen Theoretiker im Gegensatz zu dem zweiten oben angeführten charakteristischen Merkmal völlig vertraut mit den Theorien, die sie ersetzen möchten. Außerdem müssen wir darauf hinweisen, daß wir *nicht* behauptet haben, daß das Schema (a) deduktiv gültig ist. Die Tatsache, daß eine Aussage von einer verläßlichen Anti-Autorität stammt, beweist nicht schlüssig, daß sie falsch ist. Wir können nicht mit Sicherheit behaupten, daß kein Sonderling der Wissenschaft jemals ein bedeutendes wissenschaftliches Ergebnis hervorbringen wird.

Obwohl das Argument gegen den Mann die induktiv korrekte Form (a) besitzt, wird es häufig falsch angewendet. Diese falschen Verwendungen bestehen für gewöhnlich darin, daß man, anstatt logisch korrekt zu argumentieren, an das Gefühl appelliert. Anstatt zu zeigen, daß derjenige, der eine Aussage macht, eine verläßliche Anti-Autorität ist, versucht man, ihn schlechtzumachen, indem man seine Person, seinen Charakter oder seine Herkunft attackiert. An die Stelle der ersten Prämisse von (a) tritt der Versuch, eine ablehnende Einstellung hervorzurufen. Zum Beispiel:

(c) In den dreißiger Jahren lehnte die Kommunistische Partei Rußlands die genetischen Theorien von Gregor Mendel, eines österreichischen Mönches, als »bourgeoisen Idealismus« ab. Wenn ein Parteiredner je sagen sollte: »Die Theorie Mendels muß als das Produkt eines mönchischen bourgeoisen Geistes betrachtet werden«, dann hätte er sich einer fehlerhaften Verwendung des Arguments gegen den Mann schuldig gemacht.

Es ist vollkommen klar, daß die nationale, soziale und religiöse Herkunft desjenigen, der eine Theorie aufstellt, für deren Wahrheit oder Falschheit ohne Bedeutung ist. Die Tatsache, daß Mendel ein österrreichischer Mönch gewesen ist, macht ihn nicht zu einer verläßlichen Anti-Autorität innerhalb der Genetik. Die Ablehnung von Mendels Theorie aus diesen Gründen ist ein klarer Fall des Erregens negativer Gefühle und nicht des Vorbringens von Gegengründen. Sie ist ebenfalls ein Beispiel für den *genetischen Fehlschluß* (Abschnitt 3). Eine subtilere Form des gleichen Fehlschlusses kann man wie folgt veranschaulichen:

(d) Jemand könnte behaupten, daß es in Platons philosophischen Schriften vom Standpunkt der Psychoanalyse aus gesehen deutliche Hinweise darauf gibt, daß er an einem ungelösten Ödipuskomplex litt und daß seine Theorien

auf dem Hintergrund seiner neurotischen Persönlichkeit
erklärt werden können. Es wird dann zu verstehen gegeben, daß man Platons philosophische Schriften nicht
ernst zu nehmen brauche, weil sie auf diese Weise
erklärt werden.

Selbst unter der Voraussetzung, daß Platon einen Ödipuskomplex hatte, bleibt die Frage bestehen, ob seine
philosophischen Lehren wahr sind. Man kann sie nicht
wegerklären, indem man auf diese psychologischen
Ursachen verweist. Die Tatsache, daß jemand einen
Ödipuskomplex hat, macht ihn noch nicht zu einer
verläßlichen Anti-Autorität.

So wie das Argument aus der Übereinstimmung ein
Spezialfall des Arguments aus der Autorität ist, so gibt
es ein *negatives Argument aus der Übereinstimmung*,
das ein Spezialfall des Arguments gegen den Mann ist.
Nach dieser Argumentform muß eine Konklusion ver-
worfen werden, weil sie von einer Gruppe akzeptiert
wird, die ein negatives Prestige besitzt. Zum Beispiel:

(e) Die chinesischen Kommunisten glauben, daß verheirate-
     te Frauen das Recht haben sollten, ihren Geburtsnamen
     beizubehalten.

∴ Verheiratete Frauen sollten gezwungen werden, den
     Geburtsnamen ihres Ehegatten anzunehmen.

Dieses Argument ist offenbar ein Versuch, negative
Einstellungen gegenüber bestimmten Aspekten der
Gleichberechtigung der Frau hervorzurufen.

Es gibt ein fundamentales Prinzip, das sowohl für das
Argument aus der Autorität als auch für das Argument
gegen den Mann gilt. Wenn tatsächlich mit hoher Wahrscheinlichkeit ein Zusammenhang zwischen der Wahrheit oder Falschheit einer Aussage und der Person

besteht, die sie gemacht hat, dann kann man diesen Zusammenhang in einem korrekten induktiven Argument verwenden. Man muß ihn in der ersten Prämisse eines statistischen Syllogismus zum Ausdruck bringen. Jede Argumentation, in der aus den charakteristischen Merkmalen der Person, die eine Aussage gemacht hat, auf die Wahrheit oder Falschheit dieser Aussage geschlossen wird, ohne daß der oben erwähnte wahrscheinliche Zusammenhang besteht, ist unweigerlich inkorrekt. Diese fehlerhaften Argumentationen sind häufig Beispiele für den *genetischen Fehlschluß* (Abschnitt 3). Beispiel (c) aus Abschnitt 3 und auch Beispiel (c) aus diesem Abschnitt verdeutlichen diesen Punkt.

26. Der Analogieschluß

Der Analogieschluß ist eine häufig angewandte Form eines induktiven Arguments. Er gründet sich auf einen Vergleich zwischen Dingen zweier verschiedener Arten. Man weiß, daß die Dinge der einen Art den Dingen der anderen Art in gewisser Hinsicht gleichen. Weiter weiß man, daß die Dinge der ersten Art eine bestimmte Eigenschaft besitzen; man weiß aber nicht, ob auch die Dinge der zweiten Art diese Eigenschaft besitzen. Der Analogieschluß besteht nun darin, daß man aus der Tatsache, daß sich die Dinge der zwei verschiedenen Arten in bestimmter Hinsicht gleichen, schließt, daß sie sich auch in anderer Hinsicht gleichen. Auf diese Weise kommt man zu der Schlußfolgerung, daß auch die Dinge der zweiten Art die Eigenschaft

haben, von der man schon weiß, daß die Dinge der
ersten Art sie besitzen. Zum Beispiel:

(a)   In der Arzneimittelforschung führt man Experimente
mit Ratten durch, um die Wirkungen eines neuen Medikaments auf den Menschen festzustellen. Ein Forscher
entdeckt, daß sich bei den Ratten, denen das neue
Medikament verabreicht wurde, unerwünschte Neben-
wirkungen einstellen. Der Analogieschluß erlaubt es
ihm jetzt zu argumentieren, daß das neue Medikament
wahrscheinlich auch dann unerwünschte Nebenwirkun-
gen haben wird, wenn es von Menschen eingenommen
wird, weil sich Ratten und Menschen, physiologisch
gesehen, ziemlich ähnlich sind.

Diese Art zu argumentieren kann man folgendermaßen
schematisieren:

(b)   Dinge der Art X besitzen die Eigenschaften G, H usw.
Dinge der Art Y besitzen die Eigenschaften G, H usw.
Dinge der Art X besitzen die Eigenschaft F.
∴ Dinge der Art Y besitzen die Eigenschaft F.

In dem Argument (a) sind Ratten die Dinge der Art X
und Menschen die Dinge der Art Y. G, H usw. sind die
physiologischen Eigenschaften, die Ratten und Menschen gemeinsam besitzen. F ist die Eigenschaft des
Auftretens unerwünschter Nebenfolgen nach Einnahme
des Medikaments.
Wie andere Arten induktiver Argumente kann auch der
Analogieschluß ein mehr oder weniger starkes Argument sein. Die Überzeugungskraft eines Analogieschlusses hängt vor allem von den Ähnlichkeiten zwischen den zwei verglichenen Arten von Dingen ab.
Dinge verschiedener Arten sind immer in vieler Hinsicht gleich, in vieler anderer Hinsicht ungleich. Die
entscheidende Frage für Analogieschlüsse ist: Sind die

Dinge, die man vergleicht, auf eine Weise einander
ähnlich, die für das Argument *relevant* ist? Je mehr
relevante Ähnlichkeiten es gibt, desto stärker ist das
Argument aus der Analogie. Und entsprechend nimmt
die Überzeugungskraft des Arguments aus der Analogie ab, wenn die Zahl der *relevanten Unähnlichkeiten*
wächst. Ratten und Menschen sind sich zwar in vieler
Hinsicht vollkommen unähnlich, aber die Frage, um die
es in (a) geht, ist eine physiologische Frage, so daß für
das betreffende Argument nur die physiologischen
Ähnlichkeiten wesentlich sind und von den nicht-
physiologischen Unähnlichkeiten abgesehen werden
kann.

Wir führen im folgenden einige weitere Beispiele an.

(c)   Viele Jahre lang wurde in der Debatte über die öffentli-
      che Verschuldung eine Analogie zwischen der Wirt-
      schaftspolitik des Staates und dem Finanzgebaren der
      privaten Haushalte gezogen. Es ist offensichtlich, so
      argumentierte man, daß es nur zu ihrem finanziellen
      Ruin führen kann, wenn sich eine Familie immer weiter
      verschuldet. Und genauso, schlossen sie, kann die Poli-
      tik fortwährender Verschuldung durch die öffentliche
      Hand nur in einem Staatsbankrott enden.

Zwischen diesen beiden Fällen öffentlicher und privater
Haushaltsführung gibt es freilich zahlreiche, höchst
bedeutsame Unterschiede. Um nur ein paar zu nennen:
Der Bund besitzt das ausschließliche Gesetzgebungs-
recht über das Geld- und Münzwesen, er erhebt Steuern
und kontrolliert die Höhe der Zinsen. Diese Macht
besitzt ein Familienoberhaupt nicht.

(d)   Einige Pazifisten haben mit folgenden Vergleichen dafür
      argumentiert, daß Krieg niemals ein geeignetes Mittel

ist, um zu Frieden, Gerechtigkeit und Brüderlichkeit zu kommen. Wer Weizen sät, erntet Weizen. Wer Mais sät, erntet Mais. Wer Disteln sät, erwartet nicht, daß Erdbeeren entstehen. Genauso, wer Haß und Zwietracht sät, kann nicht erwarten, daß Frieden, Gerechtigkeit und Brüderlichkeit entstehen. Der Ausspruch »Für den Frieden zu kämpfen ist dasselbe wie für die Keuschheit zu huren« scheint dieses Argument kurz und bündig wiederzugeben.

Wegen der enormen Unterschiede zwischen den verschiedenen Arten des »Säens« in diesem Beispiel besteht hier nur eine sehr schwache Analogie.

Der *teleologische Gottesbeweis* [the *design argument*] – der wahrscheinlich am häufigsten als Argument für die Existenz Gottes benutzt wird – wird oft ausdrücklich in der Form eines Analogieschlusses geführt.

(e)   »Ich [Cleanthes] will kurz darlegen, wie ich diese Sache sehe. Blick dich um in der Welt; betrachte sie insgesamt und jeden ihrer Teile. Du wirst finden, daß sie nichts anderes als eine einzige große Maschine ist, unterteilt in eine unendliche Anzahl kleinerer Maschinen, die wiederum Unterteilungen enthalten – bis zu einem Punkt, an dem menschliche Sinne und Fähigkeiten nichts mehr entdecken oder erklären können. Alle diese verschiedenen Maschinen und selbst ihre kleinsten Teile sind einander mit einer Genauigkeit angepaßt, die jeden, der sie betrachtet, in höchste Bewunderung versetzt. Die erstaunliche Art und Weise, wie Mittel und Zwecke in der ganzen Natur einander angepaßt sind, findet sich genauso – wenngleich nicht in einer derartig starken Ausprägung – bei den Produkten menschlicher Tätigkeit: menschlicher Planung, Erfindung, Klugheit und Intelligenz. Da also die Wirkungen einander gleichen, gelangen wir nach allen Regeln der Analogie zu dem Schluß, daß auch die Ursachen einander gleichen und daß der Urheber der Natur dem Geist des Menschen einigermaßen ähnlich ist – wenngleich er, der Erhabenheit seines Werkes entsprechend, im Besitz viel größerer Fähigkeiten sein muß. Durch dieses Argument [...] allein beweisen wir zugleich die Existenz einer Gottheit und ihre Ähnlichkeit mit menschlichem Geist und Verstand.«[6]

Die Analyse dieses Analogieschlusses ist eine schwierige Angelegenheit, auf die wir hier nicht eingehen werden. Humes *Dialoge* enthalten eine äußerst aufschlußreiche Untersuchung dieses Arguments. An der gleichen Stelle gibt Hume einige weitere Beispiele.

(f)   »[...] wo es im geringsten an der Gleichartigkeit der Fälle fehlt, da nimmt die Stärke des Beweises entsprechend ab – bis hin zu dem Punkt einer äußerst schwachen Analogie, die, wie jeder zugibt, Irrtum und Ungewißheit unterliegt. Nachdem wir den Blutkreislauf bei menschlichen Wesen beobachtet haben, zweifeln wir nicht, daß Titus und Mävius ihn haben. Doch aus dem Blutkreislauf bei Fröschen und Fischen ergibt sich lediglich eine auf Analogie gestützte, wenn auch starke Vermutung, daß es ihn bei Menschen und anderen Lebewesen gibt. Der Analogiebeweis ist bedeutend schwächer, wenn wir aus der Beobachtung des Blutkreislaufs bei Tieren auf den Saftkreislauf bei Pflanzen schließen; und wer dieser unvollkommenen Analogie übereilt Vertrauen schenkt, wird durch genauere Beobachtungen des Irrtums überführt.«[7]

---

6 David Hume, *Dialogues concerning Natural Religion*, Zweiter Teil [dt. *Dialoge über natürliche Religion*, übers. und hrsg. von Norbert Hoerster, Stuttgart: Reclam, 1981 (Reclams Universal-Bibliothek, 7692 [2]), S. 24 f.].
7 Ebd. [S. 25 f.].

Argumente aus der Analogie kommen in der philosophischen Literatur sehr häufig vor. Wir beschließen
diesen Abschnitt, indem wir zwei weitere, sehr gewichtige Beispiele erwähnen.

(g)   Die platonischen Dialoge enthalten eine große Anzahl
      von Argumenten aus der Analogie; der Analogieschluß
      ist einer der bevorzugtesten Argumentationsformen des
      Sokrates. So sind zum Beispiel viele der Hilfsargumente,
      die man in dem Dialog *Der Staat* finden kann, Analogie-
      schlüsse. Darüber hinaus ist das grundlegende Argu-
      ment des ganzen Werkes ein Analogieschluß. Das We-
      sen der Gerechtigkeit in der Seele des einzelnen Men-
      schen ist das, worum es in diesem Buch hauptsächlich
      geht. Um dieses Problem anzugehen, wird das Wesen
      der Gerechtigkeit im Staat sehr ausführlich untersucht –
      denn das ist die Gerechtigkeit »im Großen«. Aufgrund
      einer Analogie zwischen dem Staat und dem einzelnen
      Menschen werden Schlüsse über die Gerechtigkeit in der
      Seele des einzelnen Menschen gezogen.

(h)   Im Zusammenhang mit dem philosophischen Problem
      des *Fremdpsychischen* hat man sich häufig auf einen
      Analogieschluß berufen. Das Problem besteht in folgen-
      dem. Ein Mensch nimmt seinen eigenen Bewußtseinszu-
      stand, zum Beispiel eine Schmerzempfindung, unmittel-
      bar wahr; die Geistesverfassung eines anderen Menschen
      kann er jedoch nicht in derselben Weise empfinden. Die
      von uns allen geteilte Überzeugung, daß die anderen
      Menschen Empfindungen haben, die den unsrigen in
      vielerlei Hinsicht gleichen, muß also auf einer Schlußfol-
      gerung beruhen. Das Argument, mit dem wir unsere
      Überzeugung, daß es Fremdpsychisches gibt, rechtferti-
      gen, besteht in einem Analogieschluß. Die anderen
      Menschen verhalten sich so, als ob sie denken, zweifeln,
      sich freuen, Schmerz empfinden usw. Ihr Verhalten
      gleicht dem unsrigen, wenn wir uns in solchen Geistes-

verfassungen befinden. Nach den Regeln der Analogie kommen wir zu dem Schluß, daß diese Manifestationen bei ihnen genauso wie bei uns von Bewußtseinszuständen herrühren. Auf diese Weise versuchen wir, die Existenz von Fremdpsychischem nachzuweisen.

Das Argument aus der Analogie veranschaulicht noch einmal die erhebliche Bedeutung, die die Information für induktive Argumente besitzt, die über die in den Prämissen gegebene Information hinausgeht. Um die Stärke eines Analogieschlusses zu bewerten, muß man die Relevanz der Übereinstimmungen zwischen den Dingen der verschiedenen Arten feststellen. Ob etwas relevant ist oder nicht, läßt sich aber durch logische Überlegungen allein nicht ermitteln – für die Art von Relevanz, um die es bei den Argumenten aus der Analogie geht, ist Tatsachenwissen nicht unerheblich. Man benötigt Kenntnisse in der Biologie, um festzustellen, welche Übereinstimmungen und welche Unterschiede für ein biologisches Problem wie das in Beispiel (a) relevant sind. Und man muß über volkswirtschaftliche Informationen verfügen, um die relevanten Übereinstimmungen und Unterschiede hinsichtlich eines die Volkswirtschaft betreffenden Problems wie das in Beispiel (c) zu ermitteln. Wenn solche Argumente vorgebracht werden, dann wird, wie bei den meisten induktiven Argumenten, ein bestimmtes Quantum an Allgemeinwissen vorausgesetzt, das man berücksichtigen muß, wenn man die Stärke von Analogieschlüssen beurteilen will. Unterläßt man dies, dann verstößt man gegen die Forderung des Gesamtdatums.

27. Kausale Argumente und kausale Fehlschlüsse

Unsere allgemeinen Kenntnisse in den Wissenschaften und in den alltäglichen Dingen schließen ein Wissen über sehr viele Kausalzusammenhänge ein. Ein solches Wissen dient als Grundlage für Schlüsse von dem, was wir direkt wahrnehmen, auf das, was der unmittelbaren Beobachtung nicht zugänglich ist, es geht in kausale Erklärungen mit ein, und es ist für rationales menschliches Verhalten unverzichtbar. Zum Beispiel:

(a)   Eine Leiche wird aus dem Fluß gezogen, und ein Pathologe nimmt eine Autopsie vor, um die Todesursache festzustellen. Indem er den Inhalt der Lungen und des Magens genau prüft, das Blut analysiert und die anderen Organe untersucht, stellt er fest, daß der Tote nicht ertrunken ist, sondern vergiftet wurde. Sein Schluß gründet sich auf eine umfassende Kenntnis der physikalischen Wirkungen verschiedenartiger Ursachen.

In diesem Fall wird aus den beobachteten Wirkungen auf die Ursachen geschlossen. Es gibt umgekehrt auch Fälle, in denen von den beobachteten Ursachen auf bestimmte Wirkungen geschlossen wird.

(b)   Ein Förster beobachtet, wie ein Blitz in ein ausgetrocknetes Waldgebiet einschlägt. Aufgrund seiner Kenntnis der Kausalzusammenhänge kommt er zu dem Schluß, daß ein Waldbrand ausbrechen wird.

Manchmal liegt es im Bereich unserer Möglichkeiten, etwas hervorzurufen, was wiederum eine von uns beabsichtigte Wirkung hervorbringt.

(c)   Man streut kleine Silberjodidkristalle in die Wolken, um die Bildung von Wassertröpfchen zu unterstützen, die dann als Regen niedergehen.

In Beispiel (c), wie auch in (b), haben wir es mit einem Schluß von einer Ursache auf eine Wirkung zu tun, der sich auf ein Wissen über Kausalzusammenhänge stützt. Darüber hinaus liegt uns in den vorhergehenden Beispielen eine Erklärung der Wirkung vor. Das Opfer starb, *weil* es Gift einnahm, der Waldbrand brach aus, *weil* ein Blitz einschlug, und es regnete, *weil* die Wolken mit Silberjodid durchsetzt wurden.

Unabhängig von dem Zweck, den man mit solchen Schlüssen verfolgt, hängt die Verläßlichkeit der Konklusionen von der Existenz bestimmter Kausalzusammenhänge ab. Wenn wir zum Zweck der logischen Analyse diese Schlüsse in Argumente umformen, müssen wir Prämissen einbeziehen, in denen das Bestehen der geeigneten Kausalzusammenhänge behauptet wird. Man betrachte das folgende Argument:

(d)   Frau Smith wurde während ihrer Schwangerschaft von
      Fledermäusen erschreckt.
  ∴ Das Baby von Frau Smith wird »gezeichnet« sein.

In dieser Form ist dieses Argument weder deduktiv gültig noch induktiv korrekt, denn es muß eine Prämisse haben, in der behauptet wird, daß zwischen dem Erschrecktwerden und dem »Gezeichnetsein« eines erwarteten Babys ein Kausalzusammenhang besteht.

(e)   Wenn eine werdende Mutter erschreckt wird, dann wird
      ihr Baby »gezeichnet« sein.
      Frau Smith wurde während ihrer Schwangerschaft von
      Fledermäusen erschreckt.
  ∴ Das Baby von Frau Smith wird »gezeichnet« sein.

Das Argument ist jetzt logisch korrekt, es ist tatsächlich deduktiv gültig. Die erste Prämisse ist zwar falsch, aber das ist nicht Sache der Logik.

Erst wenn wir uns den Argumenten zuwenden, die man zur Begründung der Aussagen über Kausalzusammenhänge vorbringt, kommen wichtige logische Überlegungen ins Spiel. Hier stößt man auf grundlegende logische Irrtümer, die wir als »kausale Fehlschlüsse« bezeichnen werden. Mancher Aberglaube, wie der, der in der ersten Prämisse von (e) zum Ausdruck kommt, besteht in einer falschen Auffassung von Kausalzusammenhängen, und viele dieser Irrtümer beruhen auf logisch fehlerhaftem Denken. Die weite Verbreitung des Aberglaubens bestätigt den Einfluß kausaler Fehlschlüsse; die logischen Fehler beschränken sich aber nicht auf die Fälle von Aberglauben.

Es sei jedoch vorsichtshalber auf folgendes hingewiesen: Der Begriff eines Kausalzusammenhangs ist tatsächlich schwierig; es gibt eine lebhafte philosophische Debatte über die korrekte Analyse und die Methode der wissenschaftlichen Erkenntnis von Kausalzusammenhängen. Glücklicherweise sind die kausalen Fehlschlüsse, mit denen wir uns befassen werden, so elementar, daß ihre Identifikation von den Feinheiten einer exakten Analyse von Kausalzusammenhängen unabhängig ist.

Den ersten solcher kausalen Fehlschlüsse hat man in der Tradition als *Post hoc ergo propter hoc* bezeichnet (was man wiedergeben kann als »nach diesem Ereignis, folglich aufgrund dieses Ereignisses«); wir werden ihn den *Post-hoc-Fehlschluß* nennen. Dieser Fehlschluß besteht darin, zu schließen, daß *B* durch *A* verursacht wurde, nur weil *B* auf *A* zeitlich folgte. Volkstümliche Vorstellungen über die Mittel zur Heilung von Krankheiten beruhen häufig auf dem Post-hoc-Fehlschluß.

(f)   Onkel Harry fühlte, daß eine Erkältung im Anzug war,
       und trank deshalb einige Schnäpse.
       Das machte ihn schnell wieder gesund.

In diesem Fall hält man das Trinken der Schnäpse für
die Ursache der Genesung, obwohl das einzige, was wir
beobachten konnten, war, daß die Erkältung abklang,
nachdem er getrunken hatte. Die Tatsache, daß Erkältungen im allgemeinen unabhängig von einer Behandlung nur wenige Tage andauern – tatsächlich werden die
meisten beginnenden Erkältungen niemals akut –,
macht es leicht, allen möglichen Dingen heilsame
Kräfte zuzuschreiben, die in Wirklichkeit wertlos sind.
Der Fehlschluß wird natürlich psychologisch verstärkt,
wenn seine Konklusion erfreulich ist.
Der Post-hoc-Fehlschluß wird häufig mit dem Fehlschluß der unzureichenden Statistik verbunden, wie
zum Beispiel in (f). Das ist aber nicht notwendigerweise
so.

(g)   Es wird berichtet, daß die alten Chinesen der Überzeu-
       gung waren, daß eine partielle Mondfinsternis darauf
       zurückzuführen ist, daß ein Drache gerade dabei ist, den
       Mond zu verschlingen. Sie brannten Feuerwerkskörper
       ab, um den Drachen zu verscheuchen, der den Mond
       dann zurückließ. Ihre Versuche waren immer erfolg-
       reich, denn der Mond nahm immer wieder zu. Sie zogen
       den Schluß, daß ein Kausalzusammenhang zwischen
       dem Abbrennen von Feuerwerkskörpern und dem Zu-
       nehmen des Mondes besteht.

Dieses Beispiel enthält sehr viele Daten, es handelt sich
also nicht um einen Fall der unzureichenden Statistik;
nichtsdestoweniger ist es ein Beispiel eines Post-hoc-
Fehlschlusses.
Der Post-hoc-Fehlschluß besteht in der Annahme eines

Kausalzusammenhangs aufgrund von inadäquaten Beobachtungdaten; das führt dazu, daß man ein zufälliges Zusammentreffen irrtümlich für einen Kausalzusammenhang hält. Das Problem, zwischen einem Kausalzusammenhang und einem bloß zufälligen Zusammentreffen zu unterscheiden, ist nicht ganz einfach. Es besitzt zudem eine große praktische Bedeutung. Zum Beispiel:

(h)   Sprecher der Tabakindustrie haben wiederholt versichert, daß kein Kausalzusammenhang zwischen dem Rauchen von Zigaretten und dem Auftreten von Lungenkrebs (sowie auch anderer schwerer Krankheiten) wirklich bewiesen worden ist, sondern bloß ein statistischer Zusammenhang. Die meisten medizinischen Sachverständigen scheinen anderer Meinung zu sein, denn sie behaupten weiterhin, daß ein echter Kausalzusammenhang nachgewiesen worden ist.

Es liegt auf der Hand, daß diese Streitfrage sehr wichtig ist für jemanden, der darüber nachdenkt, ob er das Rauchen aufgeben soll.
Wenn wir schon vom Rauchen sprechen:

(i)   Es wird häufig argumentiert, daß das Rauchen von Marihuana deshalb unerwünscht ist, weil es zum Gebrauch von »harten« Drogen führt (unabhängig davon, ob es an sich schädlich ist oder nicht). Als Begründung wird darauf hingewiesen, daß fast alle Heroinsüchtigen mit Marihuana angefangen haben. Aber selbst wenn das zutrifft, folgt daraus nicht, daß der Gebrauch von Marihuana dies tatsächlich verursacht hat, denn wir wissen nicht, ob diese Leute nicht auch dann heroinsüchtig geworden wären, wenn sie kein Marihuana geraucht hätten.

Dies sollte man in Betracht ziehen, wenn es um die Frage der Legalisierung von Marihuana geht.
Die weitverbreiteten psychotherapeutischen Behandlungen liefern ein weiteres Beispiel.

(j) Viele Menschen, die sich einer psychotherapeutischen Behandlung unterziehen, erfahren eine beachtliche Abnahme oder sogar eine vollständige Beseitigung ihrer neurotischen Symptome. Man könnte deshalb argumentieren, daß die psychotherapeutische Behandlung für die Verbesserung verantwortlich ist. Es ist aber allgemein bekannt, daß viele neurotische Symptome unabhängig von einer Behandlung spontan verschwinden. Man muß sich deshalb die Frage stellen, ob die Symptome aufgrund der Behandlung verschwunden sind oder ob sie auch von ganz allein verschwunden wären.

Diese Frage ist für denjenigen von großer Bedeutung, der mit dem Gedanken spielt, Tausende von Dollar für eine umfangreiche psychiatrische Behandlung auszugeben.
Das grundlegende Verfahren, das man anwendet, um herauszufinden, ob man es mit einem Kausalzusammenhang und keinem bloß zufälligen Zusammentreffen zu tun hat, besteht in einem Experiment unter kontrollierten Bedingungen. Um festzustellen, ob die Psychotherapie irgendeine Heilwirkung besitzt, muß man die Anzahl der Menschen, die während der Behandlung (oder kurz danach) eine Verbesserung erfahren, mit der Anzahl der Fälle vergleichen, in denen ein spontaner Rückgang der Krankheitserscheinungen vorliegt. Wenn dieses Verhältnis gleich ist, dann läßt das darauf schließen, daß der Therapie keine kausale Wirksamkeit zukommt.

Die Verwendung von experimentellen Überprüfungen wird ferner durch das Problem der Heilmittel gegen Erkältungen erläutert. Ich bezweifle, daß irgend jemand ernsthaft glaubt, daß das Trinken von Schnäpsen wirklich hilft, aber eine Zeitlang hat man heftig über den Wert von Vitamin C für die Vorbeugung und/oder Heilung von Erkältungen gestritten. Verschiedene Studien schienen nachzuweisen, daß es einen solchen therapeutischen Wert nicht besitzt, aber vor kurzem hat Dr. Linus Pauling, ein mit dem Nobelpreis ausgezeichneter Chemiker, ein Buch veröffentlicht, in dem er nachdrücklich für die Wirksamkeit von Vitamin C argumentiert.[8] Unabhängig davon, wer recht hat, muß man die Sache auf die folgende Weise entscheiden. Man wählt zwei gleiche Gruppen von Individuen aus. Den Mitgliedern der einen Gruppe verabreicht man Vitamin C, denen der anderen nicht. Es ist natürlich wichtig, daß die einzelnen Personen nicht wissen, ob sie Vitamin C bekommen, denn der Einfluß der Suggestion ist groß. Wir beobachten beide Gruppen, um festzustellen, ob in einer davon Erkältungen weniger häufig auftreten oder ob sie von geringerer Dauer und Schwere sind. Wenn die Gruppe, deren Mitgliedern man Vitamin C gegeben hat, dabei auffällig besser abschneidet, dann stützt das die Behauptung, daß Vitamin C tatsächlich bei der Vorbeugung oder Heilung von Erkältungen hilft. Wenn man keine nennenswerten Unterschiede zwischen den beiden Gruppen feststellen kann, dann spricht das gegen die kausale Wirksamkeit von Vitamin C.[9]

8 *Vitamin C and the Common Cold*, San Francisco: W. H. Freeman, 1970.
9 Üblicherweise führt man John Stuart Mills Methoden der experimen-

Die alten Chinesen hätten ein Experiment durchführen können, indem sie einmal oder mehrere Male bei einem abnehmenden Mond auf das Abbrennen von Feuerwerkskörpern verzichtet hätten, um zu sehen, ob tatsächlich ihr Lärmen das Zunehmen des Mondes verursachte. Natürlich, sie hätten es möglicherweise abgelehnt, sozusagen das Risiko, den Mond zu verlieren, einzugehen. Dies veranschaulicht eines der praktischen Probleme, die mit einem Experiment unter kontrollierten Bedingungen verbunden sind. Wer will schon zu der Gruppe mit dem höheren Anteil an Karies gehören?

Die zwei verbleibenden kausalen Fehlschlüsse bestehen darin, daß man sich über die Art des Kausalzusammenhangs täuscht. In beiden wird aus der Tatsache, daß *A* und *B* in einer Kausalbeziehung stehen, der Schluß gezogen, daß *A* die Ursache von *B* ist.

Der zweite kausale Fehlschluß ist der *Fehlschluß der Verwechslung von Ursache und Wirkung*. Selbst wenn zwischen zwei Ereignissen ein echter Kausalzusammenhang besteht, so ist es immer noch möglich, daß man die Ursache für die Wirkung und die Wirkung für die Ursache hält.

tellen Forschung als Verfahren an, mit denen man das Bestehen von Kausalzusammenhängen nachweisen kann (für eine klare Darstellung vgl. Copi, *Introduction to Logic*). Das Experiment unter kontrollierten Bedingungen verbindet seine *Methode der Übereinstimmung* mit seiner *Methode des Unterschieds*, genauso wie er es in seiner *Methode der Vereinigung* beschrieben hat, und es bezieht häufig seine *Methode der veränderten Begleitumstände* mit ein. Das Experiment unter kontrollierten Bedingungen scheint die wertvollen Einsichten zu verkörpern, die Mill in seinen berühmten Methoden zum Ausdruck brachte. Wir werden im nächsten Abschnitt auf das Problem der Methoden für den Nachweis von Kausalzusammenhängen näher eingehen.

(k)   Ein englischer Reformer des 19. Jahrhunderts bemerkte,
      daß die Landwirte, die in allem maßvoll und fleißig
      waren, wenigstens eine oder zwei Kühe besaßen. Die,
      die keine besaßen, waren für gewöhnlich faul und trunk-
      süchtig. Er machte den Vorschlag, all den Landwirten
      eine Kuh zu geben, die noch keine besaßen, um sie in
      allem maßvoll und fleißig zu machen.

Hier ist ein weiteres Beispiel für denselben Fehlschluß:

(l)   Eine junge Frau, die sich auf einen Magistergrad vorbe-
      reitete, las in einer wissenschaftlichen Arbeit über das
      Sexualverhalten, daß Intellektuelle es im allgemeinen
      vorziehen, während des Sexualverkehrs das Licht anzu-
      lassen, während die Nichtintellektuellen es lieber haben,
      wenn das Licht ausgeschaltet ist. Da ihre Prüfungen kurz
      bevorstanden, verlangte sie von da an, daß das Licht
      angeschaltet blieb, in der Hoffnung, daß dies ihre Aus-
      sichten, die Prüfungen zu bestehen, verbessern würde.

Der dritte kausale Fehlschluß ist der *Fehlschluß der
gemeinsamen Ursache*. Zwischen zwei Ereignissen kann
ein Kausalzusammenhang bestehen, obwohl keines dieser Ereignisse die Ursache des anderen ist; statt dessen
können beide Ereignisse Wirkungen eines dritten
Ereignisses sein, welches die Ursache von jedem von
ihnen ist. Zum Beispiel:

(m)   Sturmwetterlagen können bewirken, daß das Barometer
      fällt und der Fluß ansteigt. Das Fallen des Barometers ist
      aber nicht die Ursache des Ansteigens des Flusses. Ge-
      nausowenig ist das Ansteigen des Flusses die Ursache
      dafür, daß der Barometerstand sinkt.

Es ist möglich, daß man zu der falschen Auffassung
gelangt, daß eine der beiden Wirkungen der gemeinsamen Ursache die Ursache der anderen Wirkung ist,
während man dem dritten Ereignis, das die gemeinsame

Ursache von beiden bildet, keinerlei Beachtung schenkt. Wahrscheinlich begeht niemand diesen Fehler im Fall des Barometers und des Flusses, in anderen Fällen kommt er aber vor.

(n) Die Leute behaupten, daß das Fernsehen die herrschende Moral verdirbt. In Wirklichkeit gibt es wahrscheinlich alles durchdringende Kultureinflüsse, die sowohl für die übliche Fernsehkost als auch für den moralischen Verfall verantwortlich sind. Es ist ziemlich klar, daß man von einer einschneidenden Änderung des Fernsehprogramms keine moralische Erneuerung erwarten kann.

(o) John, ein Neuling im College, stottert fürchterlich und ist Mädchen gegenüber sehr schüchtern. Sein Zimmergenosse rät ihm, sich einer Sprachbehandlung zu unterziehen, damit er vom Stottern geheilt wird und, als Folge davon, im Umgang mit Mädchen nicht mehr so unbeholfen ist. Johns Zimmergenosse glaubt, daß das Stottern die Ursache der Schüchternheit gegenüber Mädchen ist. In Wirklichkeit sind sowohl das Stottern als auch die Schüchternheit Symptome eines zugrunde liegenden psychologischen Problems.

Der Fehlschluß der gemeinsamen Ursache ist auch von praktischer Bedeutung; er verleitet die Menschen dazu, Symptome mit zugrunde liegenden Ursachen zu verwechseln. Wenn wir bestimmte Mißstände wie zum Beispiel den Rassismus oder die Jugendkriminalität beseitigen wollen, dann ist es wichtig, daß man die wirklichen Ursachen kennt und sich mit diesen befaßt, anstatt daß man versucht, bloß die Symptome in den Griff zu bekommen.

28. Hypothesen

Die Menschen haben heutzutage ganz verschiedene Einstellungen zu den Wissenschaften. Die einen rühmen die Wohltaten, die uns die atemberaubenden Fortschritte auf dem Gebiet der Technik gebracht haben, die anderen verurteilen die Atomwaffen und die Gefahren für die Umwelt, die gegenwärtig so sehr im Vordergrund stehen. In diesem Buch ist es nicht unsere Aufgabe, ein Urteil über den Nutzen der modernen Wissenschaften zu fällen; uns geht es vielmehr um das Wesen der wissenschaftlichen Erkenntnis. Gleich zu Beginn müssen wir eine klare Unterscheidung treffen zwischen der *reinen Wissenschaft*, verstanden als das Abenteuer der Suche nach Wissen, und der *angewandten Wissenschaft*, verstanden als die praktische Anwendung solchen Wissens. Den Prozeß der Kernfusion zu verstehen, den Prozeß also, durch den die Sonne unvorstellbar große Mengen von Strahlungsenergie produziert, ist eine Sache; die Entscheidung, dieses Wissen beim Bau von Wasserstoffbomben anzuwenden, ist eine ganz andere Sache. Wir müssen darauf achten, daß wir Wissenschaft und Technologie nicht miteinander verwechseln. Wie auch immer, es scheint außer Frage zu stehen, daß die Wissenschaften das umfassendste und systematischste Wissen über die Welt bereitstellen. Wir werden versuchen, die Denkprozesse zu analysieren, die bei der Bildung solchen Wissens eine Rolle spielen. Denn nur wenn wir die Anwendung der Induktion in den Wissenschaften untersuchen, können wir die Stärke und Bedeutung der induktiven Schlußverfahren richtig einschätzen.

Es ist eine Binsenweisheit, daß das Wesen der Naturwissenschaften in deren Fähigkeit besteht, aufgrund
von Beobachtungsdaten weitreichende Hypothesen
über die Natur aufzustellen. Unsere Aufgabe in diesem
Abschnitt wird es sein, die Arten induktiver Argumente
zu überprüfen, die vorgebracht werden, wenn es um die
Bestätigung oder Widerlegung wissenschaftlicher
Hypothesen mit Hilfe von Beobachtungsdaten geht.
Diese Argumente sind häufig kompliziert und schwierig
im Detail, sie besitzen aber alle eine durchgehende
logische Struktur, die einfach genug ist, um mit Gewinn
in einer relativ kurzen Abhandlung untersucht zu werden. Nichtsdestoweniger muß man wissen, daß wir uns
hier auf einem heftig umkämpften Gebiet bewegen,
denn die genaue Analyse solcher Argumente ist eines
der umstrittensten Probleme der modernen induktiven
Logik.[10]
Von Anfang an sollten wir uns über die Bedeutung des
Wortes »Hypothese« im klaren sein. Manchmal wird
zwischen Hypothesen, Theorien und Gesetzen unterschieden. Für unsere Zwecke ist es unproblematisch,
wenn wir diese Unterschiede außer acht lassen und den
Ausdruck »Hypothese« in einem so weiten Sinn benutzen, daß er sie alle mit umfaßt. In unserem Sprachgebrauch gelten also die Keplerschen *Gesetze* der Planetenbewegung und die Einsteinsche Relativitäts*theorie*
als Hypothesen. So wie wir den Ausdruck verwenden,
ist eine Aussage dann eine Hypothese, wenn sie als eine
Prämisse angesehen wird, damit ihre logischen Konsequenzen untersucht und mit den Beobachtungstatsa-

10 Vgl. Salmon, *The Foundations of Scientific Inference*, Kap. VII.

chen verglichen werden können. Wenn der Vergleich positiv ausfällt, d. h. wenn eine Konsequenz der Hypothese sich als wahr herausstellt, dann handelt es sich dabei um einen *bestätigenden Einzelfall [confirmatory instance]* der Hypothese. Wenn sich eine Konsequenz als falsch herausstellt, dann handelt es sich dabei um einen *widerlegenden Einzelfall [disconfirmatory instance]* der Hypothese. Eine Hypothese ist *bestätigt*, wenn sie durch Einzelfälle hinreichend gestützt wird. Es gibt Grade der Bestätigung; eine Hypothese kann in hohem Maße bestätigt, einigermaßen bestätigt oder ein wenig bestätigt sein. Ebenso gibt es Grade, in denen eine Hypothese durch einen bestätigenden Einzelfall gestützt wird. Ein bestätigender Einzelfall kann eine Hypothese erheblich oder nur wenig stützen; es ist sogar möglich, daß in bestimmten Situationen ein bestätigender Einzelfall die Hypothese tatsächlich überhaupt nicht stützt. Wir werden diese Dinge im folgenden untersuchen.

Aussagen der verschiedensten Arten können als Hypothesen auftreten; zum Beispiel sind einige Hypothesen generelle Verallgemeinerungen und einige statistische Verallgemeinerungen.

(a)   Gemäß dem Hookeschen Gesetz ist die Kraft, die nötig ist, um eine Formänderung an einem elastischen Körper (z. B. einer Stahlfeder) vorzunehmen, direkt proportional zum Ausmaß der Formänderung. Angenommen, man hat beobachtet, wie sich eine bestimmte Feder um einen Zoll dehnte, als man eine Kraft von fünf Kilopond darauf ausübte. Läßt man jetzt eine Kraft von zehn Kilopond darauf einwirken, dann wird sich die Feder um zwei Zoll dehnen. Wenn sich die Feder tatsächlich um zwei Zoll dehnt, dann haben wir es mit einem bestätigenden Einzelfall des Hookeschen Gesetzes zu tun.

(b) Wenn eine unverfälschte Münze wiederholt geworfen wird, dann ist es Zufall, ob *Kopf* oder *Wappen* oben ist, und auf lange Sicht sind sie gleich oft oben. Man kann zeigen, daß es eine Wahrscheinlichkeit von 0,95 gibt, daß bei 100 Würfen einer solchen Münze zwischen 40- und 60mal *Kopf* oben ist. Man betrachte die Hypothese, daß eine bestimmte Münze unverfälscht ist. Mehrere Experimente werden mit dieser Münze durchgeführt, wobei jedes Experiment aus 100 Würfen besteht. Regelmäßig liege zwischen 40- und 60mal *Kopf* oben. Unter geeigneten Bedingungen wird man diese Ergebnisse als eine Bestätigung der Hypothese, daß die Münze unverfälscht ist, ansehen.

Diese Beispiele sind in mancher Hinsicht ähnlich, es bestehen aber auch wichtige Unterschiede. Die Hypothese in (a) ist eine generelle Hypothese; dies erlaubt es uns, *deduktiv* zu schließen, daß sich die Feder um zwei Zoll dehnt. Die Hypothese in (b) ist eine statistische Hypothese; in diesem Fall ist der Schluß, daß 40- bis 60mal *Kopf* oben liegt, *induktiv*. Der deduktive Schluß in (a) kann als eine Anwendung der Regel der Bejahung des Antecedens (Abschnitt 7) dargestellt werden; der induktive Schluß in (b) kann in der Form eines statistischen Syllogismus wiedergegeben werden (Abschnitt 23).

Wie wir angedeutet haben, gibt es wesentliche Übereinstimmungen zwischen der Bestätigung von statistischen und generellen Hypothesen; wir werden deshalb auf die Bestätigung von statistischen Hypothesen nicht weiter eingehen. Die mathematische Statistik liefert zuverlässige Methoden zur Behandlung solcher Probleme. Im

weiteren werden wir uns ganz auf die Bestätigung von
Hypothesen aufgrund ihrer deduktiven Konsequenzen
konzentrieren. Eine solche Argumentation verbindet
man häufig mit der »hypothetisch-deduktiven Methode«; sie wird durch Beispiel (a) erläutert. So wie sie
gewöhnlich dargestellt wird, besteht die hypothetisch-
deduktive Methode (1) im Aufstellen einer Hypothese,
(2) im Ableiten deduktiver Konsequenzen aus der
Hypothese und (3) in der empirischen Überprüfung, ob
diese Konsequenzen wahr sind. Bezeichnen wir die
abgeleiteten Konsequenzen als »Voraussagen von
beobachtbaren Ereignissen«, ergibt sich das folgende
Schema:

(c)   Hypothese
∴ Voraussage von beobachtbaren Ereignissen

Der Schluß von der Hypothese auf die Voraussage von
beobachtbaren Ereignissen wird für deduktiv gehalten;
der Schluß von der Wahrheit der Voraussage von beobachtbaren Ereignissen auf die Wahrheit der Hypothese
wird für induktiv gehalten.

Zuerst ist zu sagen, daß die Hypothese in (a), das
Hookesche Gesetz, eine generelle Aussage über das
Verhalten elastischer Körper unter der Einwirkung von
äußeren Kräften ist. Allein aus ihr folgt nichts über das
Eintreten irgendwelcher bestimmter Ereignisse. Die
Hypothese bildet nicht die einzige Prämisse in der
Deduktion. Aus der Hypothese allein folgt nicht, daß
sich die Feder um zwei Zoll dehnen wird; zusätzliche
Prämissen sind nötig, die etwas über den Spannungszu-
stand der Feder und über die Größe der einwirkenden
Kraft aussagen. Es handelt sich hierbei um die Bedin-
gungen, unter denen das Hookesche Gesetz überprüft

wird. Die Prämissen, die diese Umstände zum Ausdruck bringen, bezeichnet man als »Aussagen über die Anfangsbedingungen«. In allen Fällen, nicht nur in Beispiel (a), braucht man, um Voraussagen von beobachtbaren Ereignissen für die Bestätigung einer generellen Hypothese ableiten zu können, Prämissen, die die Anfangsbedingungen formulieren. Schema (c) ist deshalb unvollständig; wenn die Ableitung gültig sein soll, dann muß sie die folgende Form besitzen:

(d)   Hypothese (Hookesches Gesetz)
      Aussagen über die Anfangsbedingungen (eine Kraft von
      fünf Kilopond dehnt die Feder um einen Zoll; man läßt
      eine Kraft von zehn Kilopond einwirken)
      ∴ Voraussage von beobachtbaren Ereignissen (die Feder
      wird sich um zwei Zoll ausdehnen)

In dem einfachen Beispiel (a) ist es kein Problem, die Anfangsbedingungen zu ermitteln und festzustellen, ob die Voraussage von beobachtbaren Ereignissen zutrifft. In komplizierteren Fällen bereiten diese Dinge größere Schwierigkeiten.

(e)   Indem er die allgemeine Relativitätstheorie als Hypothe-
      se benutzte, kam Einstein zu dem Schluß, daß die Licht-
      strahlen in der Nähe der Sonne abgelenkt werden. Wäh-
      rend der Sonnenfinsternis des Jahres 1919 wurden Beob-
      achtungen gemacht, die mit der vorausgesagten Lichtab-
      lenkung fast genau übereinstimmten. Einsteins Theorie
      wurde durch diese Entdeckungen auf dramatische Weise
      bestätigt.

Beispiel (e) besitzt, genau wie Beispiel (a), die Form (d). In diesem Fall ist aber die Überprüfung der Aussagen über die Anfangsbedingungen und die Überprüfung der abgeleiteten Voraussage von beobachtbaren Ereignissen sehr viel komplizierter. So hängt zum Beispiel die Größe der Lichtablenkung von der Masse der Sonne ab. Die Aussagen über die Anfangsbedingungen müssen also eine Aussage über die Masse der Sonne mit einschließen. Letztere kann man nicht durch direkte Beobachtung herausfinden; sie muß vielmehr durch gut begründete theoretische Methoden errechnet werden. Genausowenig kann die Ablenkung der Lichtstrahlen direkt beobachtet werden; man muß sie mit gut begründeten Methoden aus den relativen Positionen bestimmter Flecken auf photographischen Platten ableiten.

Die Schlüsse, die in Beipiel (e) zur Feststellung der Aussagen über die Anfangsbedingungen benutzt wurden, enthalten *Hilfshypothesen*. Der Schluß, mit dem man die Wahrheit der Voraussage von beobachtbaren Ereignissen bestimmt hat, umfaßt weitere Hilfshypothesen. In dieser Hinsicht ist Beispiel (e) ganz charakteristisch. Bei diesen Hilfshypothesen handelt es sich um Hypothesen, die vorher für sich durch wissenschaftliche Untersuchungen bestätigt worden sind. Zu den Hilfshypothesen, die zur Wahrheitsbestimmung der Voraussage von beobachtbaren Ereignissen benutzt wurden, gehören Hypothesen über die photochemischen Wirkungen des Lichts auf die Emulsion photographischer Platten und optische Hypothesen über das Verhalten von Lichtstrahlen, die durch Teleskope hindurchgehen. Die Hilfshypothesen dürfen benutzt werden, weil sie in hohem Maße bestätigt worden sind. Das ist aber keine absolute Garantie dafür, daß sie niemals durch zukünftige wissenschaftliche Entdeckungen widerlegt werden können.

Da wir uns mit der logischen Struktur der hypothetisch-
deduktiven Methode befassen, wollen wir Schema (d)
unter Voraussetzung einiger vereinfachenden Annahmen untersuchen. Als erstes wollen wir annehmen, daß
alle Hilfshypothesen, die bei der Feststellung der Aussagen über die Anfangsbedingungen oder der Bestimmung der Wahrheit oder Falschheit der Voraussage von
beobachtbaren Ereignissen verwendet wurden, wahr
sind. Wir wollen tatsächlich weiter annehmen, daß die
Aussagen über die Anfangsbedingungen wahr sind und
daß wir die Wahrheit oder Falschheit der Voraussage
von beobachtbaren Ereignissen richtig bestimmt haben.
Unter Voraussetzung dieser Annahmen haben wir es
mit einem gültigen deduktiven Argument mit nur einer
Prämisse zu tun, einer Hypothese, deren Wahrheit in
Frage steht. Angenommen, das Argument besitzt eine
falsche Konklusion. Was folgt daraus für die fragliche
Prämisse?

Die Antwort auf diese Frage ist einfach. Ein gültiges
deduktives Argument mit einer falschen Konklusion
muß wenigstens eine falsche Prämisse besitzen. Da die
Hypothese nach unserer Voraussetzung die einzige Prämisse ist, die falsch sein kann, müssen wir den Schluß
ziehen, daß die Hypothese falsch ist. In diesem Fall ist
die Hypothese effektiv widerlegt. Wir haben es hier mit
einer Anwendung der Regel der Verneinung des Konsequens zu tun (Abschnitt 7).

(f)   Wenn die Hypothese wahr ist, dann ist die Voraussage
      wahr (da wir annehmen, daß die Aussagen über die
      Anfangsbedingungen wahr sind).
      Die Voraussage ist nicht wahr.
 ∴ Die Hypothese ist nicht wahr.

Die Schlüssigkeit dieser Widerlegung hängt natürlich von unseren vereinfachenden Annahmen ab. Die einzige Möglichkeit, vernünftigerweise an einer Hypothese angesichts eines widerlegenden Einzelfalls festzuhalten, besteht darin, daß man eine Aussage über die Anfangsbedingungen als unzutreffend ablehnt oder sich zu der Behauptung entschließt, daß die Voraussage von beobachtbaren Ereignissen letzten Endes doch wahr ist. Selbstverständlich kann jede dieser Alternativen die Zurückweisung einer oder mehrerer Hilfshypothesen mit einschließen. Mit unseren vereinfachenden Annahmen haben wir beide Alternativen ausgeschlossen. Es gibt aber tatsächlich Fälle, in denen wir an der Hypothese festhalten und unsere Urteile über die Anfangsbedingungen oder über die Falschheit der Voraussage von beobachtbaren Ereignissen ändern würden. In der Wissenschaftsgeschichte gibt es berühmte Beispiele, die diese Vorgehensweise veranschaulichen.

(g)   Vor der Entdeckung des Planeten Neptun stellte man fest, daß sich die Umlaufbahn des Planeten Uranus von der Umlaufbahn unterschied, die man aufgrund der Newtonschen Theorie und der Anfangsbedingungen, die die bekannten Himmelskörper des Sonnensystems betrafen, vorausgesagt hatte. Anstatt die Newtonsche Theorie für widerlegt zu halten, postulierten Adams und Leverrier die Existenz des Planeten Neptun, um die Unregelmäßigkeiten in der Bewegung des Planeten Uranus zu erklären. Der Planet Neptun wurde später durch Beobachtungen mit dem Fernrohr entdeckt. Die neuen Anfangsbedingungen, die Aussagen über den Planeten Neptun mit einschlossen, machten die Ableitung der richtigen Umlaufbahn des Planeten Uranus möglich. Ein ähnliches Vorgehen führte später zu der Entdeckung des Planeten Pluto.

Dieses Vorgehen ist nicht immer so erfolgreich.

(h)   Leverrier versuchte die bekannten Unregelmäßigkeiten in der Umlaufbahn des Planeten Merkur zu erklären, indem er die Existenz eines Planeten Vulkan annahm, dessen Umlaufbahn kleiner als die des Planeten Merkur sein sollte. Alle Versuche, den Planeten Vulkan ausfindig zu machen, schlugen allerdings fehl. Erst als die Newtonsche Theorie durch Einsteins allgemeine Relativitätstheorie ersetzt wurde, konnte man die Umlaufbahn des Planeten Merkur zufriedenstellender erklären. Die beobachteten Tatsachen über die Bewegung des Planeten Merkur erwiesen sich – nach Ansicht der meisten Theoretiker, wenngleich es noch immer Meinungsverschiedenheiten gibt[11] – als eine echte Widerlegung der Newtonschen Theorie.

Eine wichtige Lehre, die man aus den vorhergehenden Beispielen ziehen sollte, ist die folgende: Mit einer vermeintlichen Widerlegung einer Hypothese können wir uns erst dann zufriedengeben, wenn wir gute Gründe haben, um eine richtige Voraussage zu machen. Wenn eine Hypothese widerlegt worden ist, dann muß sie durch eine Hypothese ersetzt werden, für die es andere bestätigende Hinweise gibt. So wird zum Beispiel die Relativitätstheorie nicht nur dadurch bestätigt, daß sie die Umlaufbahn des Planeten Merkur erklären kann. Daß man mit ihr die Ergebnisse von Beobachtungen während einer Sonnenfinsternis (Beispiel (e)) vorhersagen kann, spricht unabhängig davon für sie. Wenn man die Aussagen über die Anfangsbedingungen abän-

11 Der Hauptgegner der Auffassung Einsteins ist Robert H. Dicke, dessen Zweifel aber nicht von der sehnsüchtigen Hoffnung herrühren, den Planeten Vulkan zu entdecken, sondern mit schwierigen Problemen, die die Verteilung der Sonnenmasse betreffen, zusammenhängen.

dert, dann muß es unabhängige Gründe dafür geben,
daß die geänderten Aussagen wahr sind. So war es zum
Beispiel notwendig, daß man den Planeten Neptun mit
einem Fernrohr ausfindig machen konnte. Wenn Hilfshypothesen abgeändert werden sollen, dann muß es
unabhängige Gründe für die Wahrheit der geänderten
Hypothesen geben.

Beispiel (g) zeigt übrigens, daß Hypothesen keine generellen Aussagen sein müssen. Als Adams und Leverrier
die Unregelmäßigkeiten in der Umlaufbahn des Planeten Uranus zu erklären versuchten, stellten sie die
Hypothese auf, daß ein bis dahin unentdeckter Planet
existiere. Aus dieser Hypothese in Verbindung mit der
Newtonschen Theorie und anderen Anfangsbedingungen konnten die beobachteten Positionen des Planeten
Uranus abgeleitet werden. Dabei wurde die Wahrheit
der Newtonschen Theorie vorausgesetzt und die beobachteten Tatsachen als Bestätigung der Hypothese, daß
der Planet Neptun existiert, angesehen. Nachdem wir
festgestellt haben, daß auch singuläre Aussagen als
Hypothesen fungieren können, richten wir unsere Aufmerksamkeit im folgenden wieder auf die Bestätigung
von generellen Hypothesen.

Das zweite Problem, mit dem wir uns befassen müssen,
ist weit schwieriger. Gegeben sei ein gültiges deduktives
Argument mit nur einer Prämisse (einer Hypothese),
um deren Wahrheit es geht. Wenn dieses Argument
nun eine wahre Konklusion besitzt, was folgt dann
daraus für die fragliche Prämisse? *Deduktiv* können wir
jedenfalls überhaupt nichts daraus schließen. Die folgende Argumentation ist ein Beispiel für den Fehlschluß der Bejahung des Konsequens (Abschnitt 7):

(i)   Wenn die Hypothese wahr ist, dann ist die Voraussage
        wahr.
        Die Voraussage ist wahr.
∴ Die Hypothese ist wahr.

Nichtsdestoweniger ist es verlockend anzunehmen, daß
(i) ein korrektes *induktives* Argument ist. Wir möchten
vielleicht nicht behaupten, daß Argumente wie (i)
schlüssig beweisen, daß bestimmte Hypothesen wahr
sind; es scheint aber gute Gründe für die Annahme zu
geben, daß sie die Hypothesen stützen, ihnen ein
bestimmtes Gewicht verleihen oder sie in einem gewissen Grad bestätigen. Es sieht so aus, als ob Wissenschaftler Argumente der Form (i) häufig verwenden,
und es wäre äußerst unvernünftig, die Korrektheit von
induktiven Argumenten zu leugnen, auf die man sich in
den Wissenschaften verläßt.

Leider trügt der Schein. Argumente der Form (i) sind in
Wirklichkeit außerordentlich schwach – wenn nicht
gänzlich inkorrekt – selbst dann, wenn wir sie als induktive Argumente interpretieren. Das Problem besteht
darin, daß (i) eine grobe Vereinfachung des induktiv
korrekten Arguments ist, das bei der Bestätigung wissenschaftlicher Hypothesen benutzt wird. Insbesondere
werden in (i) zwei wesentliche Aspekte dieses Arguments außer acht gelassen. Angesichts dieser Tatsache
müssen wir nun darauf hinweisen, daß die Darstellung
der Beispiele (a) und (b) unvollständig war.

Der erste zusätzliche Aspekt der Bestätigung, der hier
in Betracht gezogen werden muß, betrifft die Bedeutung alternativer Hypothesen für den vorliegenden Fall.
Die Frage ist: Wie groß ist die Wahrscheinlichkeit, daß
die deduktiv abgeleitete Voraussage wahr ist, wenn die

Hypothese, die wir gerade überprüfen, falsch und irgendeine andere Hypothese wahr ist? Man kann die gleiche Frage auch anders formulieren: Gibt es andere Hypothesen, die durch dasselbe Ergebnis in hohem Maße bestätigt werden? Man betrachte ein anderes Beispiel:

(j)   Kleinen Jungen wird häufig erzählt, daß Warzen zum Verschwinden gebracht werden können, wenn man sie mit Zwiebeln behandelt. Solche »Heilmethoden« funktionieren oft. Die Hypothese ist, daß die Behandlung mit Zwiebeln gegen Warzen hilft. Die Anfangsbedingungen stellen fest, daß Johnny Warzen hat und daß er seine Warzen mit Zwiebeln behandelt. Die Voraussage von beobachtbaren Ereignissen besteht darin, daß Johnnys Warzen verschwinden werden. Tatsächlich verschwinden Johnnys Warzen, und dies stellt einen bestätigenden Einzelfall der Hypothese dar.

Ist die Hypothese durch diese Beobachtung bestätigt worden? Es ist wichtig zu wissen, daß es eine alternative Erklärung für die »Heilung« gibt, die durch dieselben Ergebnisse wenigstens genauso stark gestützt wird. Man hat argumentiert, daß Warzen psychosomatische Symptome sind, die durch Suggestion geheilt werden können. Jede Behandlungsmethode, die der Patient für wirksam hält, ist wirksam. Es ist das Vertrauen in die Behandlung und nicht die Behandlung selbst, das die Heilung bewirkt. Wenn diese alternative Hypothese zutrifft, dann wäre die Behandlung mit Weintrauben und die tägliche Deklamation von »Mary hatte ein kleines Lamm« gleichermaßen wirksam, vorausgesetzt, der Patient vertraut diesen Behandlungsmethoden. Die Tatsache, daß das beobachtete Ergebnis ein bestätigender Einzelfall einer anderen Hypothese ist, schmälert die

Bestätigung der Hypothese, daß Zwiebeln Warzen heilen. In dieser Situation ist es unerläßlich, daß Experimente unter kontrollierten Bedingungen, auf die wir in Abschnitt 27 eingegangen sind, durchgeführt werden.

Beispiel (j) veranschaulicht das wahrscheinlich schwerwiegendste Problem in bezug auf die Folgerichtigkeit der Methode für die Bestätigung von Hypothesen. Der Begriff eines bestätigenden Einzelfalls einer Hypothese wird durch Schema (d) definiert; jeder konkrete Fall von (d), in dem die Konklusion wahr ist, liefert einen bestätigenden Einzelfall der Hypothese, die als seine erste Prämisse fungiert. Wenn wir das Schema aufstellen, das nur die Aussagen umfaßt, deren Wahrheit sehr wahrscheinlich festgestellt worden ist, ergibt sich die folgende, unvollständige Deduktion, die, um gültig zu sein, eine zusätzliche Prämisse benötigt:

(k)   Aussagen über die Anfangsbedingungen
∴ Voraussage von beobachtbaren Ereignissen

Im allgemeinen können ganz verschiedene Aussagen zu einer unvollständigen Deduktion hinzugefügt werden, um sie gültig zu machen. Jede dieser Aussagen kann deshalb als eine Hypothese verstanden werden, die für den Fall, daß die Voraussage von beobachtbaren Ereignissen zutrifft, einen bestätigenden Einzelfall besitzt. Darüber hinaus gibt es andere Aussagen über die Anfangsbedingungen, die man in (k) hätte anführen können und die genauso wahr sind wie die, die man tatsächlich verwendet hat. Wenn man die Aussagen über die Anfangsbedingungen in (k) durch andere Aussagen über die Anfangsbedingungen ersetzt, dann kann man noch ganz andere Hypothesen dazu benutzen, um dieselbe Voraussage von beobachtbaren Ereignissen gültig abzuleiten. Die Tatsache, daß die Voraussage von beobachtbaren Ereignissen wahr ist, ist deshalb auch ein bestätigender Einzelfall für diese anderen Hypothesen. Es gibt tatsächlich unendlich viele Hypothesen, für die irgendein beobachtbares Ereignis einen bestätigenden Einzelfall bildet. Das Problem besteht darin, unter all den Hypothesen, die man dazu verwenden könnte, die Voraussage von beobachtbaren Ereignissen abzuleiten, diejenige auszuwählen, die mit der größten Wahrscheinlichkeit wahr ist.

Dasselbe gilt für jede endliche Anzahl von bestätigenden Einzelfällen. Man betrachte noch einmal das Hooke-

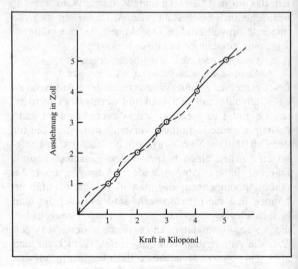

Abb. 15

sche Gesetz und nehme an, daß es mehrere Male einem Test unterzogen worden ist. Die Testergebnisse für einen elastischen Körper, der Stahlfeder aus Beispiel (a), sind in Abb. 15 graphisch dargestellt. Die Tatsache, daß das Hookesche Gesetz für alle elastischen Körper immer und überall gilt, und nicht bloß für eine bestimmte Stahlfeder, verstärkt die Sache noch. In der graphischen Darstellung besagt das Hookesche Gesetz, daß die Formänderung unter der Einwirkung äußerer Kräfte eine Gerade ist, d. h., die durchgezogene Linie in Abb. 15 stellt das Hookesche Gesetz dar. Die einge-kreisten Punkte stehen für die Testergebnisse. Die gestrichelte Linie stellt eine alternative Hypothese dar, für die dieselben Testergebnisse bestätigende Einzel-fälle sind. Man hätte eine unbegrenzte Anzahl anderer Kurven durch die eingekreisten Punkte ziehen können. Selbstverständlich können wir immer wieder neue Tests durchführen, um die Hypothese, die im Diagramm durch die gestrichelte Linie dargestellt ist, zu widerle-gen; aber für jede endliche Anzahl von zusätzlichen Tests wird es immer eine unendliche Anzahl von zusätz-lichen Hypothesen geben. Das Problem ist: Gibt es überhaupt Gründe, das Hookesche Gesetz zu akzeptie-ren und die alternativen Hypothesen zurückzuweisen angesichts der Tatsache, daß durch endlich viele Tests nicht alle Alternativen widerlegt werden können?

Dieses Problem führt uns zur Betrachtung des zweiten Aspekts der Bestätigung, der bei den Argumenten der Form (i) berücksichtigt werden muß. Um den Grad zu bestimmen, in dem ein bestätigender Einzelfall eine Hypothese tatsächlich stützt, ist es notwendig, die *Aprioriwahrscheinlichkeit* dieser Hypothese festzustellen. Die Aprioriwahrscheinlichkeit einer Hypothese ist die Wahrscheinlichkeit, daß sie wahr ist, ohne Rücksicht auf ihre bestätigenden Einzelfälle. Die Aprioriwahrscheinlichkeit ist also von einer Überprüfung der Hypothese vermittels abgeleiteter Konsequenzen logisch unabhängig. In diesem Zusammenhang besitzt der Ausdruck »Apriori« keine zeitliche Nebenbedeutung. Die Aprioriwahrscheinlichkeit kann vor oder nach der Untersuchung von bestätigenden Einzelfällen festgestellt werden; der springende Punkt ist, daß die Untersuchung von bestätigenden Einzelfällen keinen Einfluß auf die Feststellung der Aprioriwahrscheinlichkeit hat.

Wir haben nun den umstrittensten Teil des kontroversen Gebiets dieses Abschnitts erreicht, denn zwischen den Experten bestehen erhebliche Meinungsverschiedenheiten über die korrekte Analyse der Aprioriwahrscheinlichkeiten.[12] Es scheint aber trotzdem unbestreitbar zu sein, daß die Wissenschaftler sie berücksichtigen, wenn sie die Bestätigung von wissenschaftlichen Hypothesen prüfen. Wissenschaftler sprechen häufig von der Vernünftigkeit oder der Plausibilität von Hypothesen; solche Urteile sind nichts anderes als Einschätzungen der Aprioriwahrscheinlichkeiten. Aprioriwahrscheinlichkeiten sind nicht einfach nur ein Maß für jemandes subjektive Reaktion auf Hypothesen, denn einige Hypothesen besitzen objektive Merkmale, aufgrund deren sie von vornherein mit größerer Wahrscheinlichkeit wahr sind als andere Hypothesen. Anstatt uns um

12 Vgl. Salmon, *The Foundations of Scientific Inference*, Kap. VII, für eine Erörterung zahlreicher, ganz verschiedener Ansichten über dieses Thema.

eine allgemeine Analyse der Aprioriwahrscheinlichkeiten zu bemühen, wollen wir einige Beispiele für Merkmale untersuchen, die die Aprioriwahrscheinlichkeiten verschiedener Hypothesen beeinflussen.

(1) Ein wichtiges Merkmal des Hookeschen Gesetzes ist seine Einfachheit, ein Merkmal, das in keiner Weise mit seinen bestätigenden Einzelfällen zusammenhängt. In dieser Hinsicht ist das Hookesche Gesetz sehr viel überzeugender als die Alternative, die in Abb. 15 durch die gestrichelte Linie dargestellt wird. Wir würden sicherlich nicht am Hookeschen Gesetz festhalten, wenn es durch experimentelle Tests widerlegt worden wäre, aber von den Hypothesen, die durch die Testergebnisse bestätigt werden, besitzt das Hookesche Gesetz die höchste Aprioriwahrscheinlichkeit. Zumindest in den Naturwissenschaften ist die Einfachheit ein Merkmal erfolgreicher Hypothesen.

(m) Ein Wissenschaftler in der medizinischen Forschung wird im allgemeinen genug über Zwiebeln und Warzen wissen, um es für höchst unwahrscheinlich zu halten, daß Zwiebeln eine nicht näher bestimmbare Substanz enthalten, die bei direkter Anwendung auf Warzen irgendeine Heilwirkung besitzt. Er weiß das unabhängig von einer Überprüfung der bestätigenden Einzelfälle der Hypothese aus Beispiel (j). Diese Hypothese besitzt somit eine geringe Aprioriwahrscheinlichkeit.

(n) Hypothesen, die mit gut begründeten wissenschaftlichen Hypothesen unvereinbar sind, besitzen eine geringe Aprioriwahrscheinlichkeit. Es ist manchmal behauptet worden, daß die geistige Telepathie in der Form einer augenblicklichen Gedankenübertragung von einer Person auf eine andere vorkommt. Diese besondere telepathische Hypothese besitzt eine geringe Aprioriwahrscheinlichkeit, denn sie ist mit der Voraussetzung der Relativitätstheorie unvereinbar, daß sich kein kausaler

Prozeß (und folglich kein Prozeß der Übermittlung von Informationen) mit einer größeren Geschwindigkeit als das Licht ausbreiten kann.

(o) Das Argument aus der Autorität und das Argument gegen den Mann können in ihren korrekten Formen (Abschnitte 24 und 25) zur Feststellung von Apriori-wahrscheinlichkeiten benutzt werden. Insbesondere wird normalerweise eine wissenschaftliche Hypothese, die von einem »Sonderling« aufgestellt wird, aus diesem und aus anderen Gründen eine sehr geringe Apriori-wahrscheinlichkeit besitzen. Diese Apriori-wahrschein-lichkeit kann so gering sein, daß angesehene Wissen-schaftler verständlicherweise keine Lust haben, ihre Zeit damit zu vertun, solche Hypothesen einer Prüfung zu unterziehen.

(p) Um wieder auf Beispiel (n) aus dem vorhergehenden Abschnitt zurückzukommen: Wir können jetzt feststel-len, daß die Hypothese, das Fernsehen verderbe die herrschende Moral, eine geringe Aprioriwahrscheinlich-keit besitzt, weil es sich dabei ganz offensichtlich um eine zu starke Vereinfachung eines komplexen Phäno-mens handelt. Wenn einfache Hypothesen auch in den Naturwissenschaften erfolgreich sind, so scheinen doch für soziale Phänomene ziemlich komplizierte Erklärun-gen erforderlich zu sein. Jeder Versuch, eine Hypothese aufzustellen, um die heutige Moralvorstellung zu erklä-ren, müßte viele verschiedene Einflüsse berücksichtigen.

Die Feststellung der Aprioriwahrscheinlichkeiten ist oft eine schwierige und verzwickte Angelegenheit. Glück-licherweise dürfte in vielen Fällen eine sehr grobe Schätzung ausreichen; häufig genügt es tatsächlich, wenn man weiß, daß die Aprioriwahrscheinlichkeit einer Hypothese nicht vernachlässigbar gering ist, daß unsere Hypothese nicht völlig unplausibel und unver-

nünftig ist. Wenn die Aprioriwahrscheinlichkeit im
Grunde gleich Null ist, dann stützt ein bestätigender
Einzelfall diese Hypothese eigentlich überhaupt nicht.
Unter anderen Umständen kann ein bestätigender Ein-
zelfall einer Hypothese ein erhebliches Gewicht ver-
leihen.

Unsere bisherige Erörterung zeigt unter anderem, daß
das Schema (i) die Bestätigung wissenschaftlicher Hypothesen nicht angemessen charakterisiert. Wenn das
Schema (i) auch einen unverzichtbaren Teil des Arguments darstellt, so muß es doch durch Hinzufügung
anderer Prämissen erweitert werden. Um induktiv korrekt zu sein, muß die hypothetisch-deduktive Methode
die folgende Form annehmen:

(q) Die Hypothese besitzt keine vernachlässigbar geringe
     Aprioriwahrscheinlichkeit.
     Wenn die Hypothese wahr ist, dann ist die Voraussage
     von beobachtbaren Ereignissen wahr.
     Die Voraussage von beobachtbaren Ereignissen ist
     wahr.
     Keine andere Hypothese wird durch die Wahrheit dieser
     Voraussage von beobachtbaren Ereignissen in einem
     hohen Maße bestätigt; d. h., andere Hypothesen, für die
     dieselben Voraussagen von beobachtbaren Ereignissen
     bestätigende Einzelfälle sind, besitzen geringere Aprio-
     riwahrscheinlichkeiten.
     ∴ Die Hypothese ist wahr.

Dies ist eine induktiv korrekte Argumentform und eine
zutreffende schematische Darstellung vieler wichtiger
wissenschaftlicher Argumente.

Wenn auch jede Anzahl von Testergebnissen bestätigende Einzelfälle für unendlich viele verschiedene
Hypothesen liefert, so folgt daraus noch nicht, daß

alternative Hypothesen mit nicht vernachlässigbar geringen Aprioriwahrscheinlichkeiten immer gefunden werden können. Ganz im Gegenteil. Sich eine glaubwürdige Hypothese auszudenken, die eine bestimmte Menge von Beobachtungstatsachen erklärt, bildet den schwierigsten Teil kreativer wissenschaftlicher Arbeit, und häufig ist dazu die höchste schöpferische Geisteskraft eines Menschen nötig. Dies ist ein Problem aus dem Entdeckungszusammenhang, und die Logik besitzt keine Königswege zur Lösung solcher Probleme. Dies hat zur Folge, daß es nur selten eine große Anzahl von miteinander konkurrierenden Hypothesen gibt, denn die alternativen Hypothesen mit vernachlässigbar geringen Aprioriwahrscheinlichkeiten spielen in Wirklichkeit keine Rolle. Sie sind die unplausiblen – wenn nicht unsinnigen – Hypothesen. Wenn man daher eine Hypothese gefunden hat, die eine erkennbare Aprioriwahrscheinlichkeit besitzt, dann kann diese durch ihre bestätigenden Einzelfälle in hohem Maße gestützt werden. In den selteneren Fällen, in denen es mehrere miteinander konkurrierende Hypothesen mit erkennbaren Aprioriwahrscheinlichkeiten gibt, kommt der Widerlegung von Hypothesen eine beträchtliche Bedeutung zu.

Angenommen, wir haben eine Hypothese *H*, für die bestätigende Einzelfälle existieren. Nun gibt es allerdings unendlich viele alternative Hypothesen, für die dieselben Tatsachen ebenfalls bestätigende Einzelfälle sind. Deshalb ist der Versuch aussichtslos, alle möglichen alternativen Hypothesen zu widerlegen, so daß nur *H* als einzige, nicht widerlegte Hypothese übrigbleibt. Wir betrachten daher die Aprioriwahrscheinlichkeiten. Angenommen, *H* besitzt eine erkennbare

Aprioriwahrscheinlichkeit, und darüber hinaus können
wir uns nur eine alternative Hypothese H' vorstellen,
die ebenfalls eine erkennbare Aprioriwahrscheinlichkeit besitzt. Wenn H und H' wirklich verschieden sind,
dann gibt es Umstände, in denen sie zu unterschiedli-
chen Voraussagen von beobachtbaren Ereignissen kommen. Deshalb kann man einen *entscheidenden* Test
durchführen, indem man diese Umstände untersucht,
um festzustellen, welche der Hypothesen, H oder H',
die richtige Voraussage von beobachtbaren Ereignissen
liefert. Da H und H' zu miteinander unvereinbaren
Voraussagen führen, muß wenigstens eine der Voraussagen, die man aus den Hypothesen abgeleitet hat,
falsch sein. Stellen wir fest, daß H' zu einer falschen
Voraussage von beobachtbaren Ereignissen führt, dann
ist H' widerlegt. Wenn H zu einer wahren Voraussage
von beobachtbaren Ereignissen führt, dann haben wir
einen guten Grund, H als die einzige Hypothese, die
von den Beobachtungsdaten wirklich gestützt wird, zu
akzeptieren. Denn H' ist widerlegt worden, und alle
anderen Alternativen werden wegen ihrer vernachlässigbar geringen Aprioriwahrscheinlichkeiten durch ihre
bestätigenden Einzelfälle nicht wirklich gestützt.

(r)   Beispiel (e) kann als ein entscheidender Test dieser Art
       ausgelegt werden. Da nach der klassischen Physik das
       Licht während einer Sonnenfinsternis in der Nähe der
       Sonne nicht abgelenkt werden dürfte, widerlegten die
       Beobachtungen die klassische Theorie. Obwohl es im
       Prinzip viele andere Hypothesen gibt, war die Einstein-
       sche Allgemeine Relativitätstheorie zu der Zeit, als die-
       se Beobachtungen zuerst gemacht wurden, die einzige
       plausible Alternative, so daß Einsteins Theorie als in
       hohem Maße bestätigt erschien. Erst vor kurzem ist

wenigstens eine andere ernst zu nehmende alternative Hypothese (von Robert H. Dicke – vgl. Fußn. 11) aufgestellt worden. Neue entscheidende Tests werden schon ausgedacht und durchgeführt, um zwischen den neueren Hypothesen und Einsteins Theorie zu entscheiden.[13]

Es sollte nochmals betont werden, daß das ganze Verfahren der Bestätigung von Hypothesen induktiv ist. Das bedeutet, daß keine wissenschaftliche Hypothese jemals vollständig als absolut wahr erwiesen ist. Wie sorgfältig und umfassend man eine Hypothese auch überprüft, es besteht immer die Möglichkeit, daß sie später aufgrund neuer Erfahrungen als widerlegt aufgegeben werden muß. In induktiven Argumenten ist es, unabhängig davon, wie viele empirische Daten in den Prämissen zum Ausdruck gebracht werden, immer möglich, daß die Prämissen wahr sind und die Konklusion falsch ist. Es gibt verschiedene Gründe für die Schwierigkeiten mit der Bestätigung wissenschaftlicher Hypothesen. So können wir bei der Einschätzung der Aprioriwahrscheinlichkeiten einen Fehler machen, indem wir annehmen, daß eine Hypothese eine vernachlässigbar geringe Aprioriwahrscheinlichkeit besitzt, wenn ihre Aprioriwahrscheinlichkeit in Wirklichkeit ziemlich hoch ist. Außerdem gibt es möglicherweise eine Hypothese mit einer hohen Aprioriwahrscheinlichkeit, auf die noch niemand gekommen ist. Und eine Hypothese mit einer sehr niedrigen Aprioriwahrscheinlichkeit kann sich unter Umständen als wahr herausstellen; denn »unwahrscheinlich« bedeutet nicht

13 Ein faszinierendes Beispiel wird von Joseph Weber in »The Detection of Gravitational Waves«, in: *Scientific American* 224 (Mai 1971) S. 5, beschrieben.

»unmöglich«. Zudem sind Fehler bei der Beobachtung und der Durchführung von Tests immer möglich. Und schließlich können auch falsche Hilfshypothesen angenommen und verwendet werden.

Bei der Bestätigung wissenschaftlicher Hypothesen, wie bei anderen Arten induktiver Argumentationen, sichert man sich am besten gegen Fehler ab, indem man es möglichst vermeidet, Konklusionen aufgrund von unzureichenden oder voreingenommenen Erfahrungsdaten zu akzeptieren (vgl. die Abschnitte 21 und 22). Das heißt, man muß Hypothesen viele Male und unter ganz verschiedenen Bedingungen überprüfen, wenn man sie in hohem Maße bestätigen will.

Wir haben bisher unsere Erörterung auf die logischen Eigenschaften der hypothetisch-deduktiven Methode, des Schemas (q), beschränkt, beinahe als hätten wir es mit nur einer einzigen Anwendung und einem einzigen bestätigenden Einzelfall zu tun. Um der wissenschaftlichen Methode gerecht zu werden, ist es notwendig, daß man die wiederholte Anwendung dieser Methode zur Ansammlung eines umfangreichen und verschiedenartigen Materials bestätigender Daten oder zur Feststellung widerlegender Daten, falls es solche gibt, besonders hervorhebt. Ein bekanntes klassisches Beispiel soll den Punkt, um den es geht, erläutern.

(s) Newtons Theorie ist eine umfassende Hypothese über die Gravitationskräfte zwischen Massen. Sie ist durch eine außerordentlich große Anzahl von Beobachtungen über die Bewegungen der Planeten im Sonnensystem und ihrer Satelliten bestätigt worden. Sie wurde ebenfalls von einer überaus großen Anzahl von Beobachtungen über fallende Körper bestätigt. Die enorm vielen

Beobachtungen über Ebbe und Flut bilden außerdem zusätzliche bestätigende Einzelfälle. Experimente mit der Drehwaage, mit denen man die Gravitationskraft zwischen zwei Massen im Labor mißt, sind wiederholt durchgeführt worden und stellen weitere Bestätigungen dar. Trotz dieser eindrucksvollen Menge und der Verschiedenheit der bestätigenden Einzelfälle, die noch nicht einmal alle stützenden Daten umfassen, wird die Newtonsche Theorie nicht für ganz zutreffend gehalten. Denn wie Beispiel (e) zeigt, wurden widerlegende Beobachtungen gemacht. Für bestimmte Anwendungsbereiche bildet sie jedoch eine ausgezeichnete Annäherung an die Wahrheit, und in diesem Sinne ist sie in höchstem Maße bestätigt.

Zu einem großen Teil liegt die Bedeutung von Newtons Theorie in ihrer umfassenden Anwendbarkeit. Sie erklärt eine Vielzahl von ganz verschiedenen Phänomenen. Früher als Newton hatte Kepler Gesetze über die Planetenbewegung aufgestellt, und Galilei hatte die Fallgesetze entdeckt. Die Gesetze von Kepler und Galilei sind für ganz verschieden gehalten worden, bis sie von der Newtonschen Theorie zusammengefaßt wurden, die auch noch andere Tatsachen erklärte. Die Vereinigung von Hypothesen mit einem nur begrenzten Anwendungsbereich mittels umfassenderer Hypothesen führt zu Hypothesen, die von sehr vielen und ganz verschiedenartigen Erfahrungsdaten bestätigt werden können. Solche Hypothesen besitzen einen großen Voraussage- und Erklärungswert.

Bei unserer Untersuchung der logischen Merkmale der Bestätigung von Hypothesen haben wir uns hauptsächlich mit Beispielen aus den Wissenschaften befaßt. Dieselben Probleme treten aber im gewöhnlichen Leben

genauso wie in den Wissenschaften auf, denn wir
machen auch im Umgang mit den alltäglichen Dingen
häufig Gebrauch von Hypothesen. Es hängt nicht viel
davon ab, ob wir sie als »wissenschaftliche Hypothesen«
bezeichnen, denn es gibt keine scharfe Trennungslinie
zwischen Wissenschaft und gesundem Menschenverstand, und außerdem verwenden wir alle bei der Steue-
rung unserer Entscheidungen und Handlungen in einem
gewissen Umfang wissenschaftliche Erkenntnisse. Im
vorhergehenden Abschnitt befaßten wir uns mit kausalen Argumenten und ihrer Bedeutung in alltäglichen
Situationen. Kausale Aussagen sind Hypothesen. Insofern wir kausale Hypothesen akzeptieren und verwenden, und wenigstens in diesem Maße, ist es vernünftig,
wenn wir uns über die Logik der Bestätigung von Hypothesen Gedanken machen. Solche Hypothesen spielen
häufig bei Entscheidungen eine große Rolle, die unsere
persönliche Gesundheit, unsere moralischen Einstellungen, unser Verhältnis zu anderen Menschen, die Regie-
rungsangelegenheiten und die internationalen Beziehungen betreffen, also bei Dingen, die für uns von
äußerster Wichtigkeit sind. Es ist sicherlich genauso
vernünftig, bei Dingen von praktischer Bedeutung auf
logischer Folgerichtigkeit zu bestehen wie bei dem theo-
retischen Suchen nach Wahrheit in den Wissenschaften.

Viertes Kapitel

Logik und Sprache

Für eine angemessene Auseinandersetzung mit Argumenten ist es notwendig, daß man sich mit den wesentlichen Eigenschaften der Sprache näher befaßt, denn Argumente bestehen ja aus Aussagen und gehören insofern zur Sprache. Da die Sprache ein äußerst kompliziertes Werkzeug ist, ist es möglich, daß Irrtümer allein schon aus dem Gebrauch der Sprache selbst entstehen. In diesem Kapitel geht es um einige wichtige Probleme der Sprache, die in einem unmittelbaren Zusammenhang mit der logischen Korrektheit oder Inkorrektheit von Argumenten stehen.

29. Gebrauch und Erwähnung

Die Sprache erfüllt ihren Zweck mit Hilfe von Symbolen. Wenn wir uns auf einen bestimmten Gegenstand – zum Beispiel einen Tisch – beziehen wollen, *gebrauchen* wir ein Wort. Dabei *erwähnen* wir das Ding, auf das wir uns beziehen. Das Wort ist eine sprachliche Entität, der auf irgendeine Weise eine Bedeutung zukommt, aufgrund deren es für einen bestimmten nichtsprachlichen Gegenstand steht. Im nächsten Abschnitt werden wir uns mit den verschiedenen Möglichkeiten befassen, Wörtern Bedeutungen zu verleihen. Es gibt keine Ähnlichkeit zwischen dem Wort und dem Ding, auf das es sich bezieht. Das Wort »Tisch« hat fünf Buchstaben, aber keine Beine: der Tisch hat vier Beine, ist aber nicht aus Buchstaben zusammengesetzt. Ein Tisch kann ein sehr nützlicher Gegenstand sein, um eine Tasse Kaffee darauf zu stellen, er würde aber nicht bequem zwischen die Deckel eines Buches über Innenausstattung passen. Im Gegensatz dazu kann man das Wort »Tisch« ohne große Anstrengung in einem Buch unterbringen, aber als Unterlage für Gläser mit Alkohol taugt es überhaupt nichts. Wenn höchstwahrscheinlich auch niemand jemals das Wort »Tisch« mit dem Möbelstück, auf das es sich bezieht, verwechselt, so kann es doch in anderen Zusammenhängen leicht zu der Verwechslung des Namens mit dem benannten Gegenstand kommen.

Manchmal wollen wir über die Sprache selbst sprechen, wie wir es im vorliegenden Buch fortwährend getan haben. In diesem Falle wenden wir das gleiche Verfahren an wie bei dem Tisch. Um irgendeine Entität zu erwähnen – selbst wenn diese Entität ein sprachlicher Gegenstand ist wie zum Beispiel ein Wort –, müssen wir einen Namen bilden, mittels dessen wir uns auf sie beziehen können. Das normale Verfahren besteht darin, das betreffende Wort in Anführungszeichen zu setzen; das Wort zusammen mit den umschließenden Anführungszeichen bilden einen Namen für das Wort. Im vorhergehenden Absatz erwähnten wir das Wort »Tisch« dreimal, indem wir gerade so ein Symbol gebrauchten. Die folgenden zwei Aussagen sind beide richtig:

(a)   Der Tisch hat vier Beine.
(b)   »Tisch« hat vier Buchstaben.

Der folgende Satz ist unsinnig:

(c)   Tisch hat vier Buchstaben.

Er ist ungrammatisch, denn in ihm werden Gebrauch und Erwähnung eines Wortes miteinander verwechselt; der allgemeine Grundsatz, daß, um einen Gegenstand zu *erwähnen*, wir einen Namen *gebrauchen* müssen, der von dem erwähnten Gegenstand verschieden ist, wird hier verletzt. Die Tatsache, daß wir über ein Wort sprechen, berechtigt uns nicht, den Gegenstand, über den gesprochen wird, mit den Worten, die in dem Gespräch gebraucht werden, durcheinanderzubringen.

Die Gefahr, die in einer Verwechslung von Gebrauch und Erwähnung liegt, kann durch ein Beispiel aus der Mathematik erläutert werden.

(d) $\frac{9}{12}$ hat eine Neun im Zähler.

   $\frac{3}{4} = \frac{9}{12}$.

∴ $\frac{3}{4}$ hat eine Neun im Zähler.

Man könnte dieses Argument für gültig halten, denn die Konklusion entsteht aus der ersten Prämisse, wenn man Gleiches durch Gleiches ersetzt. Trotzdem scheinen die Prämissen wahr und die Konklusion falsch zu sein.

Um uns über dieses Beispiel klarzuwerden, wollen wir zu Beginn darauf hinweisen, daß Zahlen abstrakte Gegenstände einer bestimmten Art sind und Zahlzeichen die Namen, die wir ihnen geben. Zum Beispiel ist Zwölf die *Zahl* der Apostel; diese Zahl wird mit verschiedenen *Zahlzeichen* bezeichnet – zum Beispiel mit »12«, »XII«, »ein Dutzend«, »$\frac{36}{3}$« usw. Die erste Aussage in Argument (d) kann man nur als eine Aussage über ein Zahlzeichen deuten; so verstanden, ist sie nicht richtig niedergeschrieben. Es gibt eine bestimmte rationale Zahl, die von verschiedenen Zahlzeichen benannt wird – zum Beispiel von »¾«, »⅝«, »⁹⁄₁₂«, »0,75«. Das letzte dieser Zahlzeichen ist kein Bruch und hat deshalb noch nicht einmal einen Zähler, und die Zahlzeichen, die einen Zähler haben, haben alle einen verschiedenen Zähler. Die Konklusion ist ebenfalls eine Aussage über ein Zahlzeichen. Wenn wir aber über Zahlzeichen reden wollen, dann müssen wir für sie Namen bilden. Dies können wir mit der oben beschriebenen Methode tun. Wenn wir das Argument richtig wiedergeben, dann sehen wir, daß es jeden Anschein von Gültigkeit verliert:

(e) »⁹⁄₁₂« hat eine Neun im Zähler.

$$\tfrac{3}{4} = \tfrac{9}{12}.$$

∴ »¾« hat eine Neun im Zähler.

Wir können es natürlich in ein gültiges Argument verwandeln, wenn wir die zweite Prämisse durch eine andere ersetzen:

(f) »⁹⁄₁₂« hat eine Neun im Zähler.

»¾« = »⁹⁄₁₂«.

∴ »¾« hat eine Neun im Zähler.

Die zweite Prämisse ist jetzt aber offensichtlich falsch, denn sie besagt, daß zwei ganz verschiedene Zahlzeichen identisch sind.[1]

---

1 Das Wort »Neun« ist im Deutschen zweideutig; manchmal steht es für eine Zahl und manchmal für ein Zahlzeichen. Diese Tatsache läßt ohne Zweifel die Verwechslung zwischen Gebrauch und Erwähnung in arithmetischen Kontexten sehr viel leichter entstehen. In den Argumenten (e) und (f) gebrauchen wir »Neun« offensichtlich als einen Namen eines arabischen Zahlzeichens.
Ein scharfsichtiger Leser könnte die Frage stellen, warum wir Argument (e) nicht gelten lassen, denn seine Konklusion scheint sich aus

244 *Viertes Kapitel: Logik und Sprache*

Die Verwechslung von Zahlen und Zahlzeichen scheint nirgendwo mehr verbreitet zu sein als dort, wo man von *Zahlen* der Basis 10 oder von binären *Zahlen* spricht. In Wirklichkeit gibt es keine binären Zahlen, genausowenig wie es römische Zahlen und arabische Zahlen gibt. Römische Zahlzeichen und arabische Zahlzeichen sind einfach verschiedene Arten, genau die gleichen Zahlen zu benennen; das Dezimalsystem und das Binärsystem sind ebenfalls zwei verschiedene Zahlzeichensysteme, um sich auf die gleichen Zahlen zu beziehen. Deshalb enthält zum Beispiel die Aussage

(g) Die Zahl 100 ist sowohl im System der binären Zahlen als auch im Zahlensystem mit der Basis 10 ein vollkommenes Quadrat, denn $100_2 = 4 = 2^2$ und $100_{10} = 10^2$.

eine schlimme Verwechslung. Die Aussage muß korrekt lauten:

(h) Das Symbol »100« ist sowohl im Dualsystem als auch im dekadischen System ein Zahlzeichen; in diesen zwei verschiedenen Systemen der Zahldarstellung bezieht sich dieses Zahlzeichen auf zwei verschiedene Zahlen, die aber trotzdem beide vollkommene Quadrate sind.

Wenn die »Neue Mathematik«, in der ein so großes Gewicht auf das Verständnis mathematischer Begriffe gelegt wird, zu irgend etwas gut sein sollte, dann dazu, uns dabei zu helfen, deutlich zwischen Zahlen und ihren

einer Ersetzung von Gleichem für Gleiches innerhalb der Anführungszeichen der ersten Prämisse zu ergeben. Und was ist daran falsch? Die Antwort ist, daß der Name des Zahlzeichens, den man in der ersten Prämisse gebraucht, als ein nicht zusammengesetztes Wort verstanden werden muß und daß Teile von Wörtern nicht ersetzt werden dürfen. Deshalb werden wir den Übergang von »Meine Damen und Herren, Achtung bitte!« zu »Meine Damen und Herren, Vier-plus-vier-ung bitte!« nicht zulassen, obwohl vier plus vier gleich acht ist.

Namen zu unterscheiden. Ich fürchte allerdings, daß sie durch ihre häufige Bezugnahme auf verschiedene Systeme der Zahldarstellung in Wirklichkeit solche Verwechslungen wie die in (g) mit verursacht hat.

Die richtige Unterscheidung zwischen dem Gebrauch und der Erwähnung von Symbolen führt dazu, daß man eine Hierarchie von Sprachen anerkennt. Wenn wir über eine Sprache – zum Beispiel Französisch – sprechen, dann gebrauchen wir dabei häufig eine andere Sprache – zum Beispiel Englisch. Die Sprache, die erwähnt wird, ist die *Objektsprache* (sie ist das Objekt der Untersuchung), während die Sprache, die gebraucht wird, um über die Objektsprache zu sprechen, die *Metasprache* ist. In einem Französischlehrbuch für Anfänger, das zum Beispiel für englischsprachige Studenten geschrieben wurde, wäre Französisch die Objektsprache und Englisch die Metasprache. Handelt es sich aber um ein Lehrbuch der englischen Grammatik für englischsprachige Studenten, dann ist Englisch sowohl die Objektsprache als auch die Metasprache. Unter diesen Umständen ist es besonders wichtig, daß man die Fälle, in denen Englisch die Objektsprache ist, von den Fällen unterscheidet, in denen es die Metasprache ist. Die Verwendung von Anführungszeichen zur Bildung von Namen sprachlicher Ausdrücke ist in diesem Zusammenhang überaus nützlich. Man betrachte zum Beispiel die oben angegebenen Aussagen (a) und (b); (a) gehört zur Objektsprache, während (b) zur Metasprache gehört, denn (b) enthält einen Ausdruck in Anführungszeichen, der der Name eines Wortes der Objektsprache ist. Die Aussage

(i)   Die Sterblichkeit des Menschen erfüllt mich mit Verzweiflung.

gehört ebenfalls zur Objektsprache, und

(j)   »Alle Menschen sind sterblich« ist ein abgedroschenes
      Beispiel einer A-Aussage.

gehört zur Metasprache.[2]
Um noch einmal zu unterstreichen, wie wichtig die
Beachtung der Unterscheidung zwischen Objektspra-
che und Metasprache ist, wollen wir ein berühmtes
Beispiel aus der Antike untersuchen:

(k)   Der Kreter Epimenides sagte, daß alle Kreter Lügner
      sind.

Ist diese Aussage wahr oder falsch? Keine der Antworten scheint annehmbar zu sein. Das ist die *Lügner-
Antinomie*; man kann sie in eine zeitgemäße Form
bringen, indem man die Aussage

(l)   Diese Aussage ist falsch.

untersucht. Ist Aussage (l) wahr? Wenn ja, dann ist sie
falsch. Ist Aussage (l) falsch? Wenn ja, dann ist sie
wahr. Wir scheinen es hier mit einer Aussage zu tun zu
haben, die genau dann falsch ist, wenn sie wahr ist. Eine
derartige Aussage ist offensichtlich widersprüchlich.
Die Ursache der Schwierigkeit ist, daß in Aussage (l)

2 Eine Aussage oder einen anderen Ausdruck in eine gesonderte Zeile
zu schreiben ist auch eine Möglichkeit, sie bzw. ihn zu erwähnen; eine
solche Hervorhebung ist ein befriedigender Ersatz für Anführungszeichen. Verwenden wir aus dem gleichen Grund Anführungszeichen,
dann können wir sagen, »Die Aussage ›Alle Menschen sind sterblich‹ ist
ein abgedroschenes Beispiel einer A-Aussage« ist eine Aussage der
Metasprache. Wir haben hier der Deutlichkeit halber zwischen halben
und ganzen Anführungszeichen abgewechselt und einen Satz der Meta-
metasprache *gebraucht*, um eine Aussage der Metasprache zu *erwähnen*. Es ist klar, daß wir so viele Stufen in unserer Hierarchie der
Sprachen bilden können, wie wir wollen.

die Unterscheidung zwischen Objektsprache und Metasprache – d. h. die Unterscheidung zwischen Gebrauch
und Erwähnung – nicht beachtet wird. Sie muß als ein
unsinniger Satz, der weder wahr noch falsch ist, einge-
stuft werden. Wir sehen jetzt, daß eine Nichtbeachtung
dieser Unterscheidungen zu offenen logischen Wider-
sprüchen führen kann.

30. Definitionen

Ein Wort besteht aus einer großen Menge physikalischer Dinge oder Ereignisse, wie Tintenzeichen, Gra-
phitzeichen oder Schallwellen. Ein bestimmtes Wort
wird viele Male verwendet; es tritt häufig auf. So
kommt zum Beispiel das Wort »Sprache« im vorhergehenden Abschnitt mehrmals vor. Es handelt sich dabei
immer um das gleiche Wort, und jedes Vorkommen ist
ein physikalisches Ding. Das Wort ist die Menge aller
dieser Vorkommen – der gesprochenen wie der
geschriebenen – in der Vergangenheit, der Gegenwart
und der Zukunft. Allerdings sind Wörter nicht nur
Gebilde aus physikalischen Dingen oder Ereignissen,
denn Wörter haben eine Bedeutung. Wörter sind Symbole.
Die Bedeutung eines Wortes ist keine natürliche Eigenschaft, die der Mensch entdecken kann; eine Bedeutung
wird mit einem Wort von Menschen verbunden, die
übereinstimmend der Meinung sind, daß es diese
Bedeutung haben soll. Zum Beispiel besitzt das Wort
»Katze« keine ihr wesenhaft zugehörige Eigenschaft,
aufgrund deren es sich auf Katzen bezieht; es bezieht

sich auf Katzen, weil deutschsprachige Menschen eine
Konvention dieses Inhalts angenommen haben. Damit
soll nicht die Vorstellung erweckt werden, daß sich die
Menschen irgendwann einmal an einen Konferenztisch
setzten und die Bedeutungen der Wörter offiziell fest-
legten. Größtenteils haben sich diese Konventionen,
wie viele andere Konventionen auch, über einen langen
Zeitraum hin allmählich und zwanglos entwickelt. In
dem Maße, in dem sich die Sprache entwickelt und
entfaltet, können sich auch diese Konventionen noch
ändern. Es ist eine wichtige Tatsache, daß auch andere
Konventionen hätten angenommen werden können,
ohne daß das falsch oder inkorrekt gewesen wäre. Es
gibt ja in der Tat viele verschiedene Sprachen – Englisch, Deutsch, Russisch usw. –, und alle haben sie
unterschiedliche Konventionen. Keine dieser Sprachen
ist falsch, und keine ist »die wahre Sprache«.

Ein Wort hat eine Bedeutung, wenn es eine Konvention
gibt, die ihm seine Bedeutung verleiht. Definitionen
bringen diese Konventionen in der Metasprache zum
Ausdruck. Die Konvention kann mittels einer Definition formell vereinbart worden sein oder sich durch
gewohnheitsmäßige Verwendung zwanglos entwickelt
haben. In jedem Fall ist die Definition als Formulierung
einer Konvention weder wahr noch falsch.

Eine Definition von etwas zu geben ist dasselbe wie
einen Vorschlag zu machen. Man kann ihn annehmen
oder zurückweisen, der Vorschlag selbst ist aber weder
wahr noch falsch. Wenn der Vorschlag eines jungen
Mannes »Laß uns heiraten« mit »Das ist falsch« beantwortet wird, dann ist das eine unsinnige Erwiderung. Es
kann ebenfalls gute Gründe geben, einen Vorschlag,

der dahin geht, ein bestimmtes Wort in einer bestimmten Weise zu verwenden, zurückzuweisen; Falschheit gehört aber nicht dazu. Noch ist Wahrheit ein Grund, einen solchen Vorschlag anzunehmen.

Wenn sich die Konvention, die die Bedeutung eines Wortes bestimmt, zwanglos entwickelt hat, dann kann man überdies eine Definition als eine ausdrückliche Formulierung dieser Konvention vorbringen. Auch in diesem Fall ist die Definition weder wahr noch falsch; sie gleicht einer Regel mehr als einer Tatsachenaussage. Man kann Regeln genauso wie Vorschläge annehmen oder zurückweisen, sie befolgen oder verletzen. Zum Beispiel haben sich in unserer Kultur bestimmte Konventionen der Etikette zwanglos entwickelt. Diese Konventionen kommen in Regeln wie »Man ißt Erbsen nicht mit dem Messer« zum Ausdruck. Diese Regel ist zwar weder wahr noch falsch, dennoch kann man wahre oder falsche Aussagen über diese Regel machen. Es ist zum Beispiel wahr zu sagen, daß die eben angegebene Regel eine zur Zeit akzeptierte Konvention der Etikette ausdrückt. In ähnlicher Weise gilt: Obwohl eine bestimmte Definition weder wahr noch falsch ist, so ist doch die Aussage, daß diese Definition eine akzeptierte Konvention ausdrückt, entweder wahr oder falsch. Es ist wichtig, sich zu vergegenwärtigen, daß die Aussage über die Definition von der Definition selbst verschieden ist.

In den meisten Fällen kann man die Bedeutung eines Wortes unter zwei verschiedenen Gesichtspunkten sehen. Man betrachte das Wort »Logiker«. Zunächst einmal bezieht sich dieses Wort auf verschiedene Männer wie Aristoteles, George Boole, Gottlob Frege,

Bertrand Russell, Kurt Gödel, W. V. Quine und viele
andere. Diese Menschen – d. h. alle Menschen, die
Logiker sind – bilden die *Extension* des Wortes »Logiker«. Die Extension eines Wortes besteht aus der
Menge aller Dinge, auf die dieses Wort richtig angewandt wird. Die Extension ist der eine Gesichtspunkt,
unter dem man die Bedeutung eines Wortes sehen
kann. Darüber hinaus gibt es bestimmte Eigenschaften,
die die Logiker von allen anderen Menschen und Dingen unterscheiden. Ein Logiker ist ein Mensch, der sich
in der Logik auskennt. Um als Logiker zu gelten, muß
ein Ding die Eigenschaften ›ein Mensch sein‹ und ›sich
in der Logik auskennen‹ besitzen. Die *Intension* des
Wortes »Logiker« besteht aus diesen beiden Eigenschaften. Allgemein besteht die Intension eines Wortes
aus den Eigenschaften, die ein Ding haben muß, um zur
Extension dieses Wortes zu gehören. Die Extension
eines Wortes ist die Menge der *Dinge*, auf die das Wort
zutrifft; die Intension eines Wortes ist die Menge der
Eigenschaften, die die Dinge festlegen, auf die das Wort
zutrifft.

Es gibt viele Arten, die Bedeutungen von Wörtern
anzugeben; folglich gibt es viele verschiedene Typen
von Definitionen. Zunächst einmal können wir die
Bedeutung eines Wortes durch seine Extension oder
durch seine Intension angeben. Deshalb unterscheidet
man grundsätzlich zwischen *extensionalen Definitionen*
und *intensionalen Definitionen*.

Es gibt zwei ganz unterschiedliche Methoden, die
Extensionen von Wörtern anzugeben. Erstens können
wir einfach auf Dinge aus der Extension des Wortes
zeigen. Um die Bedeutung des Wortes »Hund« einzu-

grenzen, können wir auf verschiedene Hunde hinweisen. Diese Methode, die Extension des Wortes anzugeben, bezeichnet man als »Hinweisdefinition«. Eine andere Methode besteht darin, einige der Dinge aus der Extension des Wortes zu nennen (wenn die Dinge aus der Extension Eigennamen besitzen). Man kann deshalb Beispiele aus der Extension des Wortes »Hund« anführen, indem man verschiedene Hunde beim Namen nennt: Fido, Rover, Spot, Rex, Beauregard usw. Eine Hinweisdefinition ist eine *nichtsprachliche* extensionale Definition, denn die Bedeutung des Wortes wird nicht dadurch angegeben, daß man mit anderen Worten seine Bedeutung erklärt, sondern dadurch, daß man auf tatsächlich vorhandene Dinge zeigt. Auf der anderen Seite ist das Nennen von Elementen der Extension eine *sprachliche* extensionale Definition, denn die Bedeutung des Wortes wird durch die Verwendung anderer Wörter, den Namen der Elemente der Extension, erklärt.

Unabhängig davon, ob man die Extension eines Wortes auf sprachliche oder nichtsprachliche Weise angibt, ist es gewöhnlich undurchführbar oder unmöglich, auf jedes Element der Extension hinzuweisen. Es ist nicht möglich, auf jedes Element der Extension des Wortes »Hund« zu zeigen, weil dieses Wort auch auf Hunde zutrifft, die bisher noch nicht geboren sind. Außerdem ist es undurchführbar, auf jeden lebenden Hund zu zeigen, um die Bedeutung des Wortes zu erklären, denn es gibt so viele Hunde, die sich darüber hinaus in ganz verschiedenen Teilen der Welt befinden. Extensionale Definitionen bestehen also sehr häufig darin, daß man entweder sprachlich oder nichtsprachlich auf einige Ele-

mente der Extension hinweist in der Annahme, daß
man andere Elemente der Extension aufgrund ihrer
Ähnlichkeit mit den Beispielen erkennen kann. Dieses
Definitionsverfahren ist zwar nicht ganz exakt, trotzdem werden die Bedeutungen der Wörter durch extensionale Definitionen wirklich übermittelt.

Ein Augenblick des Nachdenkens sollte genügen, um zu
erkennen, daß einige Wörter auf nichtsprachliche
Weise definiert sein müssen. Wenn man die Bedeutung
eines Wortes nur durch die Verwendung anderer Wörter angeben könnte, dann wäre es nicht möglich, die
Bedeutung irgendeines Wortes zu übermitteln. Wenn
nicht die Bedeutungen einiger Wörter auf nichtsprachliche Weise angegeben worden wären, dann würde es
keine bedeutungsvollen Wörter geben, die man bei der
Erklärung der Bedeutungen anderer Wörter verwenden
könnte. Angenommen, man findet ein Sanskrit-Wörter-
buch, in dem jedes Sanskrit-Wort vermittels anderer
Sanskrit-Wörter definiert ist. Man könnte jede Definition in diesem Wörterbuch auswendig lernen, ohne daß
man deshalb die Bedeutung irgendeines dieser Wörter
kennen würde, denn man wüßte nicht, auf welche
Dinge sich die Wörter beziehen. Man braucht so etwas
wie eine Hinweisdefinition, um einige der Wörter mit
Dingen in Beziehung zu setzen; es genügt nicht, wenn
man bloß alle Wörter miteinander in Beziehung setzt.

Intensionale Definitionen sind sprachlicher Art. Ein
wichtiger Typ einer intensionalen Definition ist die
explizite Definition. Eine explizite Definition besteht in
der Angabe eines Wortes oder einer Wortverbindung
mit derselben Bedeutung wie das definierte Wort. Zum
Beispiel:

(a) »verlogen« bedeutet »unehrlich«.

»Pentagon« bedeutet »Fünfeck«.

»Junggeselle« bedeutet »unverheirateter männlicher Erwachsener«.

Das Wort, das definiert wird, steht immer auf der linken Seite; man bezeichnet es als das *Definiendum*. Das Wort oder die Wortverbindung auf der rechten Seite ist das Definierende; man bezeichnet es als das *Definiens*. Die Definition selbst gehört als Vorschlag oder Regel über den Gebrauch von Wörtern der Objektsprache zur Metasprache.

Eine Definition ist zirkulär, wenn das Definiendum im Definiens vorkommt. Zum Beispiel ist die Definition

(b) »Pentagon« bedeutet »ebene Figur von der Gestalt eines Pentagons«

zirkulär, weil das Wort, das definiert werden soll, bei der Angabe der Definition verwendet wird. Solche Definitionen sind unbrauchbar. Definitionen können auch auf eine weniger direkte Art zirkulär sein. Zum Beispiel sind die folgenden drei Definitionen zusammengenommen zirkulär:

(c) »Verlogenheit« bedeutet »Mangel an Ehrlichkeit«.

»Ehrlichkeit« bedeutet »Fehlen von Unaufrichtigkeit«.

»Unaufrichtigkeit« bedeutet »Verlogenheit«.

Drei Wörter werden definiert, wobei allerdings jedes mit Hilfe der zwei anderen definiert wird. Die Folge ist, daß keines der Wörter durch diese Reihe von Definitionen eine Bedeutung erlangt, es sei denn, daß einem der Wörter unabhängig von den oben angegebenen Definitionen eine Bedeutung verliehen wird.

Viele Wörter wie »Hund«, »rennen« und »rot« beziehen sich auf Dinge, Ereignisse und Eigenschaften. Solche Wörter besitzen Extensionen und Intensionen. Anderen Wörtern kommt eine Bedeutung nur insofern zu, als sie in einem sprachlichen Kontext einen bestimmten Zweck erfüllen. Wörter wie »wenn«, »wenn nicht«, »der«, »ist«, »nicht« und »oder« haben überhaupt keinen Bezug. So bezeichnet zum Beispiel »wenn nicht« weder ein Ding noch ein Ereignis, und es gibt auch keine Eigenschaft des Wenn-nicht-seins. Wörter dieser Art besitzen weder eine Intension noch eine Extension; für sich genommen haben sie tatsächlich überhaupt keine Bedeutung. Sie haben rein grammatische Funktionen, und ihre Bedeutungen ergeben sich aus ihrer Aufgabe, den Aussagen, in denen sie vorkommen, eine Struktur zu verleihen. Wir verbinden mit diesen Wörtern Bedeutungen, indem wir zeigen, welchen Zweck sie in einem Kontext erfüllen. Diese Methode, Bedeutungen anzugeben, bezeichnet man als »Kontextdefinition«.

Da sich die Logik in erster Linie mit der Form oder Struktur von Aussagen befaßt, werden viele der wichtigsten logischen Wörter durch Kontextdefinitionen erklärt. Uns sind schon viele derartige Definitionen begegnet. So haben wir zum Beispiel bei der Erörterung kategorischer Aussagen darauf hingewiesen, daß A-Aussagen, d. h. Aussagen der Form »Alle F sind G«, und Aussagen der Form »Nur G sind F« bedeutungsgleich sind. Das ist eine Kontextdefinition des Wortes »nur«. Hier wird kein einzelnes Wort und keine Wortverbindung mit dem Wort »nur« in der Bedeutung gleichgesetzt; aber der Kontext, in dem das Wort »nur« vorkommt, hat die gleiche Bedeutung wie eine Aussage, die das Wort »nur« nicht enthält. Um ein anderes

Beispiel anzuführen: Die Wahrheitstafeln liefern Kontextdefinitionen der wahrheitsfunktionalen Verknüpfungszeichen.

Kontextdefinitionen kann man folgendermaßen von expliziten Definitionen unterscheiden: Wenn ein Wort, das explizit definiert wurde, in einer Aussage vorkommt, dann können wir das definierte Wort durch sein Definiens ersetzen, ohne daß dadurch die Bedeutung der Aussage verändert wird.

(d)   In der Aussage »Fred Smith ist ein Junggeselle« können wir das Wort »Junggeselle« durch die Wortverbindung »unverheirateter männlicher Erwachsener« ersetzen und erhalten dadurch die Aussage »Fred Smith ist ein unverheirateter männlicher Erwachsener«, die mit der ursprünglichen Aussage bedeutungsgleich ist.

Und im Gegensatz dazu:

(e)   Die oben angegebene Kontextdefinition stellt uns kein Wort und keine Wortverbindung zur Verfügung, durch das bzw. durch die wir das Wort »nur« in der Aussage »Nur Säugetiere sind Wale« ersetzen könnten. Unsere Definition erlaubt uns aber, die ganze Aussage, in der das Wort »nur« vorkommt, durch eine andere Aussage, nämlich durch die Aussage »Alle Wale sind Säugetiere«, die mit der ursprünglichen Aussage bedeutungsgleich ist, zu ersetzen. Die Bedeutung des Wortes »nur« wird durch die Definition bestimmt, weil sie uns die Möglichkeit gibt, das, was ursprünglich mit Hilfe des Wortes »nur« zum Ausdruck gebracht worden war, ohne Verwendung des Wortes »nur« auszudrücken.

Nachdem wir mehrere der verschiedenen Definitionstypen beschrieben haben, müssen wir nun auf einige der Zwecke zu sprechen kommen, die Definitionen erfüllen sollen. Wenn Definitionen auch weder wahr noch falsch

sind, so kann man doch ihre Angemessenheit im Hinblick darauf, ob sie bestimmte Aufgaben zu erfüllen
vermögen oder nicht, beurteilen.

1. Manchmal will man mit Definitionen den gewöhnlichen Gebrauch eines Wortes beschreiben. Mit solchen
Definitionen versucht man, die Konventionen deutlich
zu machen, die von den Menschen, die die Sprache
sprechen, oder vielleicht von denjenigen, die sie richtig
sprechen, befolgt werden. Definitionen, die in Wörter-
büchern gegeben werden, haben diese Aufgabe.

Wenn wir ein Wort im Wörterbuch nachschlagen, um
seine Bedeutung festzustellen, dann ist es vielleicht
verlockend zu sagen, daß wir die wahre Definition
suchen. Ein Wörterbuch enthält viele Definitionen, und
diese Definitionen scheinen die Konventionen wiederzugeben, an die sich die Sprecher der Sprache halten.
Hier gilt das, was wir früher schon gesagt haben. Aus
Gründen der logischen Klarheit ist es wichtig, daß man
zwischen Definitionen und Aussagen über Definitionen
genau unterscheidet. Eine Definition hat den Sinn eines
Vorschlags, ein bestimmtes Wort in einer bestimmten
Bedeutung zu verwenden; so verstanden, ist sie weder
wahr noch falsch. Die Aussage, daß eine bestimmte
Definition akzeptiert wird, ist eine Aussage über die
Definition und nicht die Definition selbst. Diese Aus-
sage ist entweder wahr oder falsch.

2. Manchmal definieren wir ein neues Wort, weil es
noch keinen allgemein bekannten und kurzen Ausdruck
für eine wichtige Bedeutung gibt. Es ist zum Beispiel
möglich, daß wir uns wiederholt auf die Monate des
Jahres beziehen wollen, die weniger als einunddreißig
Tage haben. Als eine geeignete Abkürzung könnten wir

uns das Wort »Monette« prägen und es definieren als
»Monat mit weniger als einunddreißig Tagen«.

3. Ein Wort ist *vage*, wenn es Dinge gibt, von denen
man mit Sicherheit weder sagen kann, daß sie zu seiner
Extension gehören, noch daß sie nicht dazu gehören.
Definitionen haben häufig die Aufgabe, vage Worte
präziser zu machen. Zum Beispiel ist das Wort »reich«
vage. Manche Leute besitzen sehr wenig Geld; sie sind
mit Sicherheit nicht reich. Andere besitzen Millionen;
sie sind mit Sicherheit reich. Nun gibt es aber manche
Leute, die eine ganze Menge Geld haben, ohne dabei
über ein sagenhaftes Vermögen zu verfügen. Selbst
wenn wir wüßten, wieviel Geld so jemand besitzt, könnten wir wegen der Vagheit des Wortes »reich« nicht
sagen, ob er reich ist oder nicht. In einem solchen Fall
möchten wir vielleicht dieses Wort mit einer Definition
wie der folgenden präzisieren: »reich« bedeutet »verfügt über ein Vermögen von mindestens einer halben
Million Dollar«.

4. Manchmal suchen wir nach einer Definition für ein
Wort, dessen Extension gut bekannt ist. Wir haben zum
Beispiel keine Mühe, das Wort »Mensch« anzuwenden;
wenn wir auf etwas stoßen, dann können wir beinahe
immer mit Bestimmtheit angeben, ob es ein Mensch ist
oder nicht. Und dennoch können wir erhebliche
Schwierigkeiten haben zu sagen, welche Eigenschaften
Menschen von Nicht-Menschen unterscheiden. Das
Problem ist, eine intensionale Definition zu finden, die
die Extension bestimmt, die wir für das Wort schon
akzeptiert haben.

Obwohl wir das Wort »Mensch« in den meisten Kontexten völlig adäquat verwenden, so ist doch seine Exten-

sion nicht genau festgelegt. Wir haben es hier mit einem typischen Fall zu tun. Es gibt viele Dinge, die eindeutig zur Extension des Wortes gehören; es gibt viele Dinge, die eindeutig nicht zu seiner Extension gehören; und es gibt einige Grenzfälle – Dinge, von denen man mit Sicherheit weder sagen kann, daß sie zur Extension gehören, noch daß sie nicht zur Extension gehören. Um eine adäquate intensionale Definition für das Wort »Mensch« zu finden, müssen wir eine Anzahl von Eigenschaften angeben, die auf der einen Seite all die Dinge besitzen, die eindeutig zur Extension des Wortes gehören, die aber auf der anderen Seite auf keines der Dinge zutreffen, die eindeutig nicht zu seiner Extension gehören. Mit den Grenzfällen kann man verfahren, wie man es für richtig hält.

Wenn eine Definition gegeben wird, dann darf sie weder zu weit noch zu eng sein. Die Definition ist *zu weit*, wenn sie einige Dinge in die Extension einschließt, die mit Sicherheit außerhalb der Extension liegen. Die Definition ist *zu eng*, wenn sie Dinge von der Extension ausschließt, die mit Sicherheit zur Extension zählen. Man beachte, daß eine Definition gleichzeitig zu weit und zu eng sein kann. Zum Beispiel wurde die Definition »›Mensch‹ bedeutet ›vernünftiges Tier‹« vorgeschlagen. Es gibt Grund zu der Annahme, daß sie in einigen Aspekten zu weit und in anderen zu eng ist. Wir würden normalerweise Säuglinge, mongoloide Schwachsinnige und Geisteskranke für Menschen halten. Es ist jedoch zweifelhaft, ob solche Wesen vernünftig sind, so daß sie von der vorgeschlagenen Definition offenbar nicht zur Extension von »Mensch« gerechnet werden. Deshalb ist die Definition zu eng. Gleichzeitig scheinen bestimmte Affen ziemlich intelligent und zu elementaren Denkprozessen fähig zu sein. Solche Geschöpfe, die eindeutig nicht zur Extension von »Mensch«, so wie wir das Wort verstehen, gehören, würden von der vorgeschlagenen Definition dazugezählt werden. In dieser Hinsicht ist die Definition zu weit.

Wenn es uns gelungen ist, eine intensionale Definition aufzustellen, die weder zu weit noch zu eng ist, dann müssen wir immer noch prüfen, wie sie mit den Grenzfällen fertig wird. Um zu unserem vorhergehenden Beispiel zurückzukehren: Wir stoßen auf Grenzfälle, wenn wir nach dem Zeitpunkt fragen, zu dem ein Organismus zu einem Menschen wird. Wird ein Individuum erst im Augenblick der Geburt zu einem menschlichen Wesen? Ist ein ungeborenes Kind ein menschliches Wesen? Wird ein Fetus zu einem Menschen, wenn die Mutter zum ersten Mal »Leben fühlt«? Ist das befruchtete Ei vom Augenblick der Befruchtung an ein menschliches Wesen? Das sind keine rein akademischen Fragen. Es geht um Probleme der folgenden Art. Besitzt ein ungeborenes Kind irgendwelche gesetzlichen Rechte? Kann ein ungeborenes Kind Geld erben oder der Begünstigte in einer Lebensversicherungspolice sein? Ist Abtreibung Mord? (Es ist per definitionem unmöglich, etwas Nicht-Menschliches zu ermorden.)

Selbst wenn es uns gelungen ist, eine intensionale Definition aufzustellen, die in zufriedenstellender Weise die Grenzfälle behandelt, die uns schon begegnet sind, möchten wir vielleicht dennoch bestimmte zusätzliche Grenzfälle, auf die wir bisher noch nicht gestoßen sind und auf die wir vielleicht niemals stoßen werden, in Betracht ziehen. Man nehme zum Beispiel an, ein

Raumschiff lande auf der Erde, in dem sich Wesen von einem anderen Planeten befinden, die offensichtlich intelligent sind und in vielen anderen Aspekten den Erdenbewohnern gleichen. Man nehme weiter an, daß irgend jemand eines dieser Wesen tötet, ohne in irgendeiner Weise provoziert worden zu sein. Wäre das Mord? Nun, das hängt von unserer Definition von »Mensch« ab.

Bevor das Wort »Mensch« eindeutig definiert ist, ergibt die Frage, ob solche Besucher aus dem Weltraum *wirklich* Menschen sind, keinen Sinn, denn die Antwort hängt von der Definition von »Mensch« ab. Ob eine gegebene Definition vernünftig und nützlich ist, ist nichtsdestoweniger eine sehr wichtige Frage. Es gibt zahlreiche rechtliche, ethische, biologische, soziologische, anthropologische und psychologische Überlegungen, die für diese Frage relevant sind. Sie sagen zwar nichts darüber aus, ob eine gegebene Definition wahr ist, sie helfen uns aber, die Angemessenheit von Definitionen zu beurteilen.

5. Manche Definitionen werden aufgestellt, um ein Wort einzuführen, das für eine Theorie von Bedeutung und Nutzen ist. Solche Definitionen kommen in den Wissenschaften häufig vor. Wörter wie »Arbeit« und »Energie« erhalten in der Physik exakte Definitionen, nicht in erster Linie, um die Vagheit ihrer Alltagsbedeutungen zu beseitigen, sondern um Wörter zu bilden, die bei der Formulierung wichtiger physikalischer Verallgemeinerungen verwendet werden können. Ihre gewöhnlichen Bedeutungen werden tatsächlich ganz bewußt geändert, um zu brauchbaren physikalischen Begriffen zu kommen.

Auch in der Philosophie suchen wir nach Definitionen, die theoretisch nützliche Begriffe einführen. So haben zum Beispiel Philosophen versucht, das Wort »frei« (wie es in der Wortverbindung »freier Wille« vorkommt) zu definieren, um zu einer bedeutungsvollen Unterscheidung zwischen freien und unfreien Handlungen zu gelangen. Der sich ergebende Begriff sollte es uns ermöglichen, den Zusammenhang zwischen Freiheit und Verantwortlichkeit zu bestimmen. Er sollte uns helfen zu erklären, welche Bedeutung die Behauptung hat, daß sich jemand hätte anders verhalten können, und er sollte uns helfen, daß wir uns über die Beziehung zwischen Freiheit und kausaler Determiniertheit, falls eine solche Beziehung überhaupt besteht, klar-werden.

6. Neben Intensionen, Extensionen und grammatischen Funktionen besitzen Wörter auch eine gefühlserregende Kraft [emotive force]. Ein Buch, das sehr ins Detail geht, wird von dem einen vielleicht als gründlich und gelehrt beschrieben, während ein anderer es für langweilig und in übertriebener Weise genau hält. Diese beiden machen noch nicht einmal verschiedene Tatsachenaussagen über das Buch, sondern bringen vielmehr unterschiedliche Einstellungen ihm gegenüber zum Ausdruck.

Definitionen werden häufig aufgestellt, um eine gefühlserregende Kraft auf etwas zu übertragen. Dies kann man auf zwei Arten erreichen. Erstens können wir von einem Wort ausgehen, das eine große gefühlserregende Kraft besitzt, und es so definieren, daß es auf etwas zutrifft, das wir preisen oder verdammen wollen. Man könnte zum Beispiel das Wort »sozialistisch« defi-

nieren als »auf einen Ausgleich des Wohlstands durch
Regierungsmaßnahmen abzielend«. Da die progressive
Einkommensteuer einen Ausgleich des Wohlstands
bewirkt, trifft das Wort »sozialistisch« auf sie zu. Für
diejenigen, die mit dem Wort »sozialistisch« etwas
Negatives assoziieren, führt das dazu, daß sie ihre negativen Einstellungen auf die progressive Einkommensteuer selbst übertragen. Für diejenigen, die mit dem
Wort »sozialistisch« etwas Positives assoziieren, gilt
genau das Gegenteil. Definitionen dieser Art übertragen eine gefühlserregende Kraft von dem Definiendum
auf das Definiens. Da das Definiens eindeutig auf die
progressive Einkommensteuer zutrifft, wird die gefühlserregende Kraft des Definiendums – »sozialistisch« –
über das Definiens auf die progressive Einkommensteuer übertragen.

Zweitens kann man auch in umgekehrter Richtung vorgehen. Angenommen, ein bestimmtes Drama ist zuge-
gebenermaßen naturalistisch. Jemand könnte »naturalistisch« definieren als »die Gemeinheit des menschlichen
Wesens und das Elend der menschlichen Existenz ver-
herrlichend«. Diese Definition überträgt die negative
gefühlserregende Kraft vom Definiens auf das Wort
»naturalistisch« – dem Definiendum – und damit auf das
Stück selbst. Definitionen, deren hauptsächliche Funktion in der Übertragung einer gefühlserregenden Kraft
liegt, bezeichnet man als »persuasive Definitionen«.[3]

Die vorhergehenden Beispiele könnten leicht den Eindruck entstehen lassen, daß alle persuasiven Definitio-

3 Dieser Ausdruck wurde von Professor Charles L. Stevenson geprägt.
Vgl. sein Buch *Ethics and Language*, New Haven: Yale University
Press, 1944.

nen illegitim sind. Dies stimmt aber nicht. Wir brauchen
Wörter mit einer gefühlserregenden Kraft, um unsere
Empfindungen, Gefühle und Einstellungen zum Ausdruck zu bringen; persuasive Definitionen dienen dazu,
das notwendige Vokabular bereitzustellen. Persuasive
Definitionen können jedoch unangenehme Folgen
haben, wenn wir bei der Übertragung der gefühlserregenden Kraft auch die eingeführten deskriptiven
Bedeutungen unserer Wörter verändern. Wenn die
Veränderung der deskriptiven Bedeutungen unbemerkt
vor sich geht, kann es zu Verwechslungen kommen.

Die oben gegebene Aufzählung der Zwecke von Definitionen erhebt nicht den Anspruch auf Vollständigkeit,
auch schließen sich die Zwecke nicht gegenseitig aus.
Bei unserer Erörterung der Definition von »Mensch«
versuchten wir, den gewöhnlichen Sprachgebrauch zu
beschreiben (Zweck 1), ein etwas vages Wort zu präzisieren (Zweck 3), eine intensionale Definition für ein
Wort zu geben, dessen Extension gut bekannt ist
(Zweck 4), und ein Wort, das für eine Theorie von
Bedeutung und Nutzen ist, zur Verfügung zu stellen
(Zweck 5).

Einige der wichtigsten philosophischen Probleme sind
im Grunde Definitionsprobleme. Philosophen fragen:
Was ist Gerechtigkeit? Was ist Kunst? Was ist Religion? Was ist Wissen? Was ist Wahrheit? In allen diesen
Fällen kann man die Frage umformulieren: Wie sollen
wir das Wort »Gerechtigkeit« definieren? Wie sollen
wir das Wort »Kunst« definieren? usw. Man beachte, daß diese Umbildung offenbar von einer Frage
der Objektsprache ausgeht und sie als eine Frage der
Metasprache neu formuliert. Es genügt nicht zu er-

widern, daß Definitionen Konventionen sind und somit eine Definition so gut wir jede andere ist. Definitionen sind zwar Konventionen, einige Konventionen erfüllen aber ihre Aufgaben besser als andere. Eine adäquate Definition zu finden ist oft alles andere als einfach.

31. Analytische, synthetische und kontradiktorische Aussagen

In Abschnitt 12 erfuhren wir, daß es bestimmte Aussagen, sogenannte Tautologien, gibt, deren Wahrheitswert stets **W** ist; wir stellten fest, daß diese Aussagen nur einen kleinen Teil all der Aussagen ausmachen, deren Wahrheit allein mit Hilfe der Logik ermittelt werden kann. Nachdem wir uns nun mit den Definitionen befaßt haben, ist es Zeit, daß wir die umfassendere Klasse untersuchen. Wir wollen mit der tautologischen Form

(a) $p \supset p$

beginnen, von der

(b)   Wenn x ein Junggeselle ist, dann ist x ein Junggeselle.

ein Einzelfall ist. Diese selbstverständliche Wahrheit gilt ganz allgemein; folglich ist die Aussage

(c)   Alle Junggesellen sind Junggesellen.

eine logische Wahrheit. Wenn wir uns jetzt auf die Definition

(d)   »Junggeselle« bedeutet »unverheirateter männlicher Erwachsener«.

berufen, dann können wir in (c) austauschen und die Behauptung

(e)   Alle Junggesellen sind unverheiratete männliche Erwachsene.

aufstellen, aus der folgt:

(f)   Alle Junggesellen sind unverheiratet.

Logische Wahrheiten wie (c) sind Aussagen, deren Wahrheit allein aus ihrer logischen Form – d. h. der Bedeutung der logischen Ausdrücke – folgt. Die Klasse der analytischen Aussagen enthält alle diese logischen Wahrheiten und zusätzlich alle Aussagen, wie zum Beispiel (e) und (f), deren Wahrheit aus logischen Wahrheiten vermittels Definitionen folgt. Die Aussage (f) ist selbst keine Definition, trotzdem braucht man nur die Bedeutungen ihrer logischen und nichtlogischen Ausdrücke zu kennen, um ihre Wahrheit festzustellen. Es ist nicht nötig, daß man eine große Anzahl von Junggesellen beobachtet, um die Wahrheit von (f) in Erfahrung zu bringen. Weil ein Junggeselle per definitionem ein unverheirateter männlicher Erwachsener ist, kann man das Wort »Junggeselle« auf keine Person korrekt anwenden, die nicht unverheiratet ist. Aussagen dieses Typs, deren Wahrheit aus den Definitionen der in ihnen vorkommenden (logischen und nichtlogischen) Wörter folgt, bezeichnet man als *analytische Aussagen*.[4]

4 W. V. Quine hat die Unterscheidung zwischen analytischen und synthetischen Aussagen heftig kritisiert; vgl. seinen Aufsatz »Two Dogmas of Empiricism« in seinem Buch *From a Logical Point of View*, New York: Harper & Row, ²1963 (Harper Torch books) [dt. *Von einem logischen Standpunkt*, Frankfurt a. M. / Berlin / Wien: Ullstein,

Die Aussage

(g)   Einige Junggesellen sind verheiratet.

gleicht der Aussage (f), außer daß die Bedeutungen der
Wörter, die in (g) vorkommen, sie falsch und nicht wahr
machen. Aussagen dieses Typs sind *kontradiktorische
Aussagen* (oder Selbstwidersprüche oder einfach
Widersprüche). Eine kontradiktorische Aussage ist eine
Aussage, deren Falschheit aus den Bedeutungen der in
ihr vorkommenden Wörter folgt. Im weitesten Sinn
kann man also analytische Aussagen beziehungsweise
kontradiktorische Aussagen als *logische Wahrheiten*
beziehungsweise als *logische Falschheiten* ansehen.
Im Gegensatz dazu sind

(h)   Einige Junggesellen besitzen keine Autos.
(i)   Alle Junggesellen sind blind.

Aussagen, deren Wahrheit oder Falschheit nicht allein
von den Bedeutungen der in ihnen enthaltenen Wörter
bestimmt wird. Sie werden als *synthetische Aussagen*
bezeichnet. Zwar muß man die Bedeutungen der Wörter, die in ihnen vorkommen, kennen, bevor man feststellen kann, ob sie wahr oder falsch sind; es ist aber
möglich, daß man die Bedeutungen der Wörter vollkommen versteht, ohne zu wissen, ob eine der Aussagen wahr oder falsch ist. Aussage (h) ist offensichtlich
wahr, aus der Definition des Wortes »Junggeselle« folgt
aber nicht, daß einige Junggesellen keine Autos besitzen. Es ist eine Tatsache, daß einige Junggesellen keine
Autos besitzen, die über die Bedeutung des Wortes

1979]. Selbst wenn Quine recht haben sollte, so kann man die Bedeutung seiner Argumentation doch nur einschätzen, wenn man die Unterscheidung, so wie sie hier dargestellt wird, kennt.

hinausgeht. In ähnlicher Weise ist Aussage (i) offensichtlich ein falscher Satz, aber wieder handelt es sich dabei nicht um eine Folge der Definitionen der Wörter. Die einzige Möglichkeit herauszufinden, daß (h) wahr und (i) falsch ist, besteht in einer genauen Untersuchung von Junggesellen. Es genügt nicht, wenn man bloß das Wort »Junggeselle« (und die anderen Wörter in diesen Aussagen) analysiert. Synthetische Aussagen sind keine logischen Wahrheiten oder Falschheiten; sie sind *Tatsachenaussagen*.

Aus diesen Unterscheidungen ergeben sich wichtige Konsequenzen. Der Grund dafür, daß man die Wahrheit einer analytischen Aussage feststellen kann, ohne sich auf etwas anderes als die Bedeutungen der Wörter zu beziehen, liegt darin, daß analytische Aussagen keinerlei Informationen über außersprachliche Tatsachen enthalten. Eine analytische Aussage übermittelt nur Informationen über die Sprache selbst und nicht über die Tatsachen, auf die sich die Sprache bezieht. Es ist jedoch nicht so, daß sich analytische Aussagen ausdrücklich auf die Sprache beziehen; sie bringen vielmehr Beziehungen zwischen Definitionen zum Ausdruck. Definitionen sind, wie wir gesagt haben, Konventionen. Und Konventionen sind weder wahr noch falsch. Konventionen haben jedoch Folgen, und analytische Aussagen sind die Folgen unserer Definitionen.

Wir können durch das folgende Beispiel verdeutlichen, warum analytische Aussagen keinen Tatsachengehalt besitzen. Angenommen, es gibt ein Zimmer, über dessen Einrichtung wir nichts wissen. Wir können uns zwar alles mögliche vorstellen, was in diesem Zimmer sein könnte, aber wir können auf keine Weise herausbekommen, welche dieser vorstellbaren Möglichkeiten tatsächlich wahr ist. Angenommen nun, wir erfahren, daß die synthetische Aussage »Es gibt ein Buch in dem Zimmer« wahr ist. Sofort können wir all die vorstellbaren Möglichkeiten über die Einrichtung des Zimmers als *nicht zutreffend* ausschließen, die nicht wenigstens ein Buch zu den Einrichtungsgegenständen zählen. Wir wissen jetzt zum Beispiel, daß das Zimmer nicht vollkommen leer ist; wir wissen, daß es nicht völlig mit Corn-flakes unter Ausschluß aller anderen Dinge angefüllt ist; wir wissen, daß es nicht bloß ein Bett, einen Stuhl, einen Tisch, eine Lampe, einen Teppich usw. enthält. Wir besitzen jetzt zwar einige Informationen über die Einrichtungsgegenstände des Zimmers, aber nicht sehr viele. Als nächstes nehme man an, wir erfahren, daß die Aussage »Es gibt genau ein Buch in dem Zimmer, und dieses Buch ist grün, besitzt einen festen Einband, hat 348 Seiten, ist ein Kriminalroman und liegt auf einem Tisch« wahr ist. Wir besitzen nun sehr viel mehr Informationen über die Zimmereinrichtung, denn die Wahrheit dieser letzten Aussage ist mit sehr viel mehr vorstellbaren Möglichkeiten unvereinbar als die Wahrheit der ersten. Wir wissen jetzt zum Beispiel, daß sich in dem Zimmer nicht mehr als ein Buch befindet; wir wissen, daß es einen Tisch enthält; wir wissen, daß sich in ihm kein Tisch befindet, auf dem ein Philosophiebuch mit flexiblem Einband liegt usw. Alle diese Möglichkeiten, die ausgeschlossen wurden, sind mit der Wahrheit der ersten Aussage vereinbar. Im allgemeinen ist die Größe der Tatsacheninformationen einer Aussage eine Funktion der Anzahl von Möglichkeiten, die ihre Wahrheit ausschließen. Je mehr Informationen eine Aussage enthält, desto weniger Möglichkeiten läßt sie offen.

Wir wollen unter diesem Gesichtspunkt analytische Aussagen betrachten. Wie viele Möglichkeiten schließt die Wahrheit einer analytischen Aussage aus? Die Antwort ist: Keine. Da eine analytische Aussage notwendigerweise wahr ist, ist sie wahr, unabhängig davon, welche Umstände gerade vorliegen. Ihre Wahrheit schließt keine vorstellbaren Möglichkeiten aus, und das Wissen, daß sie wahr ist, erlaubt uns nicht, irgendeinen bestimmten Schluß darüber, welche Möglichkeiten zutreffen, zu ziehen. Angenommen, um auf das vorhergehende Beispiel zurückzukommen, wir würden erfahren, daß die Aussage »Alle grünen Bücher im Zimmer sind grün« wahr ist. Diese Aussage ist analytisch und vollkommen uninformativ. Sie bringt weder zum Ausdruck, ob in dem Zimmer ein Buch ist (vgl. Abschnitt 13), noch sagt sie über die Farbe irgendeines Buches, das sich im Zimmer befinden könnte, irgend etwas aus. Sie ist wahr, unabhängig von den tatsächlichen Einrichtungsgegenständen des Zimmers. Wir haben es hier mit einer Aussage zu tun, die nicht falsch sein kann und aus diesem Grund keine Information übermittelt.

Ein wichtiges Merkmal analytischer Aussagen besteht darin, daß Beobachtungsdaten für ihre Wahrheit irrelevant sind. Folglich ist es zwecklos zu versuchen, sie unter Hinweis auf Beobachtungsdaten zu widerlegen. Eine solche versuchte Widerlegung wäre ohne Bedeutung. Zum Beispiel sind viele (wenn nicht alle) Wahrheiten der Mathematik analytisch. Man betrachte die

270 Viertes Kapitel: Logik und Sprache

Aussage »Zwei plus zwei ist gleich vier«. Wir würden
normalerweise die Wahrheit einer solchen Aussage
nachweisen, indem wir auf die Definition von »zwei«,
»vier«, »plus« und »ist gleich« Bezug nehmen. Kleine
Kinder lernen manchmal zu rechnen, indem sie Finger,
Klötzchen oder Äpfel zählen; die Wahrheiten der
Arithmetik hängen jedoch nicht von Beobachtungsdaten dieser Art ab. Wäre es anders, dann müßten wir
auch negative Beobachtungsdaten berücksichtigen. Es
ist zum Beispiel eine Tatsache, daß zwei Quart Alkohol, mit zwei Quart Wasser vermischt, weniger ergibt
als vier Quart einer Lösung. Wenn Beobachtungsdaten
relevant wären, dann müßten wir den Schluß ziehen,
daß zwei plus zwei manchmal gleich vier ist, manchmal
aber auch nicht. Wir ziehen jedoch keinen solchen
Schluß, weil die angeführten experimentellen Tatsachen nicht relevant sind. Wir sagen statt dessen, daß,
wenn wir zwei Quart Alkohol und zwei Quart Wasser in
denselben Behälter gießen, wir vier Quart einer Flüssig-
keit in den Behälter gießen. Die Tatsache, daß die sich
ergebende Lösung weniger als vier Quart des Volumens
ausfüllt, ist eine interessante physikalische Tatsache,
die aber keinen Einfluß auf irgendeine Wahrheit der
Arithmetik hat.

Analytische Aussagen sind also notwendigerweise wahr
und besitzen keinen Tatsachengehalt. Es ist leicht einzusehen, daß synthetische Konklusionen nicht allein aus
analytischen Prämissen gültig deduziert werden können. Wie wir gesehen haben, kann bei einem gültigen
deduktiven Argument in der Konklusion keine Information enthalten sein, die nicht schon in den Prämissen
enthalten ist. Wenn alle Prämissen analytisch sind, dann

haben sie keinen Tatsachengehalt. Deshalb kann auch die Konklusion keinen Tatsachengehalt haben. Trotzdem werden häufig Argumente vorgebracht, in denen die Prämissen analytisch sind und die Konklusion einen Gehalt besitzt. Solche Argumente müssen ungültig sein. Zum Beispiel:

(j) Man hat manchmal unter Zugrundelegung der Prämisse »Was auch immer geschehen wird, wird geschehen« für den Fatalismus argumentiert. Sicherlich ist die Prämisse, wenn man sie wörtlich nimmt, analytisch; in ihr wird lediglich behauptet, daß die Zukunft gleich der Zukunft ist. Man wird die Prämisse kaum widerlegen können, indem man behauptet, daß einiges von dem, was geschehen wird, nicht geschehen wird. Aus der Prämisse wird häufig die Konklusion gezogen, daß die Zukunft vollständig vorherbestimmt ist und daß menschliche Handlungen und Entscheidungen keinerlei Einfluß auf die Zukunft haben. Eine derartige Argumentation ist ungültig, und ihre Ungültigkeit läßt sich genau deshalb einsehen, weil sie von einer analytischen Prämisse zu einer synthetischen Konklusion übergeht.

(k) Mancher gewissenlose Geschäftsmann hat sich unter Berufung auf die Aussage »Geschäft ist Geschäft« zu rechtfertigen versucht. Auf den ersten Blick scheint diese Aussage analytisch zu sein; wenn sie aber analytisch wäre, dann könnte sie die Konklusion, daß Unredlichkeit und Verantwortungslosigkeit legitime Geschäftsmethoden sind, die alles andere als analytisch ist, nicht stützen. Wenn die Prämisse die Konklusion stützen soll, dann muß sie ungefähr die Bedeutung haben »Geschäfte werden und können nicht auf einer moralischen Grundlage abgewickelt werden«. Bringt man die Prämisse in eine scheinbar analytische Form, dann wird der Eindruck erweckt, sie sei unbezweifelbar; gibt man die synthetische Prämisse wörtlich wieder, dann ist das, rhetorisch gesehen, weniger wirksam, denn sie scheint dann nicht länger unbestreitbar wahr zu sein.

(l)   Manche haben in gedrückter Stimmung den Schluß gezogen, daß den Menschen Anstand, Altruismus und Zuvorkommenheit gegenüber anderen vollkommen fehlt. Die Prämisse, aus der diese Konklusion abgeleitet wird, ist »Menschen handeln niemals selbstlos«. Diese Prämisse ist nicht auf den ersten Blick als analytisch zu erkennen; doch wenn man versucht, sie zu bestreiten, entdeckt man, daß keine Tatsachen denkbar sind, die sie überhaupt widerlegen könnten. Wenn wir zum Beispiel darauf hinweisen, daß Heilige und Helden alles für andere hingegeben haben, dann erwidert man uns, daß sie das getan haben, weil sie es wollten, und deshalb hätten sie in Wirklichkeit selbstsüchtig gehandelt. Es zeigt sich, daß eine Handlung nur dann als selbstlos angesehen würde, wenn sie durch ein Motiv angeregt wird, das der Handelnde nicht hat. Deshalb stellt sich die Prämisse letztlich doch als analytisch heraus, und das Argument ist aus diesem Grund notwendigerweise ungültig.

32. Konträre und kontradiktorische Gegensätze

Zwei Aussagen können in der folgenden Relation zueinander stehen: Eine der beiden ist genau dann wahr, wenn die andere falsch ist. Wir wissen vielleicht nicht, welche der Aussagen wahr und welche falsch ist, wir können aber sicher sein, daß eine der beiden wahr und die andere falsch ist. Solche Aussagen sind, wie man sagt, zueinander »kontradiktorisch«; die Relation bezeichnet man als »kontradiktorischen Gegensatz«. Die folgenden Aussagenpaare sind kontradiktorisch;

man sollte sich selbst davon überzeugen, daß es für
jedes Aussagenpaar unmöglich ist, daß beide Aussagen
wahr bzw. beide falsch sind.[5]

(a)   Alle Pferde sind Säugetiere. Einige Pferde sind keine
       Säugetiere.
(b)   Kein Logiker ist ein Philosoph. Einige Logiker sind
       Philosophen.
(c)   Es regnet hier gerade. Es regnet hier gerade nicht.

Es gilt ganz allgemein für jede Aussage p, daß p zu
nicht-p kontradiktorisch ist. Ferner ist jede Aussage der
Form »p oder nicht-p« analytisch und folglich notwendigerweise wahr; dies bezeichnet man als den »Satz vom
ausgeschlossenen Dritten« oder als *Tertium non datur*.
Genauso ist jede Aussage der Form »Nicht zugleich p
und nicht-p« analytisch; dies bezeichnet man als »Kontradiktionsregel«[*]. Diese logischen Gesetze bringen die
Tatsache zum Ausdruck, daß jede Aussage entweder
wahr oder falsch ist und daß keine Aussage gleichzeitig
wahr und falsch ist.[6]
Zwei Aussagen können in einer solchen Relation zueinander stehen, daß es einerseits unmöglich ist, daß beide
wahr sind, daß es andererseits aber möglich ist, daß
beide falsch sind. In solchen Fällen nennt man die

---

5 In Abschnitt 13 wiesen wir in einer Fußnote darauf hin, daß A-
Aussagen und O-Aussagen bzw. E-Aussagen und I-Aussagen in einem
kontradiktorischen Gegensatz zueinander stehen.
* Oder z. B. auch als »Satz vom ausgeschlossenen Widerspruch«, wie
man überhaupt darauf hinweisen muß, daß die Bezeichnungsweisen
hier nicht einheitlich sind. [Anm. d. Übers.]
6 In Abschnitt 12 wiesen wir nach, daß der Satz vom ausgeschlossenen
Dritten eine Tautologie ist; es ist nicht schwer, eine Wahrheitstafel
aufzustellen, mit der man das gleiche für die Kontradiktionsregel beweist.

Aussagen zueinander »konträr«, und die Relation zwischen ihnen bezeichnet man als »konträren Gegensatz«. Zum Beispiel sind die folgenden beiden Aussagen zueinander konträr:

(d)   Es ist kalt hier. Es ist heiß hier.

Zu jedem Zeitpunkt und überall gilt: Es ist unmöglich, daß es gleichzeitig kalt und heiß ist, aber es ist möglich, daß eine mittlere Temperatur herrscht. Deshalb können beide Aussagen falsch sein, sie können aber nicht beide wahr sein.

Falsche Auslegungen der Unterscheidung zwischen konträren und kontradiktorischen Gegensätzen haben zu vielen Verwechslungen geführt.

(e)   In Beispiel (f), Abschnitt 9, haben wir uns mit dem Dilemma des freien Willens befaßt. In diesem Dilemma wird der Schluß gezogen, daß es keinen freien Willen gibt, weil er sowohl mit dem Determinismus als auch mit dem Indeterminismus unvereinbar ist. Einige haben bestritten, daß dieses Dilemma besteht, weil es neben Determinismus und Indeterminismus noch eine dritte Möglichkeit gibt. Um uns mit diesem Einwand auseinandersetzen zu können, müssen wir uns über die Bedeutungen der Wörter »Determinismus« und »Indeterminismus« im klaren sein. Unter »Determinismus« versteht man die Lehre, daß alles kausal vorbestimmt ist. Unter Indeterminismus versteht man die Lehre, daß nicht alles kausal vorbestimmt ist. Eine dritte Lehre, die wir »Chaoslehre« nennen werden, besagt, daß nichts kausal vorbestimmt ist. Es ist nicht schwer zu sehen, daß Determinismus und Indeterminismus kontradiktorische Lehren sind; eine von ihnen muß wahr sein. Determinismus und Chaoslehre sind demgegenüber konträre Lehren; beide wären falsch, wenn manche Dinge kausal bestimmt und manche nicht kausal bestimmt sind. Wenn das Dilemma des freien Willens die Aussage »Entweder trifft der Determinismus oder die Chaoslehre zu« als Prämisse verwendete, dann könnte man den Einwand erheben, daß es eine dritte Möglichkeit gibt. Tatsächlich wird aber die Prämisse »Entweder trifft der Determinismus oder der Indeterminismus zu« benutzt. Diese Prämisse ist analytisch; sie ist ein Beispiel des Satzes vom ausgeschlossenen Dritten.

(f) Viele Menschen neigen bedauerlicherweise dazu, »undifferenziert zu denken«[7] – zum Beispiel alles für ganz und gar gut oder aber für ganz und gar schlecht zu halten. Uns sind die Menschen nur zu gut bekannt, die davon überzeugt sind, daß von ihrer Nation nichts Schlechtes ausgehen kann, wohingegen von den anderen Nationen nichts Gutes ausgehen kann, es sei denn, sie stimmen mit unseren Zielen überein. Ebenso kennen wir denjenigen nur zu gut, der glaubt, daß seine politische Partei bei jeder politischen Kontroverse recht hat, während die Oppositionspartei immer im Unrecht ist. Undifferenziertes Denken beruht auf einer Verwechslung von konträren und kontradiktorischen Gegensätzen; der Fehler besteht darin, daß man zueinander konträre Aussagen als zueinander kontradiktorisch auffaßt. »X ist ganz und gar gut« ist konträr zu »X ist ganz und gar schlecht«; für jemanden, der undifferenziert denkt, scheint es ausgeschlossen zu sein, daß beide Aussagen falsch sind.

(g) Einige Leute haben die Meinung vertreten, daß die Logik gefährlich sei, weil sie zu undifferenziertem Denken führe. Dies ergebe sich aus dem Grundsatz, daß

---

7 Undifferenziertes Denken hat man häufig als »Schwarzweißmalerei« bezeichnet. Dies wäre eine gute Bezeichnung dafür, wenn man einmal davon absieht, daß dadurch die Neigung, das Weiße mit dem Guten und das Schwarze mit dem Schlechten gleichzusetzen, nur verstärkt wird.

jede Aussage entweder wahr oder falsch ist. Es wäre besser, so wird behauptet, wenn man Aussagen für wahr bis zu einem gewissen Grade und falsch bis zu einem gewissen Grade halten würde. Es ist schon sehr merkwürdig, daß diese Kritik der Logik auf demselben Fehler beruht, den man begeht, wenn man undifferenziert denkt, dem Fehler der Verwechslung von konträren und kontradiktorischen Gegensätzen; die Aussage »p ist wahr« ist nicht konträr zu der Aussage »p ist falsch« und sollte deshalb nicht so verstanden werden. Die Logik begünstigt in keiner Weise die Verwechslung von konträren und kontradiktorischen Gegensätzen; das Studium der Logik hat vielmehr die Aufgabe, diese Verwechslung zu verhindern.

33. Mißverständlichkeit und Mehrdeutigkeit

Es ist wohlbekannt, daß ein einzelnes Wort verschiedene Bedeutungen haben kann. Das ist normalerweise nicht weiter schlimm, denn gewöhnlich geht aus dem Zusammenhang hervor, welche der Bedeutungen gemeint ist. Zum Beispiel besitzt das Wort »Masse« in der Physik und in der Soziologie ganz verschiedene Bedeutungen, aber diese Mehrdeutigkeit wird schwerlich jemals zu einer Verwechslung führen. Es gibt jedoch Fälle, in denen ein Wort in einer Weise gebraucht wird, daß wir nicht sagen können, welche seiner verschiedenen Bedeutungen gemeint ist. In diesen Fällen sagen wir, daß das Wort *mißverständlich* gebraucht wird, denn die Aussage, in der es vorkommt, kann auf wenigstens zwei verschiedene Arten interpretiert werden. Ohne nähere Kenntnis der Umstände kann die Aussage »Joachim hat von Andrea einen Korb bekommen« bedeuten, daß er von ihr einen aus biegsamem Material geflochtenen Behälter erhalten hat oder aber daß sie ihm auf sein Angebot eine ablehnende Antwort gegeben hat.*

Die Vielfalt der Bedeutungen führt dann zu logischen Problemen, wenn dasselbe Wort in ein und demselben Argument in zwei verschiedenen Bedeutungen verwendet wird und wenn die Gültigkeit des Arguments davon abhängt, daß das Wort an jeder Stelle des Arguments denselben Sinn besitzt. Bei solchen Argumentationen unterliegt man dem *Fehlschluß der Mehrdeutigkeit*. Man betrachte ein einfaches Beispiel.

(a)   Nur Männer werden zum Wehrdienst eingezogen.
       Kein Feigling ist ein Mann.
   ∴ Alle Feiglinge sind vom Wehrdienst freigestellt.*

Dieses Argument wäre gültig, wenn der Ausdruck »Mann« an allen Stellen, an denen er vorkommt, dieselbe Bedeutung hätte. Damit aber die erste Prämisse wahr wird, muß »Mann« gleichbedeutend sein mit »erwachsene Person männlichen Geschlechts«, während die zweite Prämisse nur dann wahr ist, wenn »Mann« so viel bedeutet wie »mutiger Mann«. Wenn die Prämissen somit irgendeine Plausibilität besitzen sollen, dann muß der Ausdruck »Mann« innerhalb des Arguments seine Bedeutung ändern. Wir würden die Prämissen sicherlich falsch auslegen, wenn wir den Ausdruck »Mann« an beiden Stellen in derselben Bedeutung auffassen würden. Wir haben es folglich mit einer Mehrdeutigkeit zu tun, die die Gültigkeit des Arguments aufhebt.

* Es handelt sich hier um ein gegenüber dem englischen Original abgewandeltes Beispiel. [Anm. d. Übers.]

Wir wollen einige weniger einfache Beispiele betrachten.

(b)   Der normale College-Neuling ist lebhaft an Sport und Alkohol interessiert, und den größten Teil seiner Zeit beschäftigt er sich mit Sex. Diese Dinge nehmen ihn ganz in Anspruch. Gedichte zum Beispiel lassen ihn kalt. Hin und wieder begegnet man jedoch einem Neuling, der vollkommen anders ist. Er verbringt einen großen Teil seiner Zeit mit Lesen, und möglicherweise schreibt er sogar Gedichte. Er tut das, weil es ihm gefällt. Er ist ein anormaler Fall. Häufig hat er einen ungewöhnlich hohen IQ. Er ist nicht an den Dingen interessiert, für die sich die normalen Jungen in seinem Alter interessieren. Von den anderen Jungen ist er abgesondert. Wenn wir auf derartige Jungen stoßen, dann fragen wir uns »Wie kann man ihnen helfen?« Es muß doch einen Weg geben, um ihnen zu einer normalen Einstellung dem Leben gegenüber zu verhelfen.

Das Wort »normal« ändert innerhalb dieses Absatzes seine Bedeutung. Am Anfang bedeutet das Wort »normal« einfach »durchschnittlich«; am Ende bedeutet es »gesund«. »Durchschnittlich« ist ein rein statistischer Ausdruck, der vollkommen wertfrei ist; »gesund« ist unter anderem ein wertender Ausdruck. In diesem Absatz ist ein unausgesprochenes Argument der folgenden Art enthalten:

(c)   Ein College-Neuling, der Gedichte mag, ist ein anormaler Junge.
      Ein anormaler Junge ist zu bedauern.
∴ Ein College-Neuling, der Gedichte mag, ist zu bedauern.

Dieses Argument enthält eine Mehrdeutigkeit, die auf das Wort »normal« zurückgeht. Derartige Argumente sind ernsthaft als Argumente für Mittelmäßigkeit und Anpassung vorgebracht worden.

(d)   Wenn jemand glaubt, daß eine Ziegelsteinmauer massiv ist, dann irrt er sich. Die moderne Wissenschaft hat nachgewiesen, daß Dinge wie Ziegelsteinmauern aus Atomen bestehen. Ein Atom kann man mit dem Sonnensystem vergleichen; Elektronen umkreisen den Kern genauso, wie die Planeten um die Sonne kreisen. Wie das Sonnensystem besteht auch ein Atom zum größten Teil aus leerem Raum. Was dem gesunden Menschenverstand als massiv erscheint, ist, wie die Wissenschaft zeigen konnte, alles andere als massiv.

Die Mehrdeutigkeit, die in diesem Absatz offenbar vorkommt, betrifft das Wort »massiv«. Auf der einen Seite kann der gesunde Menschenverstand recht haben, wenn er die Ziegelsteinmauer als massiv ansieht – in dem Sinn, daß sie von fester Beschaffenheit ist. Auf der anderen Seite hat möglicherweise auch die Wissenschaft recht, wenn sie dieselbe Ziegelsteinmauer nicht für massiv hält – in dem Sinn, daß sie nicht aus zwischenraumlos zusammengefügten Elementarteilchen besteht.

(e)   Beispiel (l) aus Abschnitt 31 liefert ein gutes Beispiel einer Mehrdeutigkeit. Als derjenige, der das Argument vorbringt, seine Prämisse »Menschen handeln niemals selbstlos« verteidigen will, interpretiert er das Wort »selbstsüchtig« in einer Weise, daß es auf jede Handlung zutrifft, deren Motivation auf die Person zurückgeht, die sie ausführt. Wird das Wort »selbstsüchtig« in dieser Weise verstanden, dann wird die Prämisse analytisch und somit unwiderlegbar. Als derjenige, der das Argument vorbringt, jedoch seine Aufmerksamkeit von der Verteidigung der Prämisse auf die Ableitung einer Konklusion aus ihr richtet, da ändert er die Bedeutung des Wortes »selbstsüchtig«. Das Wort »selbstsüchtig« trifft jetzt auf Handlungen zu, bei denen der Handelnde die Interessen der anderen Menschen ignoriert. In dieser Bedeutung des Wortes »selbstsüchtig« ist die Prämisse nicht mehr analytisch. Es ist nicht per definitionem wahr (oder überhaupt wahr), daß Menschen niemals motiviert sind, die Interessen der anderen Menschen zu berücksichtigen. Heilige, Helden und gewöhnliche Menschen handeln aufgrund ihrer je eigenen Motive. Trotzdem verhalten sie sich manchmal anständig, rücksichtsvoll und altruistisch, denn ihre eigenen Motive schließen ein Interesse an dem Wohlergehen der anderen Menschen ein.

Literaturhinweise *

Allgemeine Einführungen in die Logik

Beardsley, Monroe C., *Thinking Straight*, Englewood Cliffs, N. J.: Prentice-Hall, ³1966.

Black, Max, *Critical Thinking*, Englewood Cliffs, N. J.: Prentice-Hall, ²1952.

Cohen, Morris R. / Nagel, Ernest, *An Introduction to Logic and Scientific Method*, New York: Harcourt, Brace and World, 1934.

Copi, Irving M., *Introduction to Logic*, New York: Macmillan, ⁴1972.

Eaton, Ralph M., *General Logic*, New York: Charles Scribner's Sons, 1931.

Michalos, Alex C., *Principles of Logic*, Englewood Cliffs, N. J.: Prentice-Hall, 1969.

Einführungen in die symbolische Logik

Copi, Irving M., *Symbolic Logic*, New York: Macmillan, ³1967.

Ebbinghaus, Heinz-Dieter / Flum, Jörg / Thomas, Wolfgang, *Einführung in die mathematische Logik*, Darmstadt: Wissenschaftliche Buchgesellschaft, 1978.

Hermes, Hans, *Einführung in die mathematische Logik*, Stuttgart: Teubner, 1972.

Hoyningen-Huene, Paul, *Formale Logik. Eine philosophische Einführung*, Stuttgart: Reclam, 1998.

Kalish, Donald / Montague, Richard, *Logic: Techniques of Formal Reasoning*, New York: Harcourt, Brace and World, 1964.

Kutschera, Franz von / Breitkopf, Alfred, *Einführung in die moderne Logik*, Freiburg/München: Alber, ³1974.

Mates, Benson, *Elementary Logic*, New York: Oxford University Press, ²1972 [dt. *Elementare Logik*, Göttingen: Vandenhoeck & Ruprecht, ²1978].

Quine, Willard Van Orman, *Grundzüge der Logik*, Frankfurt a. M.:

---

* Die Literaturhinweise des Verfassers wurden durch einige wenige in deutscher Sprache erschienene Logikbücher ergänzt. [Anm. d. Übers.]

Suhrkamp, 1974 [engl. Orig.-Ausg. *Methods of Logic*, New York [2]1959].

Suppes, Patrick, *Introduction to Logic*, Princeton, N. J.: D. Van Nostrand, 1957.

Tarski, Alfred, *Einführung in die mathematische Logik*, Göttingen: Vandenhoeck & Ruprecht, 1971.

Induktive Logik

Essler, Wilhelm K., *Induktive Logik. Grundlagen und Voraussetzungen*, Freiburg/München: Alber, 1970.

– *Wissenschaftstheorie III: Wahrscheinlichkeit und Induktion*, Freiburg/München: Alber, 1973.

Hempel, Carl G., *Philosophy of Natural Science*, Englewood Cliffs, N. J.: Prentice-Hall, 1966.

Salmon, Wesley C., *The Foundations of Scientific Inference*, Pittsburgh: University of Pittsburgh Press, 1967.

Skyrms, Brian, *Choice and Chance*, Belmont, Calif.: Dickenson, 1966.

Stegmüller, Wolfgang, *Das Problem der Induktion: Humes Herausforderung und moderne Antworten*, Darmstadt: Wissenschaftliche Buchgesellschaft, 1975.

Logik und Sprache

Alston, William P., *Philosophy of Language*, Englewood Cliffs, N. J.: Prentice-Hall, 1964.

Hospers, John, *An Introduction to Philosophical Analysis*, Englewood Cliffs, N. J.: Prentice-Hall, [2]1967.

Kutschera, Franz von, *Sprachphilosophie*, München: Fink, [2]1975.

Tugendhat, Ernst / Wolf, Ursula, *Logisch-semantische Propädeutik*, Stuttgart: Reclam, 1983.

Philosophie der Logik

Quine, Willard Van Orman, *Philosophy of Logic*, Englewood Cliffs, N. J.: Prentice-Hall, 1970 [dt. *Philosophie der Logik*, Stuttgart: Kohlhammer, 1973].

Argumentformen (korrekte und inkorrekte)

Die Seitenangaben bezeichnen die Stelle, an der die Argumentformen eingeführt und erklärt werden.

Register

Englische und amerikanische Philosophen der Gegenwart

IN RECLAMS UNIVERSAL-BIBLIOTHEK

Philipp Reclam jun. Stuttgart